STIG I.L. NORIN

# SEIN NAME ALLEIN IST HOCH

Das Jhw-haltige Suffix althebräischer
Personennamen untersucht mit besonderer
Berücksichtigung der alttestamentlichen
Redaktionsgeschichte

CWK GLEERUP
1986

CWK Gleerup ist das Impressum für wissenschaftliche Veröffentlichungen des Verlages Liber Förlag Malmö.

Deutsche Übersetzung von Christiane Boehncke Sjöberg.

Gedruckt mit Unterstützung des Schwedischen Forschungsrates für Geistes- und Gesellschaftswissenschaften.

Printed by Wallin & Dalholm Boktr AB, Lund
ISBN 91-40-05113-7

*Till*
*Johan och David*
*Ps 127,4*

# Vorwort

Bei der Arbeit an meiner Dissertation über die Auszugsüberlieferung in Psalmen und Kult des Alten Israel stiess ich in Ps 81,6 auf die eigenartige Namensform *j^ehôsep,* in welcher der Name Joseph sekundär als ein theophorer *jhw*-haltiger Personenname aufgefasst worden war. Dadurch wurde mein Interesse auf die unterschiedlichen Schreibungen des theophoren Elementes *jw/jhw/jh* in hebräischen Personennamen gelenkt. Dieses Interesse nahm dann in der nun vorliegenden Studie Gestalt an.

Die Arbeit entstand in engem Kontakt zu dem alttestamentlichen Forscherseminar an der Universität Lund. Das Seminar unter der Leitung von Professor Tryggve Mettinger und, während dessen Urlaubsperioden, Dozent Bo Johnson, bildete die anregende und konstruktiv kritische Umwelt meiner Arbeit. Ich richte hiermit meinen Dank an alle Teilnehmer dieses Seminars. Die Namen sämtlicher interessierten und hilfreichen Kollegen in einem Vorwort zu nennen, führt leicht zu einer endlosen Aufzählung, aber zwei Personen möchte ich doch besonders erwähnen: Teol Dr Fredrik Lindström, der in seiner Arbeit "God and the Origin of Evil" teilweise mit demselben Textmaterial gearbeitet hat wie ich. Wir haben unzählige fruchtbare Gespräche über die Interpretation einzelner Texte geführt. Eine andere Person, die mir weit über alle Verpflichtung hinaus tapfer zur Seite stand, ist der Bibelübersetzer Herr Pastor Teol. Kand. Krister Brandt, der mir im Verlauf der Arbeit so manchen Denkanstoss vermittelte.

Professor Sara Japhet von der Hebräischen Unviersität in Jerusalem danke ich für ein anregendes Gespräch über Probleme in den Büchern der Chronik, das wir bei dem Kongress von IOSOT in Salamanca führten. Professor John Emerton von St. Johns College in Cambridge danke ich für die Möglichkeit, eine Vorstudie zu dieser Arbeit in VT 29/1979 zu publizieren. Dem Vorstand von Oscar und Signe Krooks stiftelse möchte ich für Reisezuschüsse danken, die mir zum einen die Durchsicht von Manuskripten in der Cambridge University Library im Mai 1982 und zum anderen Reisen zu den Kongressen in Salamanca 1983 und Jerusalem 1984 ermöglichten. Wenn man in einem kleinen Land wie Schweden an einem grossen Thema wie Bibelwissenschaft arbeitet, sind internationale Kongresse notwendige Inspirationsquellen für den Fortgang der Arbeit. Dem Schwedischen Forschungsrat für Geistes- und Gesellschaftswissenschaften danke ich für Zuschüsse zu Übersetzung und Veröffentlichung meiner Arbeit. Schliesslich danke ich Frau Dr. Christiane Boehncke Sjöberg für ihre Mühe, diese Untersuchung ins Deutsche zu übersetzen, sowie teol kand Catharina Rosenqvist, die mir beim Korrekturlesen behilflich war.

Hebräische Wörter werden in der Arbeit im Einklang mit dem in ZAW emp-
fohlenen Transkriptionssystem wiedergegeben. Die deutschen Bibelzitate sind
der Bibel nach der Übersetzung Martin Luthers, 1964 genehmigte Fassung,
Volksbibel, entnommen. Ich war auch bestrebt, die biblischen Namensformen,
die nicht in Transkription angeführt werden, dieser Bibelübersetzung zu entnehmen. Da die Schreibung biblischer Namen jedoch sowohl in der Literatur wie
zwischen verschiedenen Bibelübersetzungen stark wechselt, kann man wohl
kaum garantieren, dass sich nicht irgendeine abweichende Form eingeschlichen
hat.

Lund, den 31. Dezember 1984

*Stig Norin*

# Inhalt

10

## ABSTRACT IN ENGLISH

Author: Norin, Stig I L. Lund University
Title: Sein Name allein ist hoch. Das Jhw-haltige Suffix althebräischer Personennamen untersucht mit besonderer Berücksichtigung der alttestamentlichen
Redaktionsgeschichte (His Name Alone is Exalted. The Jhw-bearing suffix of
ancient Hebrew personal names, investigated with special regard to the redaction-history of the Old Testament). Lund, 1985,      p. Monograph.

——————————————

Ch.I: A survey of personal names terminating in -*jw/jhw/jh* in ancient Palestine
epigraphic sources leading to the conclusion that names in -*jw/jhw* are predomi-
nantly pre-exilic while those in -*jh* are mostly found in post-exilic material, al-
though there is also some pre-exilic evidence of the suffix -*jh*. Ch.II: A survey of
the Biblical material, showing that the main part of the actual names are found
in the Deuteronomic and the Chronistic historical works as well as in the book
of Jeremiah. Ch.III—V: Detailed investigations of the context of the names in -*jh*
/*jhw* in the three mentioned text-corpora. Ch.VI: Summary leading up to the
conclusion that the variations between -*jh* and -*jhw* (-*jw* is very rare in the OT)
are dependent on three different factors: 1) The geographical provenance of the
context; names in -*jh* are in some cases north Israelite. 2) The redaction-history
of the text. Names in -*jh* are often late but they can also represent an ancient
*scriptio defective* of the suffix -*jahu*. 3) A theological judgement of the persons.
The name of a person intended to be honoured is mostly written with -*jhw*.

Key words: Bible, Old Testament, personal names, theoforic names, epigraphy,
ostraca, seals, redaction-history, Deuteronomic historical work, Chronicles, Jeremiah.

# Einleitung

Ein Studium der Personennamen im Alten Testament ist von Wert sowohl für das Verständnis der althebräischen Sprachentwicklung wie für unsere Kenntnisse von der Religion des alten Israel. Indem wir die Personennamen studieren, kommen wir dem einzelnen Israeliten auf eine einzigartige Weise nahe.

Da die altisraelitische Namengebung eng mit dem Glauben der Menschen verbunden war, sind viele biblische Namen theophor. Eine grosse Zahl von ihnen weist als Präfix oder Suffix irgendeine Form des Gottesnamens JHWH auf. In der vorliegenden Arbeit wollen wir uns hauptsächlich mit den suffigierten Formen beschäftigen, die der Zahl nach völlig dominieren. Zunächst aber einige Worte zu den präfigierten Namen, die eigentlich als erste mein Interesse an der alttestamentlichen Namengebung erweckten.

## A. Namen mit dem Präfix *jhw* oder *jw*

Vor einigen Jahren legte ich in einer kürzeren Studie einen Vorschlag zur Erklärung der eigenartigen Variation zwischen den Präfixen *jw*- und *jhw*- in hebräischen Personennamen vor.[1] Diese Studie führte zu dem Schluss, dass dies Präfix in der älteren Königszeit die Form *jw*- hatte. Eine historisierende Schreibung, *jhw*-, kam erst im Zuge der deuteronomistischen Bewegung im 7.Jahrhundert auf, sie wurde insbesondere für prominentere Personen gebraucht. Diese These liess sich durch eine Reihe von epigraphischen Belegen unterbauen; auch sie schienen zu zeigen, dass die *jw*-Formen älter sind als die *jhw*-Formen. Diese Schlussfolgerungen stiessen jedoch sogleich auf den Widerspruch von A.R.Millard, dessen Interesse an meiner Arbeit mich gefreut hat.[2] Millard beanstandet die Schlüsse, die ich aus dem ausserbiblischen Material gezogen habe, ergänzt aber gleichzeitig die von mir vorgelegten epigraphischen Belege mit einer weiteren Anzahl von Namen aus neueren Publikationen, die mir bei der Ausarbeitung des erwähnten Artikels nicht zugänglich waren.[3] Diese erweiterte Materialsammlung zeigt zwar, dass meine Folgerung, dass "die *jhw*-Namen so gut wie ausnahmslos in die nachexilische Zeit gesetzt werden können", etwas übereilt zu

---

[1] Norin, VT 29/1979, S.87ff.
[2] Millard, VT 30/1980, S.208ff.
[3] Lemaire, Inscriptions Hebraiques, 1977. Vattioni, Biblica 50/1969, S.357ff. *Idem,* Augustinianum 11/1971, S.447ff. sowie *idem*, Annali dell' Istituto Orientale di Napoli 38/1978, S.227ff. Die letztere Arbeit zu konsultieren hatte ich keine Möglichkeit.

14

sein scheint, doch zeigt das Material andererseits ein deutliches Übergewicht der *jw*- Formen in älterer Zeit, während die *jhw*-Namen erst im 7.Jahrhundert eine Blütezeit erleben. Das stimmt gut mit meinen Schlussfolgerungen über den Zusammenhang dieses Namenstyps mit der deuteronomistischen Bewegung überein.[4] Alle Namen vom Typ *jhw*- lassen sich zwar nicht klar auf die Zeit nach der Reform des Josias datieren, aber wenn wir diese Reform als einen Teil eines grösseren Geschehens archaisierender Art ansehen, braucht die Datierung der Namen nicht unbedingt gerade vom Datum der Reform abzuhängen.[5] Eher haben wir diese ganze Bewegung als einen Teil eines aufblühenden Nationalismus aufzufassen, der bedingt war durch den abnehmenden assyrischen Druck im Verlauf des 7.Jahrhunderts. In dieser Periode bestand übrigens im gesamten Vorderen Orient ein Interesse an alten Zeiten.[6]

Aber beschränkte sich dieser "Deuteronomismus" denn nicht auf die biblischen Schriften? Gibt es irgendwelche Anzeichen dafür, dass diese Bewegung auch ausserhalb des Alten Testaments wirksam wurde? M.Rose hat gezeigt, dass es sich so verhalten dürfte. Ein Studium sowohl der Briefe aus Lachis wie der Funde aus Ramat Rahel ergibt, dass JHWH-haltige Eigennamen auf einmal zur Zeit Josias' sehr beliebt werden, während sie in den früheren Perioden in der Minderheit waren.[7] Andererseits haben die Ausgrabungen in Arad JHWH-Namen aus unterschiedlichen Zeiten zutage gefördert; aber hier stossen wir auf einen anderen interessanten Umstand. Die an anderen Ausgrabungsstätten so üblichen weiblichen Figurinen fehlen hier. Der Grund dafür ist Rose zufolge, dass wir es hier mit einer JHWH-Frömmigkeit zu tun haben, die der deuteronomistischen Bewegung nahestand.[8] Somit kann man diese nicht auf die Aktivität einiger Textredakteure beschränken. Diese Bewegung drückte auch dem Alltag des Durchschnitts-Israeliten ihren Stempel auf.

## B. Die Aufgabe

Die vorliegende Studie stellt sich die Aufgabe, den Wechsel zwischen den Suffixen -*jhw*, -*jh* und -*jw* in altisraelitischen Personennamen zu untersuchen; dabei wollen wir uns bemühen, die Ursache für den Wechsel zwischen den einzelnen Suffixen in verschiedenen Texten zu finden. Wir müssen dazu in erster Linie feststellen, in welchen Zeitabschnitten die Suffixe jeweils üblich waren. Ebenso

[4] Millards Materialverzeichnis (*op.cit.* S.210) verteilt die Namentypen folgendermassen auf die verschiedenen Zeitabschnitte.

| Jahrhundert | 6. | 7. | 8. |
|---|---|---|---|
| *jw*-Namen | 5 | 1 | 5 |
| *jhw*-Namen | 3 | 16 | 4 |

[5] Vgl. Millard, *op.cit.*
[6] Siehe Bright, A History of Israel, S.314. Gardiner, Egypt of the Pharaohs, S.355.
[7] Rose, Der Ausschliesslichkeitsanspruch..., 1975, S.171ff.
[8] *Ibm* S. 189.

müssen wir untersuchen, ob die geographische Provenienz eine Rolle dabei spielt, wie die Namen ausfielen. In all diesen Fragen gewinnen wir nur Klarheit, wenn wir Material studieren, das direkt aus altisraelitischer Zeit stammt. Das bedeutet also, dass wir die Arbeit der Archäologen zur Hilfe heranziehen müssen. Indem wir Siegel, Siegelabdrücke und Inschriften verschiedener Art untersuchen, wollen wir uns ein Bild von der Verbreitung der einzelnen Suffixe zu verschiedenen Zeiten und an verschiedenen Orten verschaffen. Das erste Kapitel der vorliegenden Arbeit umfasst daher eine Durchsicht der Namen auf -*jh/jhw/jw* in ausserbiblischem Material; von diesem Ausgangspunkt ziehen wir dann Schlüsse im Hinblick auf den Ursprung der einzelnen Namenstypen in Zeit und Raum.

Als nächstes kommt das alttestamentliche Material an die Reihe. In Kap. II erfolgt eine vollständige Durchsicht dieses Materials mit dem Ergebnis, dass die behandelten Namenstypen hauptsächlich in den beiden grossen Geschichtswerken sowie im Buch Jeremia vorkommen. In Kap. III, IV und V werden dann nacheinander alle für uns relevanten Textabschnitte des Deuteronomistischen Geschichtswerks, des Buchs Jeremia und des Chronistischen Geschichtswerks erörtert. Hier fesselt die Frage unser Interesse, wie sich die Datierungen der einzelnen Suffixe, die uns das ausserbiblische Material geliefert hat, auf die alttestamentlichen Texte anwenden lassen. Wir müssen die Variationen zwischen den verschiedenen Namensformen in Beziehung zu unseren früheren Kenntnissen von der Redaktionsgeschichte der einzelnen Bibelbücher setzen. Damit wird auch eine andere Frage aufgeworfen. Könnte die Schreibart der Namensformen auch von anderen Ursachen bestimmt sein als von Alter und geographischer Herkunft der Texte?

Die Untersuchung bezweckt also in erster Linie, eine Antwort auf die Frage zu finden, warum diese Personennamen im Alten Testament nicht immer auf ein und dieselbe Weise geschrieben werden. Hat irgendetwas anderes als der Zufall die Schreibweise der Namen in den einzelnen alttestamentlichen Texten bestimmt? Wenn wir ein System entdecken, das die verschiedenen Schreibweisen zu erklären vermag, könnte das in zweiter Linie auch als eine bislang nicht erprobte Testmethode für literarkritische und redaktionshistorische Hypothesen dienen.

# C. Forschungsübersicht

Hier besteht nicht die Absicht, eine Übersicht über die zahllosen Arbeiten zu geben, die Ursprung, Aussprache und Bedeutung des Gottesnamens behandeln. Wir wollen uns vielmehr damit begnügen, das Wesentlichste zu skizzieren, was im Hinblick auf die Erforschung des Tetragramms oder eines Teiles desselben als Element in theophoren Personennamen geleistet wurde.

Bereits im Jahre 1894 machte M. Jastrow darauf aufmerksam, dass wir die Suffixe -*jh/jhw/jw* nicht überall als Ableitungen von dem Tetragramm betrach-

ten können.[9] Jastrow zufolge müssen wir vielfach damit rechnen, dass die hebräische Endung -*jh* ein direktes Gegenstück zu der akkadischen Afformativen-
dung mit emphatischer Bedeutung -*ia* darstellt.[10] Zwar ist es nicht unwahr-
scheinlich, dass sich unter den alttestamentlichen Namen eine Reihe derartiger
Beispiele befinden, aber es ist weit schwieriger, Jastrows Annahme beizupflich-
ten, das Suffix -*jhw* sei eine Schreibweise für dieselbe Endung mit nachfolgender
Nominativendung -*u*. Das Alte Testament weist keine anderen Beispiele für plene
geschriebene kurze Kasusvokale auf. Jastrow verzeichnet sechzehn Namen auf
-*jh* mit akkadischen Parallelen. Aber nicht nur diese betrachtet er als nicht theophor. Er zählt zu den nicht theophoren Namen auch Namen von Nicht-Hebräern
wie auch Namen mit Parallelformen auf -*h* (z.B. *mikā*), -' (z.B. *ʿuzzîjaʾ*) und -*m*
(z.B. *ʾªbîjam*). Ausserdem betrachtet er alle mit einem Substantiv komponierten
Namen als nicht theophor und ebenso die mit *verba tertiae infirmae* komponierten. Zusammen mit noch einigen weiteren beläuft sich die Zahl der von Jastrow
als nicht theophor angesehenen Namen auf -*jh/jhw* auf 63 von den insgesamt
139. Auch wenn er in einigen Fällen recht haben dürfte, sind seine Kriterien doch
allzu schwach um zu begründen, dass eine so grosse Anzahl von Namen nicht
theophor sein sollte.

Man kann mit Fug und Recht sagen, dass am Anfang der modernen Forschung zu biblischen Personennamen G.Buchanan Gray steht, der es unter-
nahm, Personennamen verschiedenen Typs zu datieren, wobei er davon ausging,
in welchen Büchern der Bibel sie vorkommen.[11] Was Namen betrifft, die mit irgendeiner Ableitung des JHWH-Namens als Prä- oder Suffix gebildet sind, stellt
Gray fest, dass diese Namen während sämtlicher Perioden der Geschichte Israels
üblich waren, dass aber die präfigierten Formen praktisch in nachexilischer Zeit
nicht mehr neu gebildet wurden. Anderseits treten in dieser Zeit viele neue suf-
figierte Namensformen hinzu. Gray konstatiert auch, dass die JHWH-Namen in
der Königszeit üblicher waren als die El-namen, aber die spezielle Frage der Relation zwischen den unterschiedlichen Schreibweisen des theophoren Elements behandelt Gray überhaupt nicht.[12] Die von Gray vorgeschlagene Datierung der verschiedenen Namen dürfte im grossen ganzen auch heute noch gelten, aber man
darf dabei nicht vergessen, dass Grays Methode stark davon abhängt, wie man
die Entstehungsgeschichte der einzelnen Bibelbücher literarkritisch beurteilt.
Epigraphisches Material, das heutzutage für die altisrealitische Namensforschung ebenso wichtig ist wie das biblische, führt Gray aus natürlichen Gründen
nur in geringem Umfang an. Als sein Buch enststand, lag davon nur wenig vor.
Auch waren die Möglichkeiten, das epigraphische Material zu datieren, gering.

[9] Jastrow, JBL 15/1894, S.101ff.
[10] *Ibm*,S.108.
[11] Gray, Studies in Hebrew Proper Names, 1896.
[12] *Ibm*, S.163.

Die zweite klassische Arbeit ist Martin Noths Untersuchung von 1928.[13] Noth, der die Namengebung in einen möglichst grossen allgemeinsemitischen Zusammenhang eingliedern wollte, berücksichtigt das ausserbiblische Material stärker.[14] Er zieht die Samaria-Ostraka ebenso heran wie die Elephantine-Papyri und allerlei altisraelitische Siegel. Neubabylonische Keilschriftbelege aus Murašu ergänzen das Bild. In der Gesamtdarstellung werden den Namen, die JHWH als theophores Element enthalten, jedoch nur wenige Seiten gewidmet. Nach einer Erörterung der Ursprungsform des Gottesnamens, die zu dem Ergebnis führt, dass der *Jhwh*-Name älter ist als die kürzeren Formen *Jhw, Jh* und *Jw,* geht der Verfasser auf die Personennamen ein. Genau wie Gray stellt Noth fest, dass diese Namen vor der Königszeit ungewöhnlich waren, sodann aber sehr üblich wurden. Die Frage, ob JHWH-Namen ausserhalb Israels existiert hätten, wird verneint. Von König *Jaubi'di* von Hamat im 8.Jahrhundert wird erklärt, er sei entweder ein Nachkomme eines Auswanderers aus Israel oder er sei selbst von dort ausgewandert.[15] Auch Noth lässt sich nicht auf eine nähere Betrachtung der wechselnden Schreibung des Gottesnamens in den verschiedenen Personennamen ein.

Die Verteilung der drei Suffixe *-jh/jhw/jw* beschreibt in grossen Zügen H.Torczyner in seinem Kommentar zu dem Lachis-Brief Nr.1.[16] Wir lesen dort, dass das Suffix *-jh* im Alten Testament zumeist in dem chronistischen Geschichtswerk vorkommt und ferner häufig in den Papyri von Elephantine. Von dem Suffix *-jhw* wird gesagt, es sei das einzige in der althebräischen Epigraphik vorkommende Suffix, abgesehen von den Samaria-Ostraka, die *-jw* lesen. Davon, dass diese Übersicht in grossen Zügen richtig ist, kann sich ein jeder, der mit dem Material Bekanntschaft stiftet, leicht überzeugen. Eine genauere Durchsicht desselben Mateials vermittelt andererseits aber ein weitaus nuancierteres Bild. Das gilt besonders für das heutzutage viel reichhaltigere epigraphische Material. Torczyner erwähnt auch nicht, dass 1.—2.Chr. viele Namen vom Typ *-jhw* enthält. Ebenso wenig kommentiert er die gemischte Schreibweise mehrerer anderer Bibelbücher.

J.T.Milik behandelt die theophoren Namen im Anschluss an seine Edition des Materials aus den Murabbaᶜat-Grotten.[17] Milik zufolge lautete das Suffix anfänglich *-jaw,* auch wo es *-jhw* geschrieben wurde. Das würde dann bedeuten, dass man *h* nur aus etymologisch-historischen Gründen schrieb. Mit einigen Beispielen aus dem epigraphischen Material meint Milik zeigen zu können, dass die ältesten Befunde Namensformen mit *-jw* aufweisen. Ferner bemerkt er, sicher-

---

[13] Noth, Die Israelitischen Personennamen..., 1928.
[14] *Ibm,* S.3.
[15] *Ibm* S.110f. Vgl. Jastrow, ZA 10/1895, S.222ff. Jastrow verneint einen Zusammenhang zwischen diesem Jaubi'di und dem Gott Israels.
[16] Torczyner, Lachish I, 1938, S.24f.
[17] DJD 2, 1961, S.99f.

lich zu Recht, dass die Aussprache *jaho* des Präfixes *jhw* nicht möglich sei, solange keine *matres lectionis* innerhalb der Wörter in Gebrauch waren. Diese Schlussfolgerung lässt sich indes nicht ohne weiteres auf die suffigierten Formen übertragen, da finale *matres lectionis* erheblich früher verwendet wurden.[18] Vom Suffix *-jhw* liesse sich also sehr wohl annehmen, dass es bereits in vorexilischer Zeit einen vokalischen Schluss repräsentierte.

Den Gebrauch von langen *(-jhw)* und kurzen *(-jw)* Formen in Namen, die sowohl in den Büchern der Könige wie denen der Chronik vorkommen,erörtert in aller Kürze Kutscher in seiner Arbeit über die Jesajarolle 1Q Isaᵃ.[19] Kutscher wünschte sich eine Spezialstudie zu der Frage. Hoffentlich kann die vorliegende Arbeit in einigem Umfang diesen Wunsch erfüllen, aber leider schied Kutscher schon aus dieser Welt, ehe noch seine eigene Arbeit gedruckt war.

In jüngster Zeit haben mehrere Forscher, die sich für die Beziehung zwischen offizieller Kultausübung und persönlichem Frömmigkeitsleben im Alten Orient interessierten, auch die Bedeutung der Personennamen behandelt. Die Namengebung bei den eigenen Kindern eröffnet einen besseren Einblick in den Glauben des einzelnen Menschen als viele erhaltene offizielle Religionsdokumente. Martin Rose, der in der ersten Hälfte seiner Arbeit von 1975 eine traditionsgeschichtliche Analyse der Deuteronomiums vornimmt, geht sodann auf das Problem der Volksfrömmigkeit ein.[20] Wir haben bereits erwähnt, dass er bei einer Untersuchung der Namen in den Lachisch-Briefen und den Funden von Ramat Rahel eine Zunahme der JHWH-Namen um die Zeit Josias' bemerkte.[21] Denselben Eindruck vermittelt eine Menge anderer archäologischer Belege, die Rose anführt. Das erstaunliche Fehlen der sonst so üblichen Astarte/Ašera-Figurinen bei dem Tempel in Arad haben wir bereits erwähnt. Rose sieht hier ein deutliches Beispiel für den Einfluss des Ausschliesslichkeitsanspruchs der offiziellen JHWH-Religion auf die Menschen aller Gesellschaftsklassen in der Umgebung

[18] Zu *matres lectionis* siehe Cross/Freedman, Early Hebrew Orthography, 1952; Bange, A Study of the Use of Vowel-Letters..., 1971; Zevit, Matres Lectionis..., 1980; Drinkard, Vowel Letters..., 1980 (ungedruckt). Die Verwendung von *matres lectionis* verbreitete sich vom Aramäischen zum Hebräischen. Hebräische *matres lectionis* sind nach Cross/Freedman seit dem 9.Jahrhundert in finaler Position und seit dem 6.Jahrhundet in medialer Stellung belegt. Nach der Arbeit von Cross/Freedman ans Licht gekommene Material, vor allem aus Arad, hat gezeigt, dass wir mit medialen *matres lectionis* wenigstens seit dem 7. Jahrhundert rechnen müssen (Siehe Zevit, S.25), ja, in vereinzelten Fällen seit dem 8.Jahrhundert (*Ibm,* S.18 Nr. 29). Bange (S. 42.120) meint, wir hätten es vor dem 7.Jahrhundert mit einer Übergangsperiode zu tun mit einer Tendenz, lange Vokale zu diphthongieren, woraus eine Schreibung resultierte, die man mit *matres lectionis* verwechseln kann. Diese Art Diphthonge *(uw, ij)* lehnt Zevit ab (S.8). Drinkard vertritt in seiner Arbeit die Ansicht, dass es zwar eine Anzahl medialer *matres lectionis* bereits aus dem 8.Jahrhundert gibt, dass aber aus vorexilischer Zeit so wenige Beispiele vorliegen, dass Cross/Freedmans Ergebnisse in der Hauptsache als zutreffend anzusehen sind.
[19] Kutscher, The Language..., 1974, S.123.
[20] Rose, Der Ausschliesslichkeitsanspruch..., 1975.
[21] Siehe Anm. 7.

dieses Kultortes. Rose zufolge war der Ausschliesslichkeitsanspruch des alten JHWH-Glaubens auf JHWH als den Gott der Nation ausgerichtet, während es in kultischen Dingen einen weiten Toleranzbereich gab. Diese Toleranz verschwand mit der Dominanz der deuteronomistischen Schule.[22]

In demselben Jahr, in dem Roses Arbeit erschien, gab Vorländer eine Studie zu einem nahe verwandten Problem heraus.[23] Genau wie Rose geht auch Vorländer nicht näher auf die orthographischen Varianten bei den theophoren Personennamen ein. Vorländers Arbeit behandelt die Vorstellung von einem persönlichen Gott und stellt dabei fest, dass die JHWH-haltigen Personennamen mit dem Beginn der Königszeit in auffallender Weise zunehmen und dass die Namenlisten späterer Zeitabschnitte hauptsächlich Namen enthalten, die aus priesterlichen und prophetischen Kreisen stammen.[24] Vorländer zufolge war JHWH anfänglich der persönliche Gott des judäischen Königshauses, dessen Kult sich dann allmählich im Volk verbreitete.

Als dritter Forscher auf demselben Gebiet wie Rose und Vorländer ist Rainer Albertz zu nennen.[25] Ihm verdanken wir als bedeutenden Beitrag eine Untersuchung des nicht-theophoren Elements in den theophoren Personennamen des Alten Testaments. Was drücken diese verbalen oder nominalen Elemente aus? Albertz kann feststellen, dass kaum eine Beziehung zu Begriffen vorliegt, die wir mit der offiziellen Religion verknüpfen. Er findet hier keine typisch kultischen Begriffe oder Wörter, die eine direkte Beziehung zu Sinai, Exodus oder Landnahmetraditionen aufweisen, ebenso wenig irgendeinen Zusammenhang mit dem König oder Zion. Als Elemente der Personennamen dienen vielmehr stets Begriffe, die der persönlichen Lebenssphäre des einzelnen Menschen entnommen sind. Ein Fünftel der angeführten 144 theophoren Namen knüpft an die Geburt des Menschen an und nicht weniger als die Hälfte gehört in die Sphäre "Gottes Zuwendung, Rettung und Schutz". Sonstige übliche Bereiche sind "Vertrauen" sowie "Vergeben".[26] Obschon auch Albertz' Arbeit sich nicht mit der Orthographie der theophoren Personennamen befasst, hat sie dennoch Bedeutung für uns, da sie am stärksten von den drei erwähnten Werken die Wichtigkeit der Personennamen für unser Verständnis der alttestamentlichen Volksfrömmigkeit betont.

Nachdem diese Arbeit bereits in allem Wesentlichen abgeschlossen war, erschien Zevits Artikel "A Chapter in the History of Israelite Personal Names".[27] Hier hat Zevit die biblischen Belege für Namen auf -jh und -jhw in einer Anzahl interessanter Tabellen zusammengestellt, die das Vorkommen der Namen in ver-

---

[22] *Ibm,* S.275.
[23] Vorländer, Mein Gott, 1975.
[24] Ibm, S.244.
[25] Albertz, Persönliche Frömmigkeit und offizielle Religion, 1978.
[26] *Ibm,* S.57ff.
[27] BASOR 250/1983, 1—16.

schiedenen Perioden der Geschichte Israels aufzeigen. Zevit erörtert auch eine Reihe paläographischer Belege für das Suffix -*jh* in vorexilischer Zeit. Ferner wird eine Anzahl von Stellen im AT angeführt, an denen der Name derselben Person sowohl mit der Endung -*jh* wie -*jhw* begegnet. Zevits Aufsatz führt zu keiner näheren Erklärung dafür, dass Namen auf -*jh* in vorexilischer Zeit vorkommen, sondern begnügt sich mit der Feststellung, dass in dieser Periode beide Namenstypen anzutreffen sind, während in nachexilischer Zeit das Suffix -*jh* die Vorherrschaft erlangte.

Einen anderen wertvollen Beitrag zur hebräischen Namensforschung leisteten Heltzer und Ohana.[28] Diese Forscher verzeichneten die im epigraphischen Material belegten Namen, die sich in der Bibel nicht finden, und studierten zudem den Gebrauch dieser Namen von vorexilischer bis zu talmudischer Zeit. Das Verhältnis der verschiedenen Suffixe -*jh/jhw/jw* zu einander wird aber nicht näher beurteilt.

---

[28] Heltzer/Ohana, *mswrt hšmwt hᶜbrjjm hḥwṣ-mqr'jjm,* 1978.

KAPITEL I

# Das ausserbiblische Material

Hier wollen wir ausserbiblische Belegstellen für althebräische Personennamen mit dem Suffix *-jh/jhw/jw* vorführen. Die Liste soll so vollständig wie nur möglich Namenformen präsentieren, die im Raum von Palästina und dessen Nachbarschaft, zu der wir auch Ägypten und Mesopotamien rechnen, gefunden wurden. Unsere Darstellung umfasst Material von der ältesten Zeit bis zum Anfang des zweiten Jahrhunderts v.Chr. Neueres Material wurde nicht berücksichtigt, da zu jener Zeit das hebräische Alte Testament als abgeschlossen zu betrachten ist.

Unser Material verteilt sich natürlich auf drei Gruppen.

Die erste Gruppe besteht aus Epigraphik, d.h. hauptsächlich Inschriften, Ostraka, Siegeln und Siegelabdrücken. Zu der ersten Gruppe zählen wir aus praktischen Gründen auch das Papyrusmaterial, das aus den Grotten von Murabbaᶜat stammt.

Eine weitere Gruppe bildet aramäisches Papyrusmaterial aus Ägypten. Dies behandeln wir für sich, damit die grosse Menge Namen, die sich hier findet, die Darstellung der schwieriger zu beurteilenden epigraphischen Belege nicht ganz verzerrt.

Die dritte Gruppe umfasst jüdische Namen aus babylonischem Material aus dem Zweistromland.

Schliesslich wollen wir in einem Exkurs Stellung zu dem heiss umstrittenen Material von Ebla nehmen. Hier war das Problem der sog. *-ia*-Namen und ihrer etwaigen Beziehung zu der Religion Israels einige Jahre lang eine brennende Frage.

## A. Nordwestsemitische Epigraphik

Dieses Material verteilt sich auf drei Gruppen nach den Suffixen *-jh*, *-jhw* und *-jw*. Wir behandeln eine jede dieser Gruppen für sich. Dadurch wollen wir versuchen, uns ein Bild von der geographischen Verbreitung der verschiedenen Namensformen zu machen, wenn möglich aber auch beurteilen, wann in der Geschichte Israels die betreffenden Namensformen dominierten. Eine grosse Schwierigkeit bereitet hierbei der Umstand, dass so viel ausserbiblisches Material unbekannter Provenienz ist. Das gilt nicht zuletzt von allen Siegeln, die archäologischen "Schatzgräbern" zu verdanken sind. Über diese Siegel wissen wir häufig nicht viel mehr, als dass sie von dem einen oder anderen Antiquitätenhändler herrühren.[1] Oft ist dann das Aussehen der Schrift das einzige Datierungskriterium. Das bedeutet, dass wir zwar über ein recht umfassendes Material verfügen, für unseren Zweck jedoch hauptsächlich der Teil davon, der in jüngster Zeit ausgegraben wurde, direkt verwendbar ist.

Die Angaben über Datierung und Herkunft, die in der folgenden Darstellung vorgelegt werden, sind der angeführten Literatur entnommen, die keinen Anspruch darauf erhebt, eine vollständige Bibliographie darzustellen. Die erwähnten Arbeiten enthalten häufig weitere bibliographische Angaben. In dieser Zusammenstellung werden ausser den üblichen Abkürzungen für Zeitschriften und dergl. noch die folgenden benutzt:

| | |
|---|---|
| Arad | Aharoni, Y. *K^etûbôt ^cArad,* Die Hinweise beziehen sich auf Nr. in dieser Arbeit. Datierung nach folgenden Strata (*op.cit.* S.8). |
| | Str. V      5.—4. Jahrhundert. |
| | Str. VI     605—595 |
| | Str. VII    7. Jahrhundert. |
| | Str. VIII   Ende des 8. Jahrhunderts. |
| | Str. IX     8. Jahrhundert. |
| | Str. X      9. Jahrhundert. |
| Beer Sheba I | Aharoni, Y. Beer-Sheba I, 1973. |
| Dirbo | Diringer, D. Le iscrizioni antico-ebraiche palestinesi, 1934. Hinweis auf Nr. in Abt. ”bolli”. |
| Dirsi | *Ibm,* Abt. ”sigilli”. |
| DJD 2 | Discoveries in the Judaean Desert 2, 1961. |
| Eph 1—3 | Lidzbarski, M. Ephemeris für semitische Epigraphik 1—3, 1902—1915. |
| En-Gedi | Mazar/Dothan/Dunayevsky, En-Geid, 1966. |
| Gibeon | Pritchard, J.B. Hebrew Inscriptions and Stamps from Gibeon, 1959. |
| Gibson I | Gibson, J. Textbook of Syrian Semitic Inscriptions, Vol. I, 1973. |
| Gibson II | *Ibm,* Vol. II, 1975. |
| Hazor II | Hazor II, 1960. |
| Herr | Herr, L. The Script of Ancient Northwest Semitic Seals, 1978. |
| HD | Hestin/Dayagi-Mendels. Inscribed Seals, 1979. |
| HSS | Hebrew and Semitic Studies pres. to G.R.Driver, 1963. |
| IR | Inscriptions Reveal, 1973. |
| Lachish I | Torczyner, H. The Lachish Letters, 1938. Material vom Anfang des 6. Jahrhunderts v.Chr. |

---

[1] Siehe beispielsweise Avigad, EI 9/1969, S.1. *Idem,* EI 12/1975, S.66.

| | |
|---|---|
| Lachish III | Tufnell, O. Lachish III, 1953. |
| Lemaire | Lemaire, A. Inscriptions Hebraiques, Tom. 1, 1977. |
| Levy | Levy, M.A. Siegel und Gemmen, 1869. |
| Lipiński | Lipiński, E. Studies in Aramic Inscriptions and Onomastics 1, 1975. |
| Mosc | Moscati, S. L'Epigrafia Ebraica Antica, 1951. |
| Neue Eph | Degen, R... Neue Ephemeris für Semitische Epigraphik 2, 1974. |
| Ramat Raḥel | Aharoni, Y. Excavations at Ramat Raḥel, Seasons 1959 and 1960. |
| Samaria | Harvard Excavations at Samaria, 1924. Ostraka vom 9.—8. Jh. |

Hinter Namen, die auch im Alten Testament vorkommen, steht ein + sowie der Buchstabe K für Kurzform *(-jh)* und L für Langform *(-jhw)*. Bibelstellen werden nicht angegeben, sie lassen sich aber mit Hilfe des Registers und des Verzeichnisses in Kap.II leicht lokalisieren.

Mit = wird angegeben, dass der Name sich auf derselben Inschrift wie der Name nach dem = findet.

## a) Namen auf *-jh*

| | | |
|---|---|---|
| *'bjh* | +K | Mögliche Inschrift am Rande des Gezer-Kalenders. Gibson I, S.4. 10.Jh. |
| *'dnjh* | +KL | Siegel. Dirsi 75. Jerusalem. Undatiert. |
| *'wrjh* | +KL | I. Ostrakon. Cowley, PSBA 25/1903, S.264. Elephantine/Syene.[2] |
| | | II. Etikett an einer Mumie. Bresciani, ASAE 55/1958, S.274. Saqqara, 5.Jh. |
| *'ṣjh* | | Siegel. Dirsi 97. Datierung und Herkunft unbekannt. |
| *'rjh* | | I. Ostrakon. Dupont-Sommer, JA 235/1946—47, S.80. Elephantine, 5.Jh. |
| | | II. Siegel. Dirsi 23. Assyrien? 8.—7.Jh. Herr, S.35 liest *trjh*. |
| *'šjh* | | Siegel. Arad Nr. 107 Str. VII. Aharoni, EI 8/1967, S.102. HD 13. |
| *bjdjh* | | Ostrakon. Aime-Giron, BIFAO 38/1939, S.58. Edfu 2.Jh. |
| *bᶜdjh* | | Etikett an einer Mumie. Bresciani, ASAE 55/1958, S.275. Saqqara, 5.Jh. |
| *g'jh* | | Inschrift. Lipiński, S.28. Sefire, 8.Jh. |
| *gdljh* | +KL | Ostrakon. Rainey, TA 4/1977, S.97ff. Arad Str.VI. |

---

[2] Dieses Ostrakon, Bodl. libr. 1, ist auf beiden Seiten beschriftet. die Aussenseite wurde in Elephantine beschrieben, die Innenseite in Syene. Von Cowley, PSBA 25/1903, S.204, auf des 5.Jh. datiert.

*gmrjh*  +KL  Ostrakon. Cowey, PSBA 25/1903, S.264. Elephantine/Syene.[2]

*hglnjh*  Siegel. Reifenberg, PEQ 1942, S.111 Nr.7. Mosc. S.65 Nr.43. HD 67. Jerusalem, 6.Jh.

*hwdjh*  +K  Vgl.AT *hôdăwjā/hû.* Siegel, Mosc S.63 Nr.36. Herr, S.134. HD 69. Reifenberg, PEQ 1939, S.196. Herkunft unbekannt. Um 700 v.Chr.

*hwšjh*  Ostrakon. RES Nr.1793. Sayce, PSBA 33/1911, S.183f. Elephantine, 5.Jh.

*hwšᶜjh*  +K  Ostrakon. Cowley, PSBA 37/1915, S.222. Elephantine, 5.Jh.

*zbdjh*  +KL  I. Ostrakon. Naveh, Atiqot 9—10/1971, S.200f. Aschdod, 5.Jh. IR 165.

II. Grabinschrift. Kornfeld, ÖAW, A 110/1973, S.128. Edfu, 4.Jh.

*ḥnjh*  Ostrakon. Aime-Giron, BIFAO 38/1939, S.58. Edfu, 2.Jh.

*ḥnnjh*  +KL  I. Inschrift. Eph. 2, S.72. Hebron, Hellenistische Zeit?

II. Siegel. Dirsi 23. Herr, S.35. Assyrien? 8.—7.Jh.

*ṭbjh*  Stempel auf Amphoren. Dirbo 14. Gezer (2 Expl) und Jerusalem (mehrere Expl.). 5.Jh. Mehrere Abdrücke vom selben Stempel.

*j'znjh*  +KL  I. Siegel. Dirsi 21. Herkunft unbekannt. 5. Jh.

II. Siegel. Lemaire, Semitica 33/1983, S.18. Herkunft unbekannt. 7.Jh.

III. Siegel. Herr, S.124. Avigad, EI 9/1969, S.3. Herkunft unbekannt. 7.—6.Jh.

*jdnjh*  Ostrakon. Dupont-Sommer, HSS, S.53ff. Elephantine, 5.Jh. Clermont-Ganneau Nr 44.

*jqmjh*  +K  Siegel. HD 84. Herkunft unbekannt, 6.Jh.

*jrpjh*  Ostrakon (undeutlicher Schluss). Eph 3, S.22. Elephantine, undatiert.

*jšᶜjh*  +KL  I. Siegel. Herr, S.131. Stieglitz, IEJ 23/1973, S.236. Hebron? 8.Jh.

II. Etikett an einer Mumie. Bresciani, ASAE 55/1958, S.275. Saqqara, 5.Jh.

*mjkjh*  +KL  I. Ostrakon. Lozachmur, Semitica 21/1971, S.85. Elephantine, 5.Jh. Clermont-Ganneau Nr. 228.

II. Ostrakon. Dupont-Sommer, RHR 130/1945, S.20. Elephantine, 5.Jh. Clermont-Ganneau Nr.70.

*mlkjh*  +KL  I. Etikett an einer Mumie. Bresciani, ASAE 55/1958, S. 274. Saqqara, 5.Jh.

II. Ostrakon, Cowley, PSBA 25/1903, S.264. Elephantine/Syene.[2]

III. Ostrakon. Eph 3, S.23. Qus, Ägypten. Griechische Zeit.

| | |
|---|---|
| *m<sup>c</sup>bdjh* | Siegel = *j'znjh* II. |

*m<sup>c</sup>bdjh*  Siegel = *j'znjh* II.

*m<sup>c</sup>śjh* +K  I. Siegel. Dirsi 55. Undatiert. Herkunft unbekannt. Clermont-Ganneau, PEFQS 34/1902, S.264.

II. Siegel. HD 77. Herkunft unbekannt. 7.Jh.

III. Siegelabdruck. Avigad EI 9/1969, S.4. Hebron? Von Avigad auf das 7.Jh. datiert, von Herr, S.117 auf das 8.Jh. HD 26.

*mtnjh* +KL  Siegelabdruck. Mosc Nr.31, S.81f. Tell en-Naṣbeh. Datierung unbekannt. Herr, S.99 liest *tnjh(w)*. Vgl *'ḥzjhw* II.

*srjh*  Siegel. Dirsi 23. Levy, S.38. Herkunft und Datierung unbekannt.

*<sup>c</sup>bdjh* +KL  Siegelabdruck. Beer Sheba I, S.75. Etwa 700 v.Chr.

*<sup>c</sup>djh* +KL  I. Inschrift. KAI Nr.267. Saqqara, 5.Jh.

(II) Stempel auf Amphoren. Dirbo 14. Gezer und Jerusalem. 5.Jh. Andere Lesung von *ṭbjh* oben.

*<sup>c</sup>zrjh* +KL  I. Siegel. Reifenberg, IEJ 4/1954, S.140. Herkunft unbekannt. 6.Jh.

II. Siegelabdruck. Dirbo 5c. Tell el Judeideh. Undatiert.

*<sup>c</sup>ljh* +K  Siegel. Mosc S.64 Nr.39. HD 28. Reifenberg, PEQ 1942, S.109. Herkunft unbekannt. 7.—6.Jh. IR 25.

*<sup>c</sup>qbjh*  Inschrift. Eph 3, S.49. Alexandria. Hèllenistische Zeit.

*pljh* +K  Inschrift auf Keilschrifttafel. Stolper, BASOR 222/1976, Fig. 1. Nippur. 5.Jh. Aufgrund eines Druckfehlers ist diese Abb. in BASOR 224/1976 publiziert.

*pnjh*  Inschrift auf der Rückseite des Gezer-Kalenders. Diringer, *op.cit.* S.4ff. Vielleicht lassen sich die hier erkennbaren Zeichen als dieser Name deuten oder auch als irgendetwas anderes, aber das Ganze ist sehr unsicher. Eine Abbildung der Rückseite des Gezer-Kalenders findet sich u.a. bei Diringer, *op.cit.* Taf. II:1. Siehe auch Lidzbarski, PEFQS 1910, S.238. Der Kalender von Gezer wird gewöhnlich auf das 10.Jahrhundert datiert.

*qwjljh*  Ostrakon. Cowley, JRAS 1929, S.108. Syene, 5.Jh.

*šbnjh* +KL  I. Ostrakon. *Ibm,* S.111. Syene, 5.Jh.

II. Siegelabdruck. Dirbo 5c. Tell el Judeideh. Undatiert.

III. Siegelabdruck. Lachish III, S.341. Auf Taf.47:4 ist kein *w* zu erkennen. 8.Jh.

*šmjh*  Ostrakon. Rainey, TA 4/1977, S.97ff. Tel Arad, Str.VI.

*šm<sup>c</sup>jh* +KL  Ostrakon. Dupont-Sommer, Semitica 2/1949, S.31, Z.5. Elephantine, 5.Jh. Clermont-Ganneau Nr. 152.

*šqnjh*  Siegel. Mosc Nr.34, S.63. Judäa, Undatiert.

*(trjh*  Siehe *'rjh* II).

### Zusammenstellung nach Datierung und Fundorten

Die Zahlen in dieser Zusammenstellung beziehen sich auf die Anzahl der Beleg-stellen.

| | Vorexilische Zeit | Um die Zeit des Exils | Nachexilische Zeit | Undatiert |
|---|---|---|---|---|
| **Palästina:** | | | | |
| Tel en-Naṣbeh | | | | 1 |
| Gezer | 2 | | 2 | |
| Jerusalem | | 1 | mehrere | 1 |
| Aschdod | | | 1 | |
| Tel Judeideh | | | | 2 |
| Lachisch | 1 | | | |
| Hebron | 2 | | 1 | |
| Beer Scheba | 1 | | | |
| Arad | 3 | | | |
| Judäa, undef. | | | | 1 |
| **Mesopotamien:** | | | | |
| Nippur | | | 1 | |
| Assyrien, undef. | 2 | | | |
| **Syrien:** | | | | |
| Sefire | 1 | | | |
| **Ägypten:** | | | | |
| Alexandria | | | 1 | |
| Saqqara | | | 5 | |
| Edfu | | | 3 | |
| Elephantine | | | 10 | 1 |
| Qus | | | 1 | |
| Syene | | | 2 | |
| Herkunft unbekannt | 6 | 3 | | 3 |
| Insgesamt: | 18 | 4 | 27 + mehrere Siegelabdrücke aus Jerusalem. | 9 |

In unserem Material fanden wir 58 Belegstellen für Namen auf -*jh*, ausser ei-ner Anzahl von Stempelabdrücken aus Jerusalem. Von unseren Belegstellen stammen über die Hälfte aus nachexilischer Zeit und 9 sind undatiert; aber wir haben auch 18 vorexilische Belegstellen. Dabei handelt es sich um drei Namen aus Arad, *'šjh, gdljh* und *šmjh,* von denen *gdljh* zwar undeutlich ist, die beiden anderen jedoch klare Kurzformen sind. Hierzu kommen die beiden sehr undeut-lichen Namen *pnjh* und *'bjh* auf dem Gezer-Kalender. Den Namen ᶜ*bdjh* finden wir auf einem Siegelabdruck aus Beer Sheba (8.Jh.), und auf einem Siegel, das aus dem 8.Jh. stammen kann und in Lachisch gefunden wurde, lesen wir *šbnjh.*

Ausserdem kennen wir zwei Namen, *jš<sup>c</sup>jh* und *m<sup>c</sup>śjh* auf Siegeln, wahrscheinlich aus Hebron, die Herr aus paläographischen Gründen auf das 7./8. Jh. datiert. Schliesslich dürften auch die sechs Siegel unbekannter Herkunft mit den Namen *hwdjh, j'znjh* (2×), *m<sup>c</sup>bdjh, m<sup>c</sup>śjh* und *<sup>c</sup>ljh* vorexilisch sein. Der aramäische Name *g'jh* aus Sefire (8.Jh.) soll hier ebenfalls erwähnt werden, obschon es sich hier vermutlich nicht um das theophore Suffix handelt.

Im Vergleich zu dem spärlichen vorexilischen Material zeigt die grosse Zahl nachexilischer Belegstellen, dass diese Namensformen in späterer Zeit üblicher waren.[3] Wie wir gesehen haben, schliesst das jedoch sporadische Belege aus der ältesten Zeit nicht aus.

Nach der Herkunft der wenigen vorexilischen Kurzformen zu urteilen, wurden diese Namensformen zuerst in Zentralorten in den ländlichen Gegenden Judäas gebraucht, um sich dann später sowohl in ganz Palästina wie in der ägyptischen und mesopotamischen Diaspora zu verbreiten.

## b) Namen auf *-jhw*

| | | |
|---|---|---|
| *'bjhw* | +K | Ostrakon. Arad Nr. 27, Str.VI. Ein End-*w* lässt sich auf der Abbildung kaum entdecken. |
| *'brjhw* | | Siegel. Avigad, EI 12/1975, S.66.68. Hebron? 7.Jh. |
| *'wrjhw* | +KL | Ostrakon, Arad Nr.31, Str.VII. Aharoni, EI 9/1969, S.17. *Idem*, BASOR 197/1970, S.35. IR 61. |
| *'ḥzjhw* | +KL | I. Siegel. Avigad, EI 12/1975, S.66.71. Hebron? 7.Jh. II. Siegelabdruck. Mosc, S.81f.Nr.31. Herr,. S.99. Tell en-Naṣbeh. 7.Jh. Schlechter Zustand. Es ist unmöglich zu erkennen, ob ein Endungs-*w* vorhanden ist oder nicht, weder bei diesem Namen noch bei dem Namen *thjh(w)* auf der Zeile darunter. |
| *'hjhw* | +KL | I. Ostrakon. Lachish I, Nr.3, Z.17. Anfang des 6.Jh.s. II. Ostrakon, Ramat Rahel I, S.15, 8.—7.Jh. Nach Rose, Der Ausschliesslichkeitsanspruch..., S.173, ist dieses Ostrakon vermutlich nachjosianisch. III. Ostrakon. Coote, PEFQS 1924, S.184. Ophel, 8.—7.Jh. Diringer, Le iscrizioni..., S.74. IR 138. IV. Siegel. Avigad, EI 9/1969, S.5. Herr, S.116. HD 87. Jerusalem, 8.—7.Jh. |
| *'ljhw* | +KL | I.Inschrift auf einem Krug. Kenyon, PEQ 100/1968, Plate xxxvi c. Jerusalem. Etwa 700 v.Chr. II. Siegel. Graesser, BASOR 220/1975, S.63ff. Herr, S.145. Gezer, 7.Jh. |

---

[3] Weitere Belege für Namen auf *-jh* aus späterer Zeit als die hier behandelten, finden wir in Herodion (Peuch, RB 87/1980, S.118 ff., Murabba<sup>c</sup>at (DJD2) sowie Qumran und in einer Anzahl jüdischer Grabinschriften aus der Zeit um den Beginn unserer Zeitrechnung (Fitzmyer/Harrington, A Manual of Palestinian Aramaic Texts).

III. Siegel. Bordreuil/Lemaire, Semitica 29/1979, S.73. Herkunft unbekannt, 7.Jh.

IV. Siegel. Bordreuil/Lemaire, Semitica 32/1982, S.24. Herkunft unbekannt. Etwa 700 v.Chr.

'mrjhw +KL  I. Inschrift. Beer Sheba I, S.73. 8.Jh. IR 119.

II—VI. Inschriften auf fünf Gefässhenkeln. Gibeon, Nr. 14—18. 7. Jh.

VII. Siegel. Herr, S.105. Avigad, IEJ 13/1963, S.324. HD 75. Jerusalem, 7.—6.Jh. IR 131.

'njhw  I. Inschrift. Dever. HUCA 40—41/1969—70, S.159. Khirbet el Qom (Hebron), 8.Jh. Siehe auch Mittmann, ZDPV 97/1981, S.139ff.

II. Siegel. Avigad, BASOR 246/1982, S.59ff. Herkunft unbekannt. 8.—7.Jh.

'ṣljhw +L  Siegel. Bordreuil/Lemaire, Semitica 32/1982, S.26. Herkunft unbekannt. 7.Jh.

'rjhw  I. Inschrift. Dever, HUCA 40—41/1969—70, S.159. Khirbet el Qom, 8.Jh. Lemaire, RB 84/1977, S.599. Mittmann, ZDPV 97/1981, S.139ff. IR 141.

II. Ostrakon. Arad Nr.26, Z.1. Str.VI.

III. Inschrift. Ussishkin, TA 5/1978, S.84. Lachisch, 7.Jh.

IV. Siegel. En Gedi S.37f. Herr, S.94. 7.Jh.

V. Siegel. Herr, S.105. Ophel, 7.Jh.

VI. Siegel. Herr, S.118. Herkunft unbekannt. 8.Jh.

VII. Siegel. HD 79. Herkunft unbekannt. 8.—7.Jh.

VIII. Siegel. HD 80. Herkunft unbekannt. 6.Jh.

'šjhw  I. Inschrift, Lipiński, S.151. Daskyleion, Kleinasien, 5.Jh.

II. Ostrakon. Arad Nr.17, Z.3, Str.VI. IR 54.

III. Ostrakon. Arad Nr.51, Z.1, Str.VIII. IR 68.

IV—V. Zwei Siegel. Arad Nr.105.106. Str.VII. Herr, S.84f. Aharoni, EI 8/1967, S.102. *Idem,* BA 31/1968, S.15. HD 12.11. IR 57.58.

VI. Siegel. Bordreuil/Lemaire, Semitica 26/1976, S.50. Herkunft unbekannt.

bnjhw +KL  I. Ostrakon. Arad Nr.5, Z.9, Str.VI.

II. Ostrakon, Arad Nr.39, Z.9. Str.VII. IR 137 liest *knjhw.*

III. Siegel. Herr, S.134. Aharoni, TA 1/1974, S.157, Pl.30:1. Herkunft unbekannt.

IV. Siegel. Herr, S.119. Avigad, Magnalia Dei, S.297, Abb.12. Herkunft unbekannt, 7.Jh.

V. Siegel. Bordreuil/Lemaire, Semitica 26/1976, S.46. Herkunft unbekannt.

|          |       |                                                                                                                                                                                                |
|----------|-------|

VI. Siegel. Lemaire, Semticia 33/1983, S.17. Herkunft unbekannt. 7.Jh.

VII. Siegelabdruck. Dirbo 5b. Eph 1, S.185. Sayce, PEFQS 1900, S.376. Tell Sandaḥannah. Seleukidische Zeit. Vgl. *šbnjhw* X.

*bq..jhw*      Ostrakon. Diringer, Le iscrizioni..., S.74. = *'ḥjhw III.*

*brkjhw*  +KL  I. Siegel. Herr, S.85. Arad Nr.108, Str.VII. Aharoni, EI 8/1967, S.101. HD 54. IR 130.
II. Siegelabdruck. Avigad, IEJ 28/1978, S.53. *Idem*, BA 42/1979, S.115. Juda, 7.Jh.

*g'ljhw*      I. Ostrakon, Arad Nr.16, Z.5, Str.VI.
II. Ostrakon. Arad Nr.39, Z.5, Str.VII. IR 137.
III. Stempel auf Amphora. Dirbo 10. Heltzer ION, A, S.184. Sellers, BASOR 43/1931, S.8. Herr, S.100. HD 7. Khirbet eṭ-Ṭubeiqah, 7.Jh. IR 21.

*gdjhw*      I. Siegel. Mosc, S.59, Nr.22. Judäa, 6.Jh.
II. Siegel. Bordreuil/Lemaire, Semitica 29/1979, S.71f. Herkunft unbekannt, 8.Jh.

*gdljhw*  +KL  I. Ostrakon. Arad Nr.21, Z.1. Str.VI. IR 56.
II. Siegel. Avigad, EI 9/1969, S.3. HD 49. Herkunft unbekannt, 8.—7.Jh. IR 128.
III. Siegel. Dirsi 100. Herr, S.144. Herkunft unbekannt, 7.Jh.
IV. Siegelabdruck. Lachish III, S.348, Nr.173, Mosc, S.61, Nr.30. Herr, S.91. 7.Jh. IR 15.
V. Siegelabdruck. Herr, S.123. Avigad, IEJ 14/1964, S.193. Herkunft unbekannt. Frühes 6.Jh.

*gmljhw*      I. Inschrift auf Gefäss. Lemaire, Semitica 32/1982, S.17ff. Herkunft unbekannt. 8.Jh.
II. Siegel. Herr, S.124. Reifenberg, IEJ 4/1954, S.141. Avigad, BIES 18/1954, S.149f. Herkunft unbekannt. Um 700 v.Chr.

*gmrjhw*  +KL  I. Ostrakon,. Lachish I, Nr.1, Z.1.
II. Ostrakon. Arad Nr.31, Z.8, Str.VII. Aharoni, BASOR 197/1970, S.35. IR 61.
III. Ostrakon. Arad Nr.35, Z.4, Str.VII.
IV. Ostrakon Arad nr.38, Z.3, Str.VII.

*grjhw*      I. Siegel.Herr, S.120. Reifenberg, PEQ 1938, S.114. HD 63. Herkunft unbekannt. 7.Jh.
II. Siegel, Herr, S.137. Avigad, EI 9/1969, S.4. HD 62. Hebron? 8.—7.Jh.

| | | |
|---|---|---|
| *ddjhw* | | Siegel. Avigad, EI 12/1975, S.66. HD 56. Hestrin/Dayagi liest *ᶜdjhw*. Hebron? 7.Jh.? |
| *dltjhw* | | Siegel. Avigad, EI 12/1975, S.68. Hebron? 7.Jh.? |
| *(dmljhw* | | Siehe *rmljhw)* |
| *dršjhw* | | I. Siegel. Arad Nr.109, Str.VIII. Aharoni, RB 71/1964, S.395. *Idem,* IEJ 17/1967, S.246. Der Schrift nach zu urteilen stammt dieses Siegel ursprünglich aus Str.IX oder X. HD 86. |
| | | II. Siegel. Avigad, EI 12/1975, S.70. Hebron? 7.Jh.? |
| *hwdwjhw* | +KL | Ostrakon. Lachish I, Nr.3, Z.17. IR 77. |
| *hwdjhw* | +K | I. Siegel. Bordreuil/Lemaire, Semitica 26/1976, S.46. Herkunft unbekannt, 8.—7.Jh. |
| | | II. Siegel. Bordreuil/Lemaire, Semticia 26/1976, S.49. Herkunft unbekannt, 8.—7.Jh. |
| *hwšᶜjhw* | +K | I. Ostrakon. Lachish I, Nr.3, Z.1. IR 77. |
| | | II. Ostrakon, Naveh, IEJ 14/1964, S.158f. Meṣad Ḥashavyahu, 7.Jh. IR 33. |
| | | III. Siegel. Mosc, S.60, Nr.24. Herr, S.121. Herkunft unbekannt. 7.Jh. HD 53. IR 132. |
| | | IV—V. Zwei Siegel. HD 72.73. Herkunft unbekannt, 7.—6.Jh. |
| *hṣljhw* | | I. Ostrakon. Lachish I, Nr.1, Z.1. |
| | | II. Siegel. HD 59. Herkunft unbekannt, 7.Jh. |
| | | III. Siegel. HD 60. Herkunft unbekannt, 8.—7.Jh. |
| | | IV. Siegelabdruck. Gibeon, S.27. 7.Jh. |
| | | V. Siegelabdruck. Lachish III, S.341. 8.Jh.? |
| *zkrjhw* | +KL | Gewicht. Dirsi 104. Jerusalem. Undatiert. |
| *zmrjhw* | | Siegel. Dirsi 54. Herr, S.129. Ägypten? 7.Jh. |
| *ḥwjhw* | | Siegel. Bordreuil/Lemaire, Semitica 26/1976, S.48. Herkunft unbekannt, 8.—7.Jh. |
| *ḥzqjhw* | +KL | I. Ostrakon. Lemaire, S.239. Diringer, *op.cit.* S.74. Coote, PEFQS 1924, S.185f. Ophel. Lemaire zufolge späte vorexilische Zeit. Früher auf das 8.Jh datiert. |
| | | II. Siegelabdruck. Herr, S.83. Hestrin/Dayagi, IEJ 24/1974, S.27. HD 4. Hebron? Nach Hestrin/Dayagi ist König Hiskia gemeint. In diesem Fall stammt dieser Siegelabdruck aus der Zeit König Hiskias. |
| *ḥlṣjhw* | | Siegel. Herr, S.130. Reifenberg, IEJ 4/1954, S.140. Herkunft unbekannt, 7.—6.Jh. |
| *ḥlqjhw* | +KL | I. Siegel. Dirsi 52. Herkunft unbekannt, 8.—7.Jh. |
| | | II. Siegel. Herr, S.136. Herkunft unbekannt, 7.Jh. |

III. Siegel. Avigad, EI 12/1975, S.66. HD 56. Hebron? 7.Jh. = *ddjhw*

IV—V. Zwei Siegel. HD 55.57. Herkunft unbekannt, 8.—7. Jh.

VI. Siegelabdruck. Lachish III, S.348, Nr.172. Herr, S.102, Mosc, S.62, Nr.31. HD 27. 8.—7.Jh.

VII. Siegelabdruck. Herr, S.83 = *ḥzqjhw* II oben.

VIII. Siegelabdruck. Bordreuil/Lemaire, Semitica 26/1976, S.53. Herkunft unbekannt. 8.—7.Jh.

IX. Siegelabdruck. Lemaire, Semitica 33/1983, S.19. Herkunft unbekannt. 7.Jh.

*ḥnjhw*  Siegel. Bordreuil/Lemaire, Semitica 26/1976, S.45. Herkunft unbekannt, 8.—7.Jh.

*ḥnnjhw*  +KL  I. Ostrakon. Lemaire, S.275. Khirbet el Mishash, 7.Jh. Fritz, ZDPV 91/1975, S.131.

II. Ostrakon, Arad Nr.3, Z.3, Str.VI. IR 52.

III. Ostrakon. Arad Nr.16, Z.1, Str.VI. IR 51.

IV. Ostrakon. Arad Nr. 36, Z.4, Str.VII.

V. Siegel. Dirsi 24. Herr, S.123. Jerusalem, 7.Jh.

VI. Siegel. Dirsi 25. Herr, S.123. Jerusalem, 7.Jh.

VII. Siegel. Dirsi 50, Herr, S.103. Pilcher, PEQ 1923, S.94 HD 64. Beth Schemesch, 7.Jh.

VIII. Siegel. HD 59 = *ḥṣljhw* II.

IX. Siegel. HD 79 = *'rjhw* VII.

X. Siegelabdruck. Herr, S.123. Avigad, IEJ 14/1964, S.193. Herkunft unbekannt. Frühes 6.Jh.

XI—XIX. Neun Krughenkel. Gibeon, Nr.32.33.35.38—41. 50.52. Noch einige weitere dürften denselben Namen tragen, aber sie sind unvollständig erhalten. 7.Jh.

XX. Gefässhenkel. Pritchard, BASOR 160/1960, S.4. Gibeon, vorexilisch.

*ḥsdjhw*  +K  I. Ostrakon. Ramat Rahel I, S.15 = *'ḥjhw* II.

II. Siegel. Herr, S.145. Herkunft unbekannt, um 700. v.Chr.

(*ḥšbjhw*  +KL  Ostrakon, Naveh, IEJ 10/1960, S.137. *Ibm,* IEJ 14/1964, S.158f. Siehe *ḥwšᶜjhw* II.)

*j'znjhw*  +KL  I. Ostrakon. Lachish I, Nr.1, Z.2.3.

II. Ostrakon. Arad Nr.39, Z.9, Str.VII. IR 137.

III. Siegel. Herr, S.104. HD 5. Tell en-Naṣbeh, 7.Jh. IR 19.

*jgdljhw*  +L  Siegel. HD 61. Herkunft unbekannt, 7.Jh.

*jdljhw*  Siegel. Herr, S.122. Avigad, EI 9/1969, S.2. Dirsi 49. Herkunft unbekannt, 8.—7.Jh.

*jdnjhw·*  Ostrakon. Arad Nr.27, Z.4, Str.VI.

*jd^cjhw* +K    I. Ostrakon. Arad Nr.31, Z.7. Aharoni, BASOR 197/1970, S.35, Str.VII. IR 61.
II. Ostrakon. Arad Nr. 39, Z.4.5, Str.VII. IR 137.
III. Siegel. Herr, S.129. Herkunft unbekannt, 7.Jh.

*jḥzjhw*    Inschrift auf Gefäss. Hebron. 8.—7.Jh. IR 103.

*jḥzqjhw* +KL    Ostrakon. Diringer, Le iscrizioni..., S.74 = *'hjhw* III.

*jḥmljhw*    I. Siegel. Dirsi 51. Herr, S.144. Herkunft unbekannt, 7.Jh.
II. Siegel. Avigad, EI 12/1975, S.69. Hebron? 7.Jh?

*(jkbrjhw*    Ostrakon, Lachish I, Nr.3, Z.15. Lemaire, S.101 liest *knjhw.* Das Suffix *-jhw* ist aber nicht lesbar.)

*jknjhw* +KL    Siegel. Bordreuil/Lemaire, Semitica 32/1982, S.23. Herkunft unbekannt. Um 700 v.Chr.

*jqmjhw* +K    I. Ostrakon. Arad Nr.39, Z.1, Str.VII. IR 137.
II. Ostrakon. Arad nr.59. Z.2, Str.IX.
III. Siegel. Herr, S.145 = *'ljhw* II. Gezer, 7.Jh.
IV. Siegel. Bordreuil/Lemaire, Semitica 26/1976, S.48. Herkunft unbekannt, 7.Jh.
V. Siegel. Dirsi 53. Umgebung von Jerusalem, 5.Jh.
VI. Siegel. Herr, S.128. Ben Dor, QDAP 13/1948, S.90f. Mosc, S.54, Nr.8. Herkunft unbekannt, 8.—7.Jh. HD 44.

*jr'wjhw*    Siegel.Avigad, EI 12/1975, S.67. HD 95. Hebron? 7.Jh.?

*jrmjhw* +KL    I. Ostrakon. Lachish I Nr.1, Z.4.
II. Ostrakon. Arad Nr.24, Z.15f., Str.VI. IR 63. Lawton, Biblica 65/1984, S.340, liest *jqmjhw.*
III. Siegel. Dirsi 58. Clermont-Ganneau, RAO 4, S.257. Ägypten, Alter unbekannt, vermutlich vorexilisch. Schrifttyp ähnelt dem des Mesha-Steins.
IV. Siegel. Herr, S.129. Avigad, EI 9/1969, S.6. HD 45. IR 129. Hebron? 8.Jh.
V. Siegel. Bordreuil/Lemaire, Semitica 26/1976, S.47. Herkunft unbekannt, 8.Jh.
VI. Siegel. Bordreuil/Lemaire, Semitica 29/1979, S.73. Herkunft unbekannt, um 700 v.Chr.
VII. Siegelabdruck. Herr, S.93. Aharoni, IEJ 18/1968, S.167. IR 31. Lachisch, 7.Jh.
VIII. Siegelabdruck. Herr, S.103. HD 25. Beth Schemesch, 8.—6.Jh.

*jš^cjhw* +KL    I. Siegel. Dirsi 52. Herkunft unbekannt, 8.—7.Jh.
II. Siegel. Avigad, IEJ 13/1963, S.324. Herr, S.105. HD 75. Kirjat Jearim. 7.Jh. IR 131.
III. Siegel, Herr, S.140. HD 76. Herkunft unbekannt, 8.Jh.
IV. Siegel. HD 60 = *hṣljhw* III.

| | | |
|---|---|---|
| *klkljhw* | | Siegel. Avigad, EI 12/1975, S.67. HD 93. Hebron? 7.Jh.? |
| *(knjhw* | +L | Ostrakon. Lachish I Nr.3, Z.15, Siehe *jkbrjhw*. IR 77.) |
| *mbṯḥjhw* | | Ostrakon. Lachish I Nr.1, Z.4. |
| *mjkjhw* | +KL | Siegel. Dirsi 30. Herr, S.133. eṣ-Ṣoda, 8.Jh. |
| *mkjhw* | | I. Siegel. Bordreuil/Lemaire, Semitica 26/1976, S.49. Herkunft unbekannt, 8.—7.Jh. |

I. Siegel. Bordreuil/Lemaire, Semitica 26/1976, S.49. Herkunft unbekannt, 8.—7.Jh.
II. Ostrakon. Avigad, RB 80/1973, S.579. Jerusalem. 7.Jh.
III. Siegel. Bordreuil/Lemaire, Semitica 32/1982, S.25. Herkunft unbekannt. Um 700 v.Chr.

*mlkjhw* +KL
I. Ostrakon, Arad Nr.39, Z.2, Str.VII. IR 137 liest *mkjhw*.
II. Ostrakon. Arad Nr. 40, Z.3. Aharoni, BASOR 197/1970, S. 29. Str.VIII. IR 62.
III. Ostrakon. Arad Nr. 24,, Z.14. Aharoni, BASOR 197/1970, S.18, Str.VI. IR 63.
IV. Siegel. Reifenberg, IEJ 4/1954, S.140. Herr, S.130. Herkunft unbekannt, 7.Jh.
V. Siegel. Herr, S.131. Herkunft unbekannt. 7.Jh. Siehe auch Avigad, Magnalia Dei, S.296, Abb.12.
VI. Siegel. Avigad, EI 12/1975, S.67. HD 68. Hebron? 7.Jh.?
VII. Siegel. Bordreuil/Lemaire, Semitica 29/1979, S.72. 8.—7.Jh. Herkunft unbekannt.
VIII—IX. Zwei Siegel. Bordreuil/Lemaire, Semitica 32/1982, S.24.26. Herkunft unbekannt. Um 700 v.Chr.

*mᶜśjhw* +KL
I. Siegel. Dirsi 51. Her, S.144. Herkunft unbekannt. 7.Jh.
II. Siegel. Herr, S.131. Stieglitz, IEJ 23/1973, S.236. Hebron? 8.Jh. Lawton, Biblica 65/1984, S.341 liest *mᶜśjh*.

*mqnjhw*
I. Ostrakon, Arad Nr.60, Z.4, Str.IX.
II. Siegel. Mosc, S.65, Nr.44. Herr, S.132. Herkunft unbekannt, 7.Jh.

*mtnjhw* +KL
I. Ostrakon. Lachish I Nr.1, Z.5.
II. Siegel. Herr, S.107. Amiran. IEJ 20/1970, S.13. HD 66. Jerusalem. 7.Jh. IR 133.
III—IV. Zwei Siegel. Bordreuil/Lemaire, Semitica 26/1976, S.49. Herkunft unbekannt, 8.—7.Jh.
V. Siegelabdruck. O'Connell, IEJ 27/1977, S.197. Tell el-Hesi, 7.Jh.
VI. Siegel. Lemaire, Semitica 33/1983, S.17. Herkunft unbekannt. 7.Jh.

*mttjhw* +KL
Siegel. Avigad, IEJ 30/1980, S.170. Herkunft unbekannt. 7.Jh.

*ndbjhw* +K
I. Ostrakon. Lachish I Nr.3, Z.19.
II. Ostrakon. Arad Nr.39, Z.3, Str.VII. IR 137.

*nhmjhw*  +K  I. Ostrakon. Arad Nr.40, Z.1f. Aharoni, BASOR 197/1970, S.29. Str.VIII. IR 62.
II. Ostrakon. Arad Nr.31, Z.3. Aharoni, BASOR 197/1970, S.35. Str. VII. IR 61.
III. Siegel. Dirsi 30. Herr, S.133. eṣ-Ṣoda, 8.Jh.

*nknjhw*  Ostrakon. Arad Nr.72, Z.1. Str.X. Lawton, Biblica 65/1984, S.341 liest *mqnjhw.*

*nrjhw*  +KL  I. Inschrift. Beer Sheba I, S.73. 8.Jh. IR 119.
II. Ostrakon. Lachish I Nr.1, Z.5.
III. Ostrakon. Arad Nr.31, Z.4. Aharoni, BASOR 197/1970, S.35. Str.VII. IR 61.
IV. Siegel. Dirsi 19. Herr, S.144. Jerusalem, 7.Jh.
V. Siegel. Dirsi 50. Herr, S.103. HD 64 = *hnnjhw* VI. Beth Schemesch, 7.Jh.
VI. Siegel. Dirsi 56. Alter und Herkunft unbekannt.
VII. Siegel. Bordreuil/Lemaire, Semitica 26/1976, S.46. Herkunft unbekannt, 7.Jh.
VIII. Siegel. Avigad, EI 14/1978, S.86. Alter und Herkunft unbekannt.
IX. Siegel. HD 65. Herkunft unbekannt, 7.Jh.
X. Siegelabdruck. Herr, S.94. Aharoni, IEJ 18/1968, S.166. Lachisch, 7.Jh. IR 29.
XI. Siegelabdruck. Avigad, IEJ 28/1978, S.53. *Idem,* BA 42/1979, S.115. Juda, 7.Jh.
XII. Siegelabdruck. Beer Sheba I, S.75. 8.Jh.
XIII. Siegel. Bordreuil/Lemaire, Semitica 32/1982, S.22. Herkunft unbekannt, Um 700 v.Chr.

*ntbjhw*  Siegel. Avigad, EI 15/1981, S.303. Herkunft unbekannt. 7.Jh.
*ntnjhw*  +KL  I—II. Zwei Inschriften. Dever, HUCA 40—41/1969—70, S. 156. Lemaire, RB 84/1977, S.595ff. Khirbet el Qom, 8.—7.Jh. IR 139.140.
III. Ostrakon. Arad Nr.56, Str.VIII. IR 69.
IV. Siegel. Dirsi 31. Herr, S.133. Herkunft unbekannt, 7.Jh.
V. Siegel. Dirsi 32. Herr, S.133. eṣ-Ṣoda, 8.Jh.

*(sbrjhw*  Ostrakon. Arad Nr.31. Aharoni BASOR 197/1970, S.35. Str.VII. In *ktwbt ᶜrd* liest Aharoni *sᶜrjhw.* IR 61).

*smkjhw*  +L  I. Ostrakon. Lachish I Nr.13, Z.2.
II. Ostrakon. Lachish I Nr. 4, Z.6. IR 78.
III. Ostrakon. Lachish I Nr.11, Z.5.
IV. Siegel. Herr, S.118. Avigad, EI 9/1969, S.3. HD 88. Jerusalem, 7.—6.Jh.

| | | |
|---|---|---|
| $s^cgjhw$ | | Siegel. Bordreuil/Lemaire, Semitica 32/1982, S.26. Herkunft unbekannt. Um 700 v.Chr. |

$s^crjhw$      Ostrakon. Arad Nr.31, Z.4, Str.VII. Lawton, Biblica 65/1984, S.342, liest $s^cdjhw$.

$^cbdjhw$  +KL      I. Grabinschrift. Kornfeld, ÖAW, A 110/1936, S.130. Edfu, 4.Jh.

II. Ostrakon. Arad Nr.10, Z.4, Str.VI.

III. Ostrakon. Naveh, IEJ 12/1962, S.29. Mesad Hashavyahu, 7.Jh.

IV. Ostrakon. Aime-Giron, BIFAO 38/1939, S.58. Edfu, 2.Jh. v.Chr. (Der Endbuchstabe $w$ ist auf diesem Ostrakon unklar).

V. Siegel. Dirsi 70, Schröder, ZDPV 37/1914, S.172ff. Herkunft unbekannt, 8.Jh. oder älter.

VI. Siegel. Dirsi 26. Herr, S.125. Herkunft unbekannt, 6.Jh.

VII. Siegel. Dirsi 32. Herr, S.133. eṣ-Ṣoda, 8.Jh.

VIII. Siegel. Dirsi 34, Herr, S.142. Tripoli, Libyen, 7.Jh. Herr zufolge wurde dieses Siegel vermutlich von einem judäischen Flüchtling mitgebracht.

IX. Siegel. Dirsi 35. Herr, S.134. Herkunft unbekannt, 7.Jh.

X. Siegel. HD 74. Herkunft unbekannt. 7.—6.Jh.

$^cdjhw$  +KL      I. Ostrakon. Arad Nr.58, Z.1, Str.VIII.

II. Siegel. Mosc, S.63, Nr.35. Herr, S.108. HD 58. Beth Schemesch, 7.Jh.

III. Siegel, Bordreuil/Lemaire, Semitica 26/1976, S.50. Herkunft unbekannt. 8.—7.Jh.

IV. Siegel. Mosc, S.61. Nr.28. Jerusalem, nachexilische Zeit.
(V. Siegel. HD 56 = $ḥlqjhw$ III. Siehe $ddjhw$.)

$^czjhw$  +KL      I. Siegel. Dirsi 37. Alter und Herkunft unbekannt.

II. Siegel. HD 65 = $nrjh$ IX.

$^czrjhw$  +KL      I—III. Drei Inschriften auf Gefässhenkeln. Gibeon Nr.1f.5. 7.Jh.

IV. Ostrakon. Arad Nr.16, Z.6, Str.VI.

V. Siegel. Dirsi 40. Herkunft unbekannt, 8.Jh. Nach Gisbon I, S.63, stammt dieses Siegel aus dem 10.—9.Jh.

VI. Siegel. Herr, S.107. HD 66 = $mtnjhw$ II. Jerusalem, 7.Jh. IR 133.

VII. Siegel. En Gedi, S.38. Herr, S.94. 7.Jh.

VIII. Siegel. Herr, S.136. Herkunft unbekannt, 7.Jh.

IX. Siegel. Bordreuil/Lemaire, Semitica 26/1976, S. 47. Herkunft unbekannt, 7.Jh.

X. Siegel. Dirsi 24. Herr, S.123. Jerusalem, 7.Jh.

XI. Siegelabdruck. Dirbo 5a. Herr, S.112. HD 24. Tell Judeideh, 8.—7.Jh.

XII—XIV. Drei Siegelabdrücke. Mosc, S.73, Nr.1. Herr, S.87. Lachish III, S.341. HD 23. 8.—7.Jh. IR 88.

XV. Siegelabdruck. Dirbo 5b. Eph 1, S.185. Tell Sandahannah, Seleukidische Zeit.

*ᶜmdjhw* — Siegel. Dirsi 61. Herr, S.142. Herkunft unbekannt. 7.Jh.

*ᶜmrjhw* — Inschrift auf Gefässhenkel. Pritchard, BASOR 160/1960, S.4, Nr.61. Gibeon, Datierung unbestimmt.

*ᶜnnjhw* +K — Siegelabdruck. Herr, S.93. Aharoni, IEJ 18/1968, S.166. Lachisch, 7.Jh. IR 28.

*ᶜṣjhw* +K — I. Ostrakon. Aharoni, IEJ 18/1968, S.168. Lachisch, 7.Jh.

II. Siegel. Dirsi 62, Askalon. Alter unbekannt.

III. Siegel. Herr, S.91. Lachish III, S.348, Nr.170. HD 50. 7.Jh. IR 125.

IV. Siegel. Bordreuil/Lemaire, Semitica 26/1976, S.48. Herkunft unbekannt, 8.—7.Jh.

V. Siegel. Dirsi 27. Alter und Herkunft unbekannt.

*ᶜšnjhw* — Siegel. Mosc, S.52, Nr.2. Tell Qasile, 5.—4.Jh.

*pdjhw* +KL — I. Ostrakon. Arad Nr.49, Z.15, Str.VIII. IR 72.

II. Siegel. Herr, S.138. Avigad, EI 9/1969, S.1. Herkunft unbekannt, 7.Jh.

III. Siegel. Bordreuil/Lemaire, Semitica 26/1976, S.47. Herkunft unbekannt. 8.—7.Jh.

IV. Siegel. Dirsi 45. Jerusalem, 6.Jh.

V. Siegel. Bordreuil/Lemaire, Semitica 32/1982, S.21. Herkunft unbekannt. Um 700 v.Chr.

VI. Siegel. Bordreuil/Lemaire, Semitica 32/1982, S.25. Herkunft unbekannt. 7.Jh.

*pṭjhw* — Inschrift auf Gefäss. IR 115. En Gedi, 7.—6.Jh.

*pl'jhw* +K — Siegel. Avigad, IEJ 30/1980, S.170. Herkunft unbekannt, 7.Jh.

*plṭjhw* +KL — I. Siegel. Bordreuil/Lemaire, Semitica 29/1979, S.74. Herkunft unbekannt, 8.—7.Jh.

II. Siegelabdruck. Lemaire, Semitica 26/1976, S.53. Herkunft unbekannt, 8.—7.Jh.

*ṣpnjhw* +KL — I. Ostrakon. Diringer, Le iscrizioni..., S. 74. Coote, PEFQS 1924, S.184. Lemaire, S.240. Ophel, 8.—7.Jh. IR 138.

II. Siegel. Dirsi 39. Herr, S.139. Herkunft unbekannt, 7.Jh.

III. Siegelabdruck. Herr, S.93. Aharoni, IEJ 18/1968, S.167. Lachisch. 7.Jh. IR 31.

IV. Siegelabdruck. Lachish III, S.341, Pl.47B:8. 8.Jh.

*qljhw*  +K    Siegel. Herr, S.138. Horn, BASOR 189/1968, S.41. Herkunft unbekannt, 7.Jh.

*rbjhw*        Siegel. Herr, S.111. Mosc, S.65, Nr.43. HD 67 = *hglnjw*. Jerusalem, 7.Jh.

*rmljhw*  +L   I. Siegel. Dirsi 19. Herr, S.144, liest *dmljhw*. Jerusalem, 7.Jh.
II. Siegel. Dirsi 60. Herr, S.132, liest *dmljhw*. Herkunft unbekannt, 7.Jh.

*šbnjhw*  +KL  I. Inschrift. Gibson I, S.23f. Silwan, 8.Jh.
II. Ostrakon. Arad Nr.60, Z.3, Str.IX.
III. Siegel. Dirsi 15. Herr, S.112, Nr.64. Gezer, 7.Jh.
IV. Siegel. Dirsi 20. Herr, S.144. Jerusalem, um 700 v.Chr.
V. Siegel. Dirsi 61. Herr, S.142. Herkunft unbekannt, 7.Jh.
VI. Siegel. Mosc, S.60, Nr.23. Jerusalem, nachexilische Zeit.
VII. Siegel. Avigad, EI 12/1975, S.68. Hebron? 7.Jh.?
VIII. Siegelabdruck. Dirbo 5a. Herr, S.112. HD 24. Tell Judeideh, 8.Jh.
IX. Siegelabdruck. Avigad, EI 15/1981, S.304. Herkunft unbekannt, spätvorexilisch.
(X. Siegelabdruck. Dirbo 5b. Eph 1, S.185. Dies ist eine andere Lesung von *bnjhw* VII).

*šknjhw*  +KL  Siegel. Avigad, EI 12/1975, S.67. Hebron? 7.Jh.

*šlmjhw*  +KL  I. Ostrakon. Lachish I Nr.9, Z.7. So liest KAI II, S.198. ebenso Gibson I, S.47.
II. Ostrakon, Beit-Arieh, PEQ 115/1983, S.105. Tel ʿIra, 7.Jh.
III. Siegel. Arad Nr.108. Herr, S.85. Aharoni, EI 8/1967, S.101. HD 54. Str.VII. IR 130.
IV. Siegel. Avigad EI 12/1975, S.69. Hebron? 7.Jh.
V. Siegel. Mosc, S.60, Nr.24. Herr, S.121. Herkunft unbekannt, 7.Jh. HD 53. IR 132.

*šmʿjhw* +KL   I. Ostrakon. Lachish I Nr.4, Z.6. IR 78.
II. Ostrakon. Lachish III, S.338.
III. Ostrakon. Arad Nr. 27, Z.2, Str.VI.
IV. Ostrakon. Arad Nr.31, Z.5. Aharoni, EI 9/1969, S.17. *Idem,* BASOR 197/1970, S.35, Str.VII. IR 61.
V. Ostrakon. Arad Nr. 39, Z.2.7f. Str. VII. IR 137.
VI. Siegel. Dirsi 40, Herkunft unbekannt, 8.Jh. Nach Gibson I, S.63, 10.—9.Jh.
VII. Papyrus. DJD 2, S.97. Murabbaʿat, 8.Jh. IR 32.

*šmrjhw*  +KL  I. Ostrakon. Arad Nr.18, Z.4. Aharoni, IEJ 16/1966, S.6, Str.VI. IR 166.
II—III. Zwei Siegel. Bordreuil/Lemaire, Semitica 26/1976, S.47. Herkunft unbekannt, 8.—7.Jh.

| | | |
|---|---|---|
| *šᶜrjhw* +K | Siegel. Bordreuil/Lemaire, Semitica 26/1976, S.45f. Herkunft unbekannt, 8.—7.Jh. |
| *šptjhw* +KL | I. Siegel. Bordreuil/Leimaire, Semitica 26/1976, S.50. Herkunft unbekannt, 8.—7.Jh. |
| | II. Siegel. Herr, S.91. Lachish III, S.348, Nr.170. HD 50. 7.Jh. IR 125. |
| | III. Siegel. HD 96. Herkunft unbekannt. 7.—6.Jh. |
| *śrjhw* +KL | I. Siegel. Avigad, EI 12/1975, S.69. Hebron? 7.Jh.? |
| | II. Siegel. Avigad, EI 14/1978, S.86f. Herkunft unbekannt. Nach Avigad aus der Zeit Jeremias. |

### Zusammenstellung nach Datierung und Fundorten

Die Zahlen geben die Anzahl der Belegstellen an.

| | Vorexilische Zeit | Um die Zeit des Exils | Nachexilische Zeit | Undatiert |
|---|---|---|---|---|
| Palästina: | | | | |
| Tel Qasile | | | 1 | |
| Meṣad Ḥashavyahu | 2 | | | |
| Tell en-Naṣbeh | 2 | | | |
| Gezer | 3 | | | |
| Gibeon | 19 | | | 1 |
| Kirjat Jearim | 1 | | | |
| Jerusalem | 15 | 1 | 3 | 1 |
| Ophel | 5 | | | |
| Silwan | 1 | | | |
| Bet Schemesch | 4 | | | |
| Ramat Raḥel | 2 | | | |
| Askalon | | | | 1 |
| Tel Judeideh | 2 | | | |
| Tell Sandaḥanna | | | 2 | |
| Kh. eṭ-Ṭubeiqa | 1 | | | |
| Murabbaᶜat | 1 | | | |
| Lachisch | 32 | | | |
| Tell el Ḥesi | 1 | | | |
| Khirbet el Qom | 4 | | | |
| Hebron | 20 | | | |
| En Gedi | 3 | | | |
| Beer Scheba | 3 | | | |
| Arad | 48 | | | |
| Tel ᶜIra | 1 | | | |
| Kh. el Mischasch | 1 | | | |
| Juda, undef. | 2 | 1 | | |

| Syrien: | | | | |
|---|---|---|---|---|
| eṣ-Ṣoda | 4 | | | |
| Kleinasien: | | | | |
| Daskyleion | | | 1 | |
| Ägypten: | | | | |
| Undef. | 2 | | | |
| Edfu | | | 2 | |
| Libyen: | | | | |
| Tripoli | 1 | | | |
| Herkunft unbekannt | 97 | 2 | | 4 |
| Ingesamt: | 277 | 4 | 9 | 7 |

Wir haben 297 Belege für Personennamen auf -*jhw* gefunden. Einige 80 davon sind unbekannter Herkunft, aber die übrigen lassen sich im Hinblick auf Provenienz und Alter bestimmen. Viele früher undatierte Siegel hat L.G.Herr auf paläographischem Wege datiert. Die Fundstätten für Namen auf -*jhw* liegen hauptsächlich in Südisrael, erstrecken sich aber auch ein wenig in nordwestlicher Richtung. Die Hauptmenge unseres Materials stammt aus der Zeit vom 8. Jahrhundert bis zum Beginn des Exils. Die neun nachexilischen Belege bestehen in einigen ziemlich unsicher datierten Funden aus Jerusalem *(jqmjhw, ᶜdjhw, šbnjhw)* und Tell Sandaḥannah *(ᶜzrjhw, (š)bnjhw)*. Hinzu kommt der Name *ᶜšnjhw* auf einem Siegel von Tel Qasile sowie der Name *'šjhw* aus Daskyleion in Kleinasien und der Name *ᶜbdjhw* in zwei späten Belegen aus Edfu.

Vergleichen wir die Verbreitung der Formen auf -*jhw* mit derjenigen der Formen auf -*jh*, sehen wir deutlich die Verschiebung von einem vorexilischen Übergewicht der langen Formen zu einem nachexilischen der Kurzformen.

## c) Namen auf -*jw*

| | | |
|---|---|---|
| *'bjw* | +K | I—II. Zwei Ostraka. Samaria, Nr.50.52. |
| | | III. Siegel. Mosc, S.56 Nr.15. Herr, S.115. Encyclopaedia Biblica 1, S.23. HD 36. Herkunft unbekannt, 8.Jh. |
| | | IV. Siegel. Dirsi 65. Encyclopaedia Biblica 1, S.23. Herkunft unbekannt, 8.—7.Jh. |
| *'wrjw* | +KL | Siegelabdruck. Herr S.22. Hammond, PEQ 1957, S.68f. Avigad, IEJ 7/1957, S.146ff. Jericho, 6.Jh. |
| *'hjw* | +KL[4] | I. Inschrift auf Bronzegefäss. Barnett, EI 8/1967, S.5* Nr.75. Heltzer, PEQ 110/1978, S.3. Nimrud, Assyrien, 8.Jh. |
| | | II. Siegel. Avigad, EI 12/1975, S.70. Hebron? 7.Jh.? |
| | | III. Siegelabdruck. Aharoni, IEJ 6/1956, S.145. Ramat Raḥel. Persische Zeit. Siehe auch Ramat Raḥel, S.33. |

[4] Auch der Name *'ḥjw* findet sich im AT.

|            |                                                                                                               |
|------------|---------------------------------------------------------------------------------------------------------------|
|            | IV. Ostrakon. Cowley, PSBA 25/1903, S.264. Elephantine/ Syene.[2]                                             |
| *bdjw*     | Ostrakon. Samaria Nr.58. Lawton, Biblica 65/1984, S.344, liest *pdjw*.                                         |
| *gdjw*     | I—XII. Zwölf Ostraka. Samaria Nr.2.4—7. 16—18.30.33..35. 42.                                                   |
| *dljw* +KL | Inschrift. Hazor II, S.74f. 8.Jh.                                                                              |
| *zkrjw* +KL| I. Siegel. Herr, S.140. Herkunft unbekannt, um 700 v.Chr. II. Siegel. Herr, S.108. Avigad. IEJ 25/1975, S.101ff. Samaria, 8.Jh. Kein *z* sichtbar auf dem Siegel. |
| *zrjw*[5]  | Siegel. Herr, S.148. Aharoni, TA 1/1974, S.157. Herkunft unbekannt, 9.Jh.?                                     |
| *ḥjw*      | Ostrakon. Aime-Giron, BIFAO 38/1939, S.58. Edfu, 2.Jh. v.Chr.                                                  |
| *ḥljw*     | Inschrift auf Steinschale. Meshel. Qadmoniot 9/1976, S.123. Kuntilat Ajrud, 9.—8.Jh.                           |
| *ḥlljw*    | Siegel. Taylor, JPOS 10/1930, S.21. Abu Ghosh, undatiert.                                                      |
| *ḥlqjw* +KL| Siegel. Herr, S.22. Avigad, IEJ 15/1965, S.230. Babylonien, 5.Jh.                                              |
| *jdᶜjw* +K | I—III. Drei Ostraka. Samaria Nr.1.42.48.                                                                       |
| *jḥzqjw* +KL| I. Münze. Beth Zur, 4.Jh. IR 146. II—III. Zwei Münzen. Tell Jemme, 5.—4.Jh. IR 147.                           |
| *jprᶜjw*   | Siegelabdruck. Herr, S.114. Samaria, 8.Jh.                                                                     |
| *mljw*     | Ostrakon. Lemaire, Semitica 25/1975, S.93. Herkunft unbekannt, 5.Jh.                                           |
| *mqnjw*    | Siegel. Cross, HThR 55/1962, S.251. Herkunft unbekannt, 8.Jh.                                                  |
| *mrnjw*    | Ostrakon. Samaria Nr.42. Lawton, Biblica 65/1984, S.333 liest *'dnjw*.                                         |
| *smkjw* +L | Inschrift auf Bronzegefäss. Barnett. EI 8/1967, S.5* Nr.89. Heltzer, PEQ 110/1978, S.3. Nimrud, Assyrien, 8.Jh.|
| *ᶜbd'jw*   | Siegel. Herr, S.46. Herkunft unbekannt, 8.Jh.                                                                  |
| *ᶜbdjw* +KL| I. Ostrakon. Samaria Nr.50. II. Inschrift auf Steinschale. Meshel, Qadmoniot 9/1976, S.123. *Idem,* IEJ 27/1977, S.53. Kuntilat Ajrud, 9.—8.Jh. |
| *ᶜbjw*     | Siegel. Herr, S.23. Reifenberg, IEJ 4/1954, S.139. Ägypten, 6.Jh.                                              |

---

[5] Dieses Siegel unterscheidet sich in mancherlei Hinsicht von anderen althebräischen Siegeln. Herr hegt den Verdacht, dass es sich um eine Fälschung handele. Andernfalls hätten wir es hier mit dem ältesten aufgefundenen hebräischen Siegel zu tun. Die Schrift ist unregelmässig, aber mehrere Buchstaben erinnern an die ältesten belegten Formen.

| | | |
|---|---|---|
| $^c$gljw | | Ostrakon. Samaria Nr.41. |
| $^c$zjw | +KL | I. Siegel. Dirsi 65. Encyclopedia Biblica 1, S.23. Herkunft unbekannt, 8.—7.Jh. |
| | | II. Siegel. Dirsi 67. Herr, S.84. Herkunft unbekannt, 8.Jh. Nach Herr ist hier König Uzzia gemeint. |
| $^c$zrjw | +KL | Siegel. Herr, S.136. Avigad, IEJ 16/1966, S.52. Herkunft unbekannt, 8.Jh. |
| $^c$nnjw | +K | Ostrakon. CIS P.II T.1 Nr.154. Elephantine. |
| $^c$šjw | +K | Siegel. Dirsi 38. Herr, S.137. Herkunft unbekannt, 8.Jh. |
| (pqdjw | | Siegelabdruck. Avigad, PEQ 1950, S.43ff. Gezer, nachexilisch.)[6] |
| qljw | +K | Ostrakon. Lemaire, S.248. Samaria, 8.Jh. |
| qnjw | | Siegel. Dirsi 13. Herr, S.110. Zion, 8.Jh. |
| rs$^c$jw | | Siegel. Herr, S.23. Reifenberg, IEJ 4/1954, S.139. Ägypten, 6.Jh. |
| šbnjw | +KL | Siegel. Dirsi 67. Herr, S.84. Herkunft unbekannt, 8.Jh. |
| šm$^c$jw | +KL | Inschrift auf Steinschale. Meshel, Qadmoniot 9/1976, S. 123. Avigad, IEJ 27/1977, S.53. Kuntilat Ajrud, 9.—8.Jh. |
| šmrjw | +KL | I—IV. Vier Ostraka. Samaria Nr.1.13.14.21. IR 38. |
| | | V. Siegel. Herr, S.113. HD 35. Samaria, 8.Jh. IR 39. |
| šnjw | | Siegel. Mosc, S.55. Reifenberg, PEQ 1938, S.115. Datierung und Herkunft unbekannt. |

## *Zusammenstellung nach Datierung und Fundorten*

| | Vorexilische Zeit | Um die Zeit des Exils | Nachexilische Zeit | Undatiert |
|---|---|---|---|---|
| Palästina: | | | | |
| Hazor | 1 | | | |
| Samaria | 29 | | | |
| Jericho | | 1 | | |
| Gezer | | | (1) | |
| Abu Ghosh | | | | 1 |
| Zion | 1 | | | |
| Ramat Raḥel | | | 1 | |
| Beth Zur = | | | | |
| Kh. eṭ-Ṭubeiqah | | | 1 | |
| Hebron | 1 | | | |
| Tell Jemme | | | 1 | |

---

[6] Dieser Siegelabdruck ist derselbe wie Dirbo 8, aber Diringer liest völlig anders. Nur die drei letzten Buchstaben sind vollständig, und es erscheint sehr zweifelhaft, mit Avigad das letzte Zeichen als *w* zu deuten. Auf den Abbildungen erinnert es eher an ein *n*. So liest auch Diringer.

| | | | | |
|---|---|---|---|---|
| Kuntilat Ajrud | 3 | | | |
| Assyrien: | | | | |
| Nimrud | 2 | | | |
| Babylonien | | | 1 | |
| Ägypten | | | | |
| Undef. | | 2 | | |
| Edfu | | | 1 | |
| Elephantine | | | 2 | |
| Herkunft unbekannt | 11 | | 1 | 1 |
| Ingesamt: | 48 | 3 | 8 | 2 |

Wir fanden 61 Belege für Namen auf -*jw*, einen Namenstyp, der mit Ausnahme von ʾ*ḥjw* im masoretischen Text des Alten Testaments nicht vorkommt. Von den 45 Belegen, deren Alter und Herkunft bekannt sind, stammen ja drei aus Mesopotamien und zwei aus Ägypten, aber auch innerhalb Palästinas hat diese Namensform eine weite geographische Verbreitung. Die Namen finden sich von Hazor im Norden bis Kuntilat Ajrud in der Negev-Wüste. Die Hauptanzahl der geographisch bestimmbaren Funde stammt jedoch aus Samaria, wo die Formen auf -*jh* und -*jhw* gänzlich fehlen. An den meisten Stätten im zentralen Juda, an denen Namen auf -*jhw* zutage kamen, fehlen solche auf -*jw*. Der Name ʾ*ḥjw*, der möglicherweise in Hebron gefunden wurde, ist insofern eine Besonderheit, als dieser einzige Name auf -*jw* im Alten Testament vertreten ist. Es ist auch der einzige Name dieses Typs in den Elephantine-Papyri, auf die wir in einem späteren Abschnitt eingehen wollen. Somit findet sich dieser Name auf -*jw* in mehreren verschiedenen Verbindungen zusammen mit Namen auf -*jhw/jh*.

Da die Namen auf -*jw* die einzigen aus vorexilischer Zeit sind, die an den nördlichen Fundorten in Paläestina vorkommen, und da der Namenstyp an der überwiegenden Anzahl der judäischen Fundstätten gleichzeitig fehlt, ergibt sich als natürliche Schlussfolgerung, dass Namen auf -*jw* einen nordisrealitischen Namenstyp repräsentieren. Im Hinblick auf ihr Alter lassen sich die Namen auf -*jw* mit denen auf -*jhw* vergleichen.

Die nachexilischen Belege sind von einer Art, dass ein jeder von ihnen seinen besonderen Kommentar verlangt. Der palästinensische Beleg ʾ*ḥjw* ist, wie oben gesagt wurde, ein Spezialfall, der sich nicht ganz mit den übrigen Namen dieses Typs vergleichen lässt. Dies gilt auch für denselben Namen auf dem Elephantine/Syene-Ostrakon. Das Name *ḥjw* von Edfu sieht aus wie eine Nebenform von ʾ*ḥjw*. Der Name *ḥlqjw* ist interessant, weil wir in einem späteren Abschnitt sehen werden, dass die Namensform auf -*jw* anscheinend in der babylonischen Diaspora ein Eigenleben geführt hat. Vielleicht stammt der noch übrige Name *mljw*, dessen Herkunft wir nicht kennen, auch aus Babylonien. Schliesslich dürfte auch der Name des Statthalters *jḥzqjw* die babylonische Schreibweise repräsentieren.

## d) Zusammenfassung

Wir fragen uns nun, ob der Unterschied zwischen den Namensformen auf *-jw*
und auf *-jhw* geographisch oder chronologisch bedingt ist. Nach Ginsberg und
Milik besteht der Unterschied darin, dass *-jw* ein älteres Suffix ist, das später zu
*-jhw* erweitert wurde.[7] Um diese Frage zu beleuchten, wollen wir daher die Belegstellen für diese beiden Namenstypen im Hinblick auf ihre Entstehungszeit
vergleichen. Wir beschränken uns hier auf die vorexilischen Belege und können
folgende Zusammenstellung vornehmen.

| *Vor 700 v.Chr* | *Vorexilisch nach 700 v.Chr* | *Vorexilisch undef. Alter* |
|---|---|---|
| *-jw* 44 Belege | 2 Belege | 2 Belege |
| *-jhw* 37 Belege | 186 Belege | 54 Belege |

Eine prozentuelle Berechnung würde somit deutlich zeigen, dass ein weit grös-
serer Teil von der Gruppe mit dem Suffix *-jw* als von der Gruppe mit *-jhw* der Periode vor dem Jahre 700 angehört, aber können wir daraus folgern, dass die Namen auf *-jw* einem älteren Typ angehören als die Namen auf *-jhw?* Der geringe
Umfang des Materials und seine ungleichmässige Verteilung auf die Fundorte
macht, dass eine prozentuelle Berechnung hier nicht am Platz ist. So stammt beispielsweise mehr als die Hälfte des vorexilischen Materials auf *-jw* aus Samaria.

Wir können vielmehr konstatieren, dass die Anzahl an frühen Belegen für Namen auf *-jhw* ungefähr ebenso gross ist wie die für Namen auf *-jw*. Wir meinen
daher, dass der Unterschied zwischen den beiden Namenstypen darin bestehen
muss, dass die Namen auf *-jhw* hauptsächlich in Südpalästina üblich waren,
während Formen auf *-jw* ihr nordisraelitisches Gegenstück bildeten. Der Grund
dafür, dass wir fast keine Belege für Namen auf *-jw* gefunden haben, die sich klar
auf die Zeit zwischen dem Jahr 700 und dem Exil datieren liessen, dürfte der
Umstand sein, dass das Nordreich als Staat zu existieren aufhörte, wodurch der
jerusalemitische Einfluss zunahm.

In nachexilischer Zeit herrschten die Formen auf *-jh* vor, aber es gibt auch allerlei vorexilische Belege für diese Namensformen, der älteste vielleicht gar aus
dem 10. Jahrhundert.

# B. Aramäisches Papyrusmaterial aus Ägypten

Wir besitzen ein reichhaltiges Material an Papyrushandschriften aus Ägypten.
Vieles davon stammt aus der persischen Zeit. Dieses Material, das aramäisch abgefasst ist, enthält eine ganze Menge Namensformen, die somit in dieselbe Zeit
gehören, wie die späteren Teile des Alten Testaments.

---

[7] Ginsberg, BASOR 71/1938, S.24f. Milik, DJD 2, 1961, S.99f.

Unser Material hier besteht vornehmlich aus von Cowley und Kraeling publizierten Texten aus Elephantine.[8] Hinzu kommen die acht Hermopolis-Briefe, die Bresciani und Kamil herausgegeben haben.[9] Schliesslich wäre noch eine kleinere Anzahl von separat edierten Papyrushandschriften zu erwähnen.[10].

Nun wurden alle Personennamen, die sich in aramäischem Material finden lassen, kürzlich von W.Kornfeldt behandelt.[11] Kornfeldts Arbeit umfasst ausserdem auch diejenigen aramäischen Ostraka, die wir im vorhergehenden Abschnitt vorgestellt haben, aber der Grossteil der Belegstellen stammt aus dem oben erwähnten Papyrusmaterial.

Es liegt kein Grund vor, hier die Darstellung mit einer Zusammenstellung der fraglichen Namen in diesem Material zu belasten, da das praktisch nur eine selektive Abschrift der Liste bedeuten würde, die in Kornfeldts Arbeit einige neunzig Seiten beansprucht. Wenn wir uns an den "Reversindex" halten, mit dem Kornfeldt sein Verzeichnis versehen hat, verschaffen wir uns leicht einen Überblick über Namensformen auf *-jh/jw/jhw*. Wir sehen dann, dass alle drei Typen vertreten sind, dass aber die Formen auf *-jh* mit 75 verschiedenen Namen stark dominieren.[12] Sechs Namen enden auf *-jw*, und zwar *ḥjw, 'ḥjw, pṭjw, nsjw, ḥpjw* und *ᶜzrjw*. Den Namen *ḥjw* finden wir auf einem Ostrakon aus Edfu, das auf das 2.Jh. v.Chr. datiert wird.[13] Während Kornfeldt diesen Namen als eine Variante von *'ḥjw* betrachtet, vergleicht Aime-Giron hier mit dem arabischen Namen *ḥjj*.[14] Die Namen *pṭjw* und *ḥpjw* sind vermutlich ägyptische Namen, während Kornfeldt *nsjw* als "unbrauchbar" charakterisiert.[15] Die beiden übrigen Namen sind insofern etwas Besonderes, als sie sich beide in der *-jw*-Form im Alten Testament belegen lassen; *ᶜzrjw* allerdings nur in einem LXX-Zusatz.[16]

Drei Namen auf *-jhw* belegt Kornfeldt. *'bjhw, ᶜbdjhw* und *jḥmljhw*. Von ihnen finden wir die beiden ersteren auch im Alten Testament.

Wir können somit feststellen, dass die Namengebung unter den Juden in

---

[8] Cowley, Aramaic Papyri..., 1923. Kraeling, The Brooklyn Museum..., 1953. Siehe auch Anm. 9.

[9] AANL, Memorie Ser 8, Vol 12/1966, S.357ff. Sieben der Briefe findet man auch bei Gibson, Textbook... Vol 2, 1975, S.125ff. Das Material von Elephantine und Hermopolis findet sich gesammelt in Porten, Jews of Elephantine... (hebr.) 1974.

[10] In den separat herausgegebenen Manuskripten haben wir relevante Namenformen in folgenden Arbeiten gefunden: Aimé-Giron, Textes Araméen d'Égypte, 1931, S. 39.65; Bresciani, Aegyptus, 39/1959, S.3ff. Degen, Neue Eph 2, 1974, S.65ff. Der letztgenannte Text erfordert jedoch die Lesung *šlmyw,* die Lipiński in BO 37/1980, S.6 vorschlägt. Vgl. Kornfeldt, Onomastica Aramaica, S.73 *(šlmywš).*

[11] Kornfeldt, Onomastica Aramaica..., 1978.

[12] Die Zahl der Belegstellen ist um ein vielfaches grösser. Einige Namen kommen sehr häufig vor.

[13] Siehe S.40.

[14] Kornfeldt. Onomastica Aramaica..., S.50. Aimé-Giron, BIFAO 38/1939, S.59.

[15] Kornfeldt, Onomastica Aramaica..., S.81.88.128. Der letztgenannte Name, belegt auf einem Ostrakon RES Nr. 1794, befindet sich, wie dieses ganze Ostrakon, in einem sehr schlechten Zustand.

[16] Den Namen *'ḥjw* finden wir als einzigen Namen auf *-jw* in dem masoretischen Text in 2.Sam 6,3.4; 1.Chr 8,14.31; 9,37; 13,7. In der LXX-Erweiterung 3.Regn.2, 46h finden wir die Lesart Αζαριου.

Ägypten, was Namen auf *-jh/jw/jhw* betrifft, im wesentlichen mit der in der Heimat üblichen übereinstimmt. Von den Namen des vorexilischen Nordreichs auf *-jw* weist Ägypten lediglich Spuren auf. Namen auf *-jhw* sind hier vereinzelt belegt, genau wie in dem übrigen ausserbiblischen Material aus derselben Zeit. Die grosse Gruppe der Namen auf *-jh* hat ihre Gegenstücke in denselben Namenstypen im sonstigen nachexilischen epigraphischen Material. Eine Gruppe von neunzehn Namen, die auf *-j'* enden, zeigt ausserdem, dass die Anpassung an die aramäische Sprache zuweilen die Schreibweise stärker beeinflusst als die theophore Bedeutung der Namen.

# C. Juden in der Babylonischen Diaspora.

Zeitgleich mit dem Material von Elephantine ist das Archiv des Handelshauses Murašû in Nippur, das 1893 entdeckt wurde. In diesen Dokumenten finden wir in Keilschrift die Namen einer grossen Anzahl von Juden aus der babylonischen Diaspora. Neben den Elephantine-Papyri sind diese Dokumente die wichtigsten ausserbiblischen Quellen für unsere Kenntnis des nachexilischen Judentums in persischer Zeit[17].

Unter den hier erwähnten Juden tragen viele JHWH-haltige Namen, sowohl des präfigierten wie des suffigierten Typs. Die letzteren, die uns vornehmlich interessieren, werden in Silbenschrift *-ia-a-ma* geschrieben. Dieser Namenstyp ist auch ausserhalb der Murašû-Dokumente mehrfach belegt[18].

Die grösste Aufmerksamkeit wurde diesem Material in der Forschung von M.D.Coogan zuteil[19]. Im Gegensatz zu den früheren Behauptungen Daiches' zeigt Coogan im Anschluss an Cross, dass die Endung *-ia-a-ma* aller Wahrscheinlichkeit nach *-jaw* ausgesprochen wurde[20]. Es wird somit vorausgesetzt, dass der Endvokal stumm war und dass babylonisches *m* dazu dienen konnte, das *w* anderer Sprachen wiederzugeben[21]. Dass dieses Suffix ein Äquivalent des

---

[17] Publiziert in Hilprecht/Clay, Business Documents of Murashû, 1898.

[18] Als erster verband Th.G.Pinches das Suffix *-ia-a-ma* mit JHWH (PSBA 15/1893, S.13ff.). Er nahm an, die Aussprache des Suffixes sei *-yawa* gewesen. Pinches stiess frühzeitig auf Ablehnung bei S. Daiches (ZA 22/1909, S.129.), der erklärte, *m* könne zwar durch westsemitisches *w* wiedergegeben werden, das Umgekehrte sei aber niemals der Fall. Daiches meint, wir hätten es mit einer Endung *-ma* zu tun, die Namen vom Typ *-jh* angefügt wurde, die um diese Zeit auch in Elephantine üblich waren (Ibm, S.133). Zu Beispielen für *-ia-a-ma* ausserhalb der Murašû-Dokumente siehe Tallquist NNB, S.245 und APN, S.287.

[19] JStJ 4/1973, S.183ff. *Idem,* West Semitic Personal Names in the Murašû-Documents, 1976. *Idem,* JStJ 7/1976, S.199f.

[20] Coogan, West Semitic Personal Names..., S.52. Cross, HThR 55/1962, S.253. Vgl. Daiches, oben Anm. 18.

[21] Zur Äquivalenz *m/w* siehe Coogan, JStJ 4/1973, S.190, Anm.1. *Idem,* West Semitic Personal Names, S.63, Anm. 69; S.94. Vgl. Kap.II, Anm.40.

hebräischen Gottesnamens ist, dürfte über jeden Zweifel erhaben sein, da ihm in einigen Belegen auch das Determinativ für 'Gott' DINGIR vorausgeht[22].

Wir finden also unter den Juden der Diaspora des 5.Jahrhunderts reichliche Belege für Namensformen auf -jw, die fast gar nicht im Alten Testament vorkommen und zudem in dem Material aus der ägyptischen Diaspora äusserst selten sind. Bei unserer Durchsicht von epigraphischem Material zeigte es sich, dass Namensformen auf -jw hauptsächlich in dem vorexilischen Nordisrael zu Hause waren. Das wahrscheinliche Ursprungsmilieu der babylonischen Juden, das zentrale Juda des 7.-6.Jahrhunderts, ist mit diesem Namenstyp nur spärlich vertreten. Als Einziges liegt ein auf das 6.Jahrhundert datierter Siegelabdruck aus Jericho ('wrjw) vor. Wie wir oben erwähnten, finden wir auch den Namen 'hjw in ein paar Belegen aus der fraglichen Zeit, doch wiesen wir bereits darauf hin, dass es sich hierbei um einen Sonderfall handelt.

Der übliche Namenstyp im spätvorexilischen Juda hatte das Suffix -jhw. Unsere Durchsicht des epigraphischen Materials hat uns ein ziemlich klares Bild von der Verbreitung der Namensform vermittelt. Nach Coogan beruht die babylonische Form auf -ia-a-ma darauf, dass die systematische Verwendung von -jhw noch nicht etabliert war[23]. Wir müssen jedoch im Gegensatz zu Coogan feststellen, dass die theophoren Namen der Juden, die zu Beginn des 6.Jahrhunderts nach Babylonien deportiert wurden, hauptsächlich die Nachsilbe -jhw aufgewiesen haben dürften. Wir wissen auch, dass die normale Namensform in nachexilischer Zeit das Suffix -jh aufwies.

Daher ergibt sich die Schlussfolgerung, dass die babylonische Form auf -ia-a-ma ihre eigene Geschichte hat. Das Einfachste ist, in dem Namenstyp eine Weiterentwicklung der in den ältesten Keilschrifttranskriptionen vorkommenden Formen auf ja-u zu sehen[24]. Eine der Tafeln aus Nippur enthält ausser dem Keilschrifttext eine aramäische Transkription pljh des Namens pi-il-ia-a-ma[25]. Diese Transkription, die später als der Keilschrifttext eingraviert wurde, soll vermutlich nur dazu dienen, das aramäische Äquivalent des Namens pi-il-ia-a-ma anzugeben.

Wir können also feststellen, dass die Namen sich in der östlichen Diaspora anders entwickelten als unter den hebräisch/aramäisch sprechenden Juden in Palästina und Ägypten. Während wir bei den letzteren einen Übergang zu Formen auf -jh beobachten können, dürfte die Übernahme der babylonischen Sprache, der ein h fehlt, bei den babylonischen Juden zu dem Übergang jahu->jau->jaw geführt haben.

---

[22] Coogan, West Semitic Personal Names, S.53.

[23] Ibm, S.53.

[24] Siehe beispielsweise Ha-za-qi-(i)a-u in Sanheribs Annalen (ANET S.287); Na-tan-Ia-u auf einem auf die Mitte des 7.Jh. datierten Siegel aus Gezer (Macalister, Excavation of Gezer, Vol 1, S.28).

[25] Siehe S.25.

## EXKURS

# Personennamen auf *ià/ ì-a* in den Funden von Ebla

Eine Darstellung über JHWH-haltige Personennamen im alten Israel wäre heutzutage nicht vollständig ohne eine Stellungnahme zu den Namensformen in dem 1975 entdeckten königlichen Archiv in Tell Mardikh — Ebla[26].

Bereits im Jahre nach dieser Entdeckung richtete G.Pettinato die Aufmerksamkeit der wissenschaftlichen Welt darauf, dass in diesen Keilschriftfunden vom Ende der frühen Bronzezeit — ungefähr zeitgleich mit der Dynastie Sargons I. in Akkad — Personennamen vorkamen, die auf *-il* endeten, und dass die gleichen Personennamen in anderen Texten das Suffix *-ja* aufwiesen. Pettinato bemerkte ebenfalls eine Tendenz, das Suffix *-il* seit der Zeit Ebrums, des dritten Königs von Ebla, durch *-ja* zu ersetzen. Er erwähnt die Namenpaare *mi-ka-il // mi-ka-ja* und ebenso *en-na-ni-il // en-na-ni-ja* sowie *is-ra-il // is-ra-ja*. Pettinato zufolge ist *-ja* eine Abkürzung von *-jaw* und Name einer Gottheit[27]. Pettinato drückt sich jedoch vorsichtig aus und erwähnt nicht ausdrücklich die Parallelität zum Alten Testament. Die Frage lag jedoch offen: hatten wir den Ursprung der Religion Israels gefunden?

Als erste unter den Exegeten legten D.W. Freedman und M. Dahood ihre Gedanken der Öffentlichkeit vor. In einem längeren Artikel, der allerdings die oben erwähnten Namensformen nicht berührt, zieht Freedman eine Reihe von Parallelen zwischen Ebla und dem Alten Testament[28]. Dahood sah Ugarit als das zeitlich und räumlich verbindende Glied zwischen dem frühbronzezeitlichen Ebla und dem eisenzeitlichen Israel. Er erkannte *ja* als theophores Element an, ebenso wie das in Ugarit vorkommende *jw*[29].

Ihr Ende fanden diese ersten schwindelerregenden Spekulationen durch A. Archi, der darauf hinweist, dass die Namen auf *-ja*, hier wie an so manchen anderen Stellen in vergleichbarem Material, reine Hypokoristika waren[30]. Diese Ansicht bestätigt u.a. der Umstand, dass Namen auf *-il* und *-ja* eine und dieselbe Person bezeichnen konnten. Der Wechsel der Suffixe zur Zeit König Ebrums erweist sich nach Archi als eine Wahrheit mit Modifikationen.

Archi stiess sogleich auf den Widerspruch von Pettinato, der aber mehr Archis Kompetenz auf dem Gebiet in Frage stellte, als dass er der Debatte viele neue Ar-

---

[26] Siehe Näheres bei Bermant/Weitzman, Ebla, 1979 und Matthiae, Ebla, An Empire Rediscovered, 1980. Einen Übersichtsartikel von Mathiae findet man in BA 39/1976, S.94ff. Die Texte werden nach und nach von G.Pettinato in der Reihe Materiali epigrafici di Ebla, Napoli 1979ff. sowie von Edzard u.a.m. in der Reihe Archivi redi di Ebla, Roma 1981ff. herausgegeben.

[27] BA 39/1976, S.48.

[28] BA 41/1978, S.143ff.

[29] VT, Suppl 29/1978, S.105f.

[30] Biblica 60/1979, S.556ff.

gumente zuführte[31]. Ein anscheinend schwerwiegendes Argument dafür, dass *ja* doch ein Gott wäre, wurde allerdings vorgelegt. Pettinato verweist auf einen Personennamen mit präfigiertem *ja*, dem das Determinativ DINGIR vorausgeht, den Namen $^d$*ja-ra-mu*[32]. Pettinato betont auch, dass er bereits in seinem einleitenden Artikel eine theophore Bedeutung von *ja* nur als eine Möglichkeit bezeichnet habe, sowie dass er schon dort auch darauf verwiesen habe, dass wir es vielleicht mit Hypokoristika zu tun haben könnten. Abschliessend vertritt er jedoch die Auffassung, dass es sich hier weder um Hypokoristika noch um den Namen eines spezifischen Gottes handele. "As regards the general interpretation of theophoric names ending in -*il* and -*yà*, I am now convinced that both elements are generic terms for 'god' and do not indicate, at least not always, a particular divinity".

Bis dahin hatte die Debatte als selbstverständlich vorausgesetzt, dass das umstrittene Suffix -*ja* zu lesen wäre. Das erwies sich jedoch als keineswegs sicher. In einem Artikel über die sprachlichen Schwierigkeiten, welche die Lesung der Ebla-Tafeln bereitet, verweist R. Biggs darauf, dass man das Keilschriftzeichen, um das es sich hier dreht, zwar als *ià* lesen kann, dass aber die Lesungen *ì, lì* und *ni* ebenfalls denkbar wären[33]. Die letztere Lesung würde dann ein Objektsuffix in der 1.Pers. Sing. ergeben, was gut mit den Namen zusammenpasst, in denen das nicht-theophore Element verbal ist.

Die verschiedenen Möglichkeiten, das fragliche Keilschriftzeichen, das Sumerogramm NI, zu lesen, unterstreicht auch Archi in seiner Antwort auf Pettinatos Kritik[34]. Das bedeutet, dass der Name $^d$*ja-ra-mu* sich nun ebenso gut als $^d$*lì-ra-mu* 'mein Gott ist hoch' lesen lässt.

Die Frage nach der Aussprache des Suffixes behandelte ausführlich H.P. Müller, der 48 Namen mit NI und einen mit $^d$NI präsentierte[35]. Müller richtet die Aufmerksamkeit zunächst darauf, dass die Lesung *ià* des Sumerogramms NI überhaupt zweifelhaft ist. Es gibt nur sporadische Belege für diese Aussprache von NI. Auch die Lesung von *ià* als Hypokoristikon-Endung ist zweifelhaft, da sie nur bei vokalisch auslautenden Stämmen in Frage käme. Nach Konsonant müsste ein Bindevokal vorhanden gewesen sein, so dass das Suffix -*ija/aja* gelautet hätte[36]. NI als Hypokoristikon-Endung zu deuten, wäre in Namen wie *an-na-ni-NI* und *ì-du-na-NI*, wo dem NI ein Pronominalsuffix -*ni* bzw -*na* vorausgeht, ebenfalls problematisch.

Müller meint genau wie Biggs, dass wir es in einigen Fällen, in denen dem Suffix ein verbales Element vorausgeht, mit einem Pronominalsuffix zu tun haben

---

[31] BA 43/1980, S.203ff. (Auf italienisch veröffentlicht in OA 19/1980, S.49ff.)
[32] Ibm, S.205.
[33] BA 43/1980, S.82.
[34] BA 44/1981, S.145ff.
[35] ZA 70/1980, S.70ff.
[36] *Ibm*, S.76.

könnten[37]. Für ein theophores Element spricht andererseits der Umstand, dass diese Verbformen häufig mit anderen Götternamen verbunden sind. Nun verhält es sich so, dass die Keilschrift bisweilen für gewisse Götternamen fixierte Kurzschreibungen verwendet. So gibt es viele Belege dafür, dass Bel nur mit dem Zeichen *be* angegeben wird. Müller denkt sich daher, dass *i*, eine übliche Lesung des Sumerogramms NI, eine fixierte Kurzschreibung für *ilum* 'Gott' ist, entweder als Appelativ oder als Gottesname[38]. Diese Theorie wird dadurch bekräftigt, dass dieselbe Person in dem Material von Ebla mit -*il* oder mit -NI geschrieben werden kann[39]. Damit scheint jeglicher denkbarer Beziehung zwischen eblaitischen und alttestamentlichen Personennamen der Boden entzogen zu sein.

Nun verweist Müller aber auch auf eine kleine Zahl eblaitischer Namen mit *i-a* als Suffix oder Präfix[40]. Dieses Element, eine Form des Verbs *hji* 'sein', bildet somit eine direkte Parallele zu dem alttestamentlichen Gottesnamen gemäss der Deutung, die ihm in Ex 3, 14 gegeben wird. Das Element *i-a* kann in Orts- und Personennamen eine verbale, aber auch eine Subjektsfunktion haben. Im letzteren Fall haben wir es mit einem asyndetischen Relativsatz als Gottesbezeichnung zu tun, was auch aus einigen sinaitischen Inschriften bekannt ist[41]. Dann hätte man in Ebla anscheinend doch eine Art Parallelerscheinung zum Alten Testament, aber in Ebla kommt das fragliche Element nur in Namen vor und niemals selbständig. Wir haben auch keinen Grund anzunehmen, dass hier der Gott des Alten Testaments gemeint ist. Wir müssen daher feststellen, dass die eblaitischen Namen keinerlei Bedeutung für unsere Untersuchung besitzen.

[37] Biggs, BA 43/1980, S.83.
[38] ZA 70/1981, S.83.
[39] *Ibm,* S.91.
[40] Biblica 62/1981, S.305ff.
[41] *ᶜbd'hjw.* Siehe Euting, Sinaitische Inschriften, 1891, nr 156. 472.

KARTE DER FUNDORTE VON EPIGRAPHISCHEM MATERIAL IN PALÄSTINA

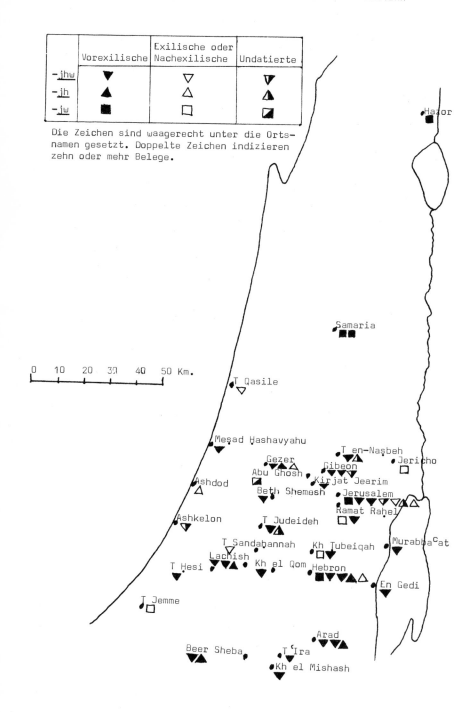

| | Vorexilische | Exilische oder Nachexilische | Undatierte |
|---|---|---|---|
| -jhw | ▼ | ▽ | ◹ |
| -jh | ▲ | △ | ◪ |
| -jw | ■ | ◻ | ◩ |

Die Zeichen sind waagerecht unter die Orts-
namen gesetzt. Doppelte Zeichen indizieren
zehn oder mehr Belege.

KAPITEL II

# Das alttestamentliche Material — eine Übersicht

## A. Die Quellen

Eine Untersuchung des Wechsels zwischen *-jh, -jhw* und *-jw* als Suffix an Personennamen im Alten Testament setzt voraus, dass uns das textkritische Bild klar vor Augen steht.

Wie gut stimmen denn wohl die Namensformen, die uns in unserer Biblia Hebraica, d.h. Codex Leningradiensis, vorliegen, mit dem ursprünglichen Text überein? Von dem textkritischen Apparat der Biblia Hebraica können wir gänzlich absehen, da er den uns interessierenden Typ von Varianten nicht verzeichnet. Wir müssen vielmehr auf Kennicotts alte Edition zurückgreifen, die alle Typen von Varianten im Konsonantentext anführt.[1] Kennicott hat mehrere hundert hebräische Manuskripte kollationiert, davon etwa ein Drittel "per totum" und die übrigen "in locis selectis".[2] Der grösste Teil von Kennicotts Manuskripten stammt aus dem späten Mittelalter, aber einige fünfzig sind doch aus der Zeit vor dem Jahre 1200.[3] Von diesen umfassen die folgenden, sämtlich vollständig kollationierten, Handschriften die für uns interessanten Bibelbücher:[4]

| | |
|---|---|
| Kenn. Nr.1. | Bibl.Bodleiani Laud A 172 und Laud A 162. Die ganze Bibel. 10.Jahrhundert. Diese Manuskripte werden auch als Laud 268 bzw. 267 bezeichnet.[5] |
| Kenn. Nr.4. | Bibl.Bodleiani, Hunting 11,12. Die ganze Bibel mit einigen kleineren Lücken. 12.Jahrhundert.[6] |
| Kenn. Nr.30. | Bibl.Bodleiani, Tanner 173. Propheten und Hagiographen. Um 1200.[7] |
| Kenn. Nr.84. | Bibl.Radcliv. Gen 33,7 — Ri 20,47; 1.Sam 3,17 — 2.Sam 24,15; Jer 11,10—52,34. Datiert auf das Jahr 1136. |

---

[1] Vetus Testamentum Hebraicum...edidit Benjaminus Kennicott, Oxonii 1776-80. J.B. de Rossi, Variae Lectiones Veteris Testamenti, Parmæ 1784-88, bietet zwar ein umfangreicheres Material, aber de Rossi verzeichnet keine Varianten zwischen *-jh* und *-jhw* in Personennamen.

[2] Die Anzahl wechselt etwas mit den verschiedenen Bibelbüchern, hält sich aber normalerweise um 300.

[3] Siehe das Manuskriptverzeichnis am Ende von Kennicott, *op.cit.,* Vol.2.

[4] Kennicott, *op.cit.*Vol. 2, Dissertatio Generalis, S.7

[5] Neubauer, Catalogue...1886, Nr.14-15, Sp.3f. Siehe auch *ibm,* S.XXVI.

[6] Kennicott, *op.cit.* Vol.2, S.72: *"Plurimas habet codex varias lectiones quarum haud paucae sunt bonae."*

[7] *Ibm,* s.74. *"Plurimas habet variationes praestabilis hic codex."*

Kenn. Nr.154.  Karlsruhe 1. Die Propheten ausser Jos 10,12—32 und 1.Sam 12,21—17,1. Aus dem Jahre 1106.

Kenn. Nr.162.  Florenz 2, Bibl.Laurent. Jos, Ri, Sam. Beginnt mit Jos 6,20. Es fehlt 1.Sam 1,1—1,10. Endet mit 2.Sam 24,10. 12.Jahrhundert.

Kenn. Nr.180.  Hamburg 1, Propheten und Hagiographen. Es fehlen 1.Sam 16,1—2.Kön 19,10. 12.Jahrhundert.

Kenn. Nr.188.  Mailand 4. Bibl.Ambros. E 84. Hagiographen. 12. Jahrhundert.

Kenn. Nr. 191.  Mailand 7. Bibl.Ambros. C 73. Jes, Jer 1,1—23,7 u.a.m. 12. Jahrhundert.

Kenn. Nr.196.  Mailand 12. Bibl.Ambros. E 86. Jer 2,29—8,12; 9,24—10,16 u.a.m. 12.Jahrhundert.

Kenn. Nr.201.  Nürnberg 4, Ebner 2. Propheten, Hagiographen. Es fehlen 1.Sam 1,1—20,24 u.a.m. 12.Jahrhundert.

Kenn. Nr.210.  Paris 27, Bibl.Reg.29. Die ganze Bibel. 12.Jahrhundert.

Kenn. Nr.224.  Königsberg 2, Bibl.Reg. Propheten, Hagiographen. Es fehlen Jos 1,1—6,16 u.a.m. 12.Jahrhundert.

Kenn. Nr.225.  Rom 1, Bibl.Vatican. Urbinates 2. Fast die ganze Bibel, Gen 1,26 — Neh 3,13. 12.Jahrhundert.[8]

Kenn. Nr.226.  Rom 2, Bibl.Vatican. Palat. 4,5,6. Die ganze Bibel von Gen 1,17 an. 12. Jahrhundert.[9]

Kenn. Nr.602.  (in locis selectis coll.) Erfurt. Bibl.Minist.Evang.3. Die ganze Bibel mit einigen Lücken. 12.Jh.

Ausser Kennicotts Manuskripten steht uns auch der sog. Petersburger Prophetencodex zur Verfügung, der die späteren Propheten umfasst, d.h. die fünfzehn eigentlichen prophetischen Bücher.[10] Damit ist das uns zugängliche Material aber auch beinahe erschöpft.

Die für die Forschung wertvolle Cairo-Handschrift ist einstweilen erst teilweise publiziert.[11] Von dem wegen seines Alters so bedeutsamen Material der Cairogeniza liegen nur vereinzelte Blätter gedruckt vor.[12] Zu einigen Bibelstellen konnte ich dieses Material jedoch mit Hilfe von Kopien aus der Bodleian Library

---

[8] Siehe auch Assemanus 1,1756 (1926), S.412. Einem Vermerk zufolge ist dieser Kodex bereits im Jahre 4739 A.Cr.M (976 n.Chr.) geschrieben.

[9] Die Mss Palat.5 und 6 tragen den Vermerk 4600 A.Cr.M. (840 n.Chr.), stammen aber wahrscheinlich von derselben Hand wie Ms Palat.4, das den Vermerk 4900 A.Cr.M. trägt. Siehe Assemanus 1,1756 (1926), S.4ff.

[10] Codex Babylonicus Petropolitanus. Prophetarum Posteriorum, ed.H Strack, 1876.

[11] Siehe Würthwein, Der Text...2.Aufl.1963, S.38f. Publizierte Teile: El Codice de Profetas de el Cairo; Tomo I, Josué-Jueces, 1980; Tomo II, Samuel, 1983; Tomo III, Reyes, 1984; Tomo VII, Profetas menores, 1979. Hier finden sich keine Varianten von Namen auf -jh/jhw im Vergleich zu BH.

[12] Bei Kahle, Masoreten des Ostens, 1913, sind ein paar für uns interessante Fragmente publiziert: Cambridge A 38,7 und B 4,24 Ri 17,1-18,1 bzw. 2.Sam 24,16-1.Kön 1,15 umfassend.

in Oxford und der Saltykov Shchedrin State Public Library in Leningrad sowie bei einem persönlichen Besuch in der Cambridge University Library kollationieren.[13] Die von Hoerning beschriebenen karaitischen Manuskripte waren mir als Mikrofilme zugänglich.[13a]

Von der Aleppo-Handschrift, die der neuen Jerusalemer Edition der hebräischen Bibel zugrunde liegen wird, ist bislang erst ein Drittel des Jesajabuches im Druck erschienen.[14]

Die Rollen vom Toten Meer, die in anderer Hinsicht für die Forschung so wichtig waren, bedeuten für uns keine grössere Hilfe. Als einzige von den publizierten Texten enthalten die beiden Jesajarollen für uns interessantes Material. Von diesen ist der umfangreichste Text, 1QIs[a], in seiner Schreibweise stark von den orthographischen Gewohnheiten zur Zeit der Entstehung der Rolle geprägt. Sie enthält daher so gut wie ausschliesslich Kurzformen.[15] Der andere, stärker fragmentarische Text, 1QIs[b], enthält nur einen Namen von Interesse, nämlich *j<sup>e</sup>ḥizqî-jahû* in Kap. 38,22, der einem *ḥizqîjahû* in BH entspricht.[16]

Bei textkritischer Arbeit pflegen die alten Bibelübersetzungen wichtige Hilfsmittel darzustellen, aber für die vorliegende Untersuchung haben wir an ihnen wenig Freude. Einige Stichproben zeigen sehr bald, dass die Targumim bei sämtlichen derartigen Namen durchweg *-jh*-Endungen verwenden, und ebenso gebraucht die Peschitta Endungen auf *-j'*. Die Septuaginta besitzt zwar keine Möglichkeit, mit Hilfe des griechischen Alphabets eine Endung auf *-jhw* wiederzugeben, scheint aber auch keine Anstrengungen in dieser Hinsicht unternommen zu haben. Das Suffix *-jh/jhw* wird häufig durch -ια oder -ιας wiedergegeben, in Ausnahmefällen durch -ιου.[17]

In der folgenden Darstellung werden wir fortlaufend Variantenlesarten anführen, die in wichtigerem Handschriftenmaterial vorkommen. Die Abschnitte über die Bücher der Könige und das Jeremiabuch in Kap.III und IV werden wir mit einer Gesamtdurchsicht des handschriftlichen Materials einleiten.

# B. Materialdurchsicht

Dieser Abschnitt hat folgende Disposition: Einleitend wird der Bestand des Alten Testaments an Namen mit den Suffixen *-jh*, *-jhw* oder *-jw* aufgeführt. Jeder Suffixtyp wird für sich behandelt, und die Namen, die mit mehr als einem von diesen Suffixen vorkommen, werden für sich dargestellt. Darauf werden einige

---

[13] Vgl. Kap.VI Anm.16.
[13a] Hoerning, Descriptions..., 1889 beschreibt 20 Mss von verschiedenen Teilen der Bibel.
[14] Goshen-Gottstein, ed. The Book of Isaiah, 1975. Fasst Jes 1,1-22,9 um.
[15] Die beiden langen Formen in IQIs[a] sind der Name *j<sup>e</sup>šă<sup>c</sup>jahû* in Kap.1,1 und Kap.38,21. An der letzteren Stelle in einem Zusatz von anderer Hand. Siehe Burrows, The Dead Sea Scrolls..., 1950. Vgl. Würthwein, Der Text...,1963, S.37 sowie Kutscher, The Language...,1974.
[16] Sukenik, The Dead Sea Scrolls of the Hebrew University...,1955, Plate 3, Col.1.
[17] Ηλιου Siehe. S.66.

Namen, die sich von dem üblichen Muster unterscheiden, besonders erörtert. Schliesslich wollen wir dann auf das sprachgeschichtliche Problem eingehen, wie die verschiedenen Suffixe -jh, -jhw und -jw eigentlich ausgesprochen wurden.

Bei unserer Durchsicht der Namen müssen wir auch mit der Möglichkeit rechnen, dass das Suffix gar nicht den Gottesnamen repräsentiert. Das gilt vor allem für das Suffix -jh. Wie Noth mit einem Hinweis auf Jastrow unterstrichen hat, kann das Suffix in einzelnen Fällen ein Afformativ mit emphatischer Bedeutung sein, was zumindest in Namen wie băqbuqjā(Neh 11,17; 12,9.25) der Fall sein dürfte.[18]

Sämtliche Bibelstellen werden nicht in jedem Einzelfall angeführt, da sich dergleichen Angaben leicht einer Konkordanz entnehmen lassen. Eine Aufzählung sämtlicher Belegstellen kann leicht irreführend ausfallen, da die Art einer Erzählung die häufige Wiederholung eines einzelnen Namens bedingen kann, ohne dass dieser in einer weiteren Perspektive als sehr üblich erscheint. Andererseits ist es wichtig, dem Leser sowohl Auskunft über die Verteilung eines Namens auf verschiedene Bibelteile zu geben, als auch darüber, wo man die Namen finden kann, ohne dauernd die Konkordanz zu Hilfe nehmen zu müssen. Um einen gangbaren Weg zu finden, habe ich das folgende System gewählt.

Namen, die ein- oder zweimal in einem Kapitel vorkommen und nicht in dem unmittelbar vorangehenden oder folgenden Kapitel, werden vollständig mit Kaptiel und Vers angeführt. Wenn ein Name drei oder mehr Male vorkommt, wird in der Regel nur die Kaptielnummer mitgeteilt. Kapitelnummern im Verein mit — bedeuten, dass der Name mindestens viermal in dem genannten Korpus vorkommt. Erscheint ein Name mindestens sechsmal in ein und demselben Bibelbuch, wird zuweilen nur dieses angegeben.

Auf Namen, die in dem epigraphischen Material in Kap. I A mit den Suffixen -jh, -jhw oder -jw verzeichnet sind, folgen in unserer Zusammenstellung +K, +L bzw. +W.

## a) Namen auf -jh

| | | | |
|---|---|---|---|
| 'ᵃbîjā | | bᵉra'jā | 1.Chr 8,21. |
| +LW | Siehe S. 64 | bitjā | 1.Chr 4,18. |
| 'ᵃzănjā | Neh 10,10. | hôdîjā +K | 1.Chr 4,19 Neh 8,17; |
| 'ăjjā | Gen 36,24; 1.Chr 1,40. | | 9,15; 10. |
| | 2.Sam 3,7; 21,8. 10f. | hôšaᶜjā +L | Neh 12,32 |
| bᵉsôdjā | Neh 3,6. | | Jer 42,1; 43,2. |
| bᵉᶜăljā | 1.Chr 12,6. | wănjā | Esr 10,36 |
| băᶜᵃśejā | 1.Chr 6,25. | zᵉrăḥjā | 1.Chr 5,32; 6,32 Esr |
| băqbuqjā | Neh 11,17; 12,9.25. | | 7,14; 8,4. |

[18] Noth, Die israelitischen Personennamen..., S.105. Jastrow, JBL 13/1894, 101ff.,108.

| | | | |
|---|---|---|---|
| $h^a baj\bar{a}$ | Esr 2,61 Neh 7,63. | $n^{ec}\breve{a}rj\bar{a}$ | 1.Chr 3,22f.; 4,42. |
| $h^a ba\d{s}\d{s}inj\bar{a}$ | Jer 35,3. | $^c\breve{a}lj\bar{a}$ +K | 1.Chr 1,51.[19] |
| $\hbar\breve{a}gg\hat{\imath}j\bar{a}$ | 1.Chr 6,15. | $^{ca}naj\bar{a}$ | Neh 8,4; 10,23. |
| $\hbar^a k\breve{a}lj\bar{a}$ | Neh 1,1; 10,2. | $^{ca}n\breve{a}nj\bar{a}$ | |
| $\hbar^a s\breve{a}dj\bar{a}$ | | +L | Neh 3,23.[20] |
| +L | 1.Chr 3,20 | $^c\breve{a}ntotj\bar{a}$ | 1.Chr 8,24. |
| $\hbar\breve{a}rh^a j\bar{a}$ | Neh 3,8. | $^{ca}\acute{s}aj\bar{a}$ +LW | 2.Kön 22,12.14; 1.Chr |
| $\hbar^a\check{s}\breve{a}bn^e j\bar{a}$ | Neh 3,10; 9,5. | | 4,36; 6,15; 9,5; 15,6.11. |
| $jibn^e j\bar{a}$ | 1.Chr 9,8. | | 2.Chr 34,20. |
| $j^e d\hat{\imath}djah$ | 2.Sam 12,25. | $^{ca}taj\bar{a}$ | Neh 11,4. |
| $j^e d\breve{a}j\bar{a}$ | Neh 3,10, 1. Chr 4,37. | $p^e la'j\bar{a}$ +K | Neh 8,7; 10,11. |
| $j^e d\breve{a}^c j\bar{a}$ +LW | Sach 6,10.14; 1.Chr | $p^e laj\bar{a}$ | 1.Chr 3,24. |
| | 9,10; 24,7; Esr 2,36; | $p^e l\breve{a}lj\bar{a}$ | Neh 11,12. |
| | Neh 7,39; 11,10;12. | $p^e q\breve{a}hj\bar{a}$ | 2.Kön 15. |
| $j\hat{o}sipj\bar{a}$ | Esr 8,10. | $p^e t\breve{a}hj\bar{a}$ | Esra 10,23; Neh 9,5; |
| $j\hat{o}\check{s}ibj\bar{a}$ | 1.Chr 4,35. | | 11,24; 1.Chr 24,16. |
| $j\hat{o}\check{s}\breve{a}wj\bar{a}$ | 1.Chr 11,46. | $\d{s}ibj\bar{a}$ | 2.Kön 12,2; 2.Chr |
| $jizz\hat{\imath}j\bar{a}$ | Esr 10,25. | | 24,1.[21] |
| $jizr\breve{a}hj\bar{a}$ | 1.Chr 7,3 Neh 12,42. | $\d{s}^e r\hat{u}j\bar{a}$ / | |
| $j^e h\hat{\imath}j\bar{a}$ | 1.Chr 15,24. | $\d{s}^e ruj\bar{a}$ | 1.Sam 26,6 2.Sam |
| $j\breve{a}^{ca}r\oe\check{s}j\bar{a}$ | 1.Chr 8,27. | | 1.Kön 1,7; 2,5.22 |
| $jipd^e j\bar{a}$ | 1.Chr 8,25. | | 1.Chr. |
| $j^e q\breve{a}mj\bar{a}$ | | $q\hat{o}laj\bar{a}$ | Jer 29,21; Neh 11,7. |
| +LK | 1.Chr 2,41; 3,18. | $qelaj\bar{a}$ | |
| $jir'\hat{\imath}j\bar{a}$ | Jer 37,13f. | +LW | Esr 10,23. |
| $j^e\check{s}\hat{o}haj\bar{a}$ | 1.Chr 4,36. | $r^e'aj\bar{a}$ | 1.Chr 4,2; 5,5 Esr 2,47 |
| $m\breve{a}hsej\bar{a}$ | | | Neh 7,50. |
| (sic!) | Jer 32,12; 51,59. | $r\breve{a}mj\bar{a}$ | Esr 10,25. |
| $m^e l\breve{a}tj\bar{a}$ | Neh 3,7. | $r^{ec}elaj\bar{a}$ | Esr 2,2. |
| $m^e raj\bar{a}$ | Neh 12,12. | $r\breve{a}^c\breve{a}mj\bar{a}$ | Neh 7,7. |
| $n^e d\breve{a}bj\bar{a}$ +L | 1.Chr 3,18. | $r^e paj\bar{a}$ | Neh 3,9 1.Chr 3,21; |
| $n\hat{o}^c\breve{a}dj\bar{a}$ | Esr 8,33. | | 4,42; 7,2; 9,43. |
| | Neh 6,14. | $\acute{s}ak^e j\bar{a}$ | 1.Chr 8,10. |
| $n^e h\oe mj\bar{a}$ | | $\check{s}^{ec}\breve{a}rj\bar{a}$ | 1.Chr 8,38; 9,44. |
| +L | Esr 2,2 Neh. | $\check{s}^e rebj\bar{a}$ | Esra 8,18.24 Neh. |

Insgesamt zählen wir 65 Namen dieser Kategorie, davon kommen 36 Namen

---

[19] Vgl. Gen 36,40 $^c\breve{a}lw\bar{a}$.
[20] Vgl. Neh 11,32, aber dort ist es der Name einer Stadt.
[21] Vgl. $\d{s}ibja'$ 1.Chr 8,9.

an nur einer einzigen Stelle vor. Den Hauptanteil der Namen finden wir in Listen in 1.Chr sowie in den Büchern Esra und Nehemia. Ausserhalb des chronistischen Geschichtswerks stehen nur 13 der Namen. Lediglich fünf Personen aus dem deuteronomistischen Geschichtswerk gehören hierher. Es sind die beiden Frauen *ṣᵉrujā*, Joabs Mutter, und *ṣibjā*, Joas' Mutter, ferner *ᶜaśajā*, Josias Diener sowie die einzige königliche Person *pᵉqăhjā* von Israel und schliesslich der Kosename für König Salomo, *jᵉdîdjah,* bei dem wir feststellen, dass die Masoreten das theophore Element dadurch betonten, dass sie ein konsonantisches Schluss-*h* schrieben.

Bei Jeremia tragen die feindselig eingestellten Personen *qôlajā*, *jir'îjā* und *hôšăᶜjā* solche Namen, aber auch der Rechabit *hᵃbăṣṣinjā* sowie Baruchs Grossvater *măhsejā*.

## b) Namen auf -*jhw*

| | | | |
|---|---|---|---|
| *'ᵃṣăljahû* | | *kawnăn-* | |
| +L | 2.Kön 22,3; 2.Chr 34,8. | *jahû* *kånjahû* | 2.Chr 31,12.13; 35,9.[24] |
| *buqqîjahû* | | +L | Jer 22,24.28: 37,1.[25] |
| +L | 1.Chr 25,4.13. | *sᵉmăkjahû* | |
| *ṭᵉbăljahû* | 1.Chr 26,11. | +LW | 1.Chr 26,7. |
| *jᵉbœrœk-* | | *ᶜazăzjahû* | 1.Chr 15,21; 27,20 |
| *jahû* | Jes 8,2.[22] | | 2.Chr 31,13. |
| *jigdăljahù* | Jer 35,4.[23]. | *qûšajahû* | 1.Chr 15,17. |
| *jœḥdᵉjahû* | 1.Chr 24,20; 27,30. | *rᵉmăljahû* | |
| *jismăkjahû* | 2.Chr 31,13. | +L | 2.Kön 15—16 Jos 7—8 |
| *jăᶜazîjahû* | 1.Chr 24,26f. | | 2.Chr 28,6. |

In dieser Abteilung finden wir nur 14 Namen, und denen *jᵉbœrœkjahû, jigdăljahû, kawnănjahû* und *kånjahû* mit leichten Variationen auch in der Kurzform vorkommen. Ausser der letztgenannten finden sich auch in dieser Abteilung keine Hauptpersonen des Alten Testaments. Mehrere der Namen sind Hapaxlegomena in chronistischen Listen, aber niemals bei Esra und Nehemia. Es liegt ein Nachdruck auf Namen, die in Beziehung zu der Zeit Davids oder Hiskias stehen;

[22] Vgl. *bœrœkjā/hû* S.60.
[23] Vgl. *gᵉdăljā/hû* S.60.
[24] *kᵉtiv: kô-, qᵉreːka-.* Vgl. *kᵉnănjā/hû,* S.58.
[25] Vgl. *jᵉkånjā/hû,* S.62.

zum Vergleich erinnern wir daran, dass die Namen in Abt. a) mit wenigen Aus-nahmen Personen bezeichneten, die der Chronist entweder in die nachexilische Zeit oder vor die Thronbesteigung König Davids versetzte. Noch ist es zu früh, irgendwelche Schlussfolgerungen hieraus zu ziehen, deshalb gehen wir weiter und betrachten die Namen, die in verschiedenen Schreibweisen vorliegen.

### c) Namen auf *-jh* oder *-jhw,* aber niemals dieselbe Person betreffend

Diese Überschrift ist mit einem Vorbehalt zu versehen. Es gibt eine Reihe von Stellen, an denen ein Name mehrfach in verschiedener Schreibung vorkommt, wobei es sich aber nicht mit Sicherheit entscheiden lässt, ob ein und dieselbe Person gemeint ist. Auch diese Namen werden hier behandelt. In der folgenden Durchsicht wird nur die Kurzform auf *-jā* ausgeschrieben. Die lange Form be-steht immer aus einem Suffix *-jahû* an Stelle von *-jā*.

K = Kurzform.
L = Langform.

*'ûrîjā* +KLW  K: 2.Sam 11—12; 23,39; 1.Kön 15,5; 1.Chr 11,41. Der Hethiter Uria.
2.Kön 16; Jes 8,2; Esra 8,33; Neh 3,4.21; 8,4 Diverse Personen.
L: Jer 26 Prophet.

*qᵉmărjā* +KL  K: Jer 29,3 Sohn Hilkias.
L: Jer 36 Sohn Schaphans.

*dᵉlajā* +W  K: 1.Chr 3,24; Esra 2,60; Neh 6,10; 7,62.
L: Jer 36,12.25; 1.Chr 24,18.

*hôdăwjā* +L  K: 1.Chr 5,24; 9,7; Esr 2,40.
L: 1.Chr 3,24.

*zᵉbădjā* +K  K: 1.Chr 8,15.17; 12,8; 27,7; Esr 8,8; 10,20.
L: 1.Chr 26,2; 2.Chr 17,8; 19,11.

*hᵃšăbjā* +L  K: Esra 8,19.24; Neh;1.Chr 6,30; 9,14; 25,19; 27,17.
L: 1.Chr 25,3; 26,30; 2.Chr 35,9.

*tôbîjā* +K  K: Esra 2,60; Sach 6,10.14; Neh.
L: 2.Chr 17,8.

*jă'ᵃzănjā* +KL  K: Jer 35,3 Rechabit. Hes 11,1 „Oberster im Volk".
L: Hes 8,11 Vielleicht derselbe wie in Hes 11,1. 2.Kön 25,23 Of-fizier. Dieser Mann kommt auch ohne ' in Jer 40,8 vor. Siehe Abt. d).

*jo'šîjā*  K: Sach 6,10 Sohn Zephanjas.

58

L: 1.Kön 13,2; 2.Kön 21—23; 1.Chr 3,14f. 2.Chr 33—36; Jer; Zeph 1,1 König in Juda.

*jiššîjā*  K: 1.Chr 7,3; 23,20; 24,21.5; Esr 10,31.
L: 1.Chr 12,7.

*jišmă<sup>c</sup>jā*  K: 1.Chr 12,4.
L: 1.Chr 27,19.

*j<sup>e</sup>šă<sup>c</sup>jā*  +L  K: 1.Chr 3,21; Esr 8,7.19; Neh 11,7.
L: I. Schriftprophet 2.Kön 19—20; 2.Chr 26,22; 32,20.32, Jes. II. Levit 1.Chr 25,3.15;26,25.

*k<sup>e</sup>nănjā*  K: 1.Chr 15,27.
L: 1.Chr 15,22; 26,29.

*mîkajā*  +L  Siehe S.66f.

*mălkîjā*  +L  K: 1.Chr 6,25; 9,12; 24,9; Esr 10,25.31; Neh; Jer 21,1; 38,1.
L: Jer 38,6.

*mă<sup>c</sup>ăzjā*  K: Neh 10,9.
L: 1.Chr 12,18.

*mă<sup>ca</sup>séjā*  +KL  K: Jer 21,1; 29,21.25; 37,3; Esra 10; Neh.
L: Jer 35,4; 1.Chr 15,18.20; 2.Chr 23,1; 26,11; 28,7; 34,8.

*măttănjā*  +KL  K: 2.Kön 24.17 = Zedekia. 1.Chr 9,15; 2.Chr 20,14; Esra 10; Neh 11—13 Diverse Personen.
L: 1.Chr 25,4.16; 2.Chr 29,13.

*măttitjā*  +L  K: 1.Chr 9,31; 16,5; Esr 10,43; Neh 8,4.
L: 1.Chr 15,18.21; 25,3.21.

*<sup>c</sup>obădjā*  +KLW  K: Ob 1 Schriftprophet. 1.Chr; 2.Chr 17,7; Esra 8,9; Neh 10,6; 12,25 Diverse Personen.
L: 1.Kön 18, 1.Chr 27,19; 2.Chr 34,12.

*<sup>ca</sup>dajā*  +KL  K: 2.Kön 22,1; 1.Chr 6,26; 8,21; 9,12; Esr 10,29.39; Neh 11,5.12.
L: 2.Chr 23,1.

*p<sup>e</sup>dajā*  +L  K: 2.Kön 23,36; 1.Chr 3,18f.; Neh 3,25; 8,4; 11,7; 13,13.
L: 1.Chr 27,20.

*p<sup>e</sup>lăṭjā*  +L  K: 1.Chr 3,21; 4,42; Neh 10,23.
L: Hes 11,1.13.

*s<sup>e</sup>rajā*[26]  +L  K: 2.Sam 8,17; 2.Kön 25,18.23; 1.Chr 4,13f.35; 5,40. Neh 10—12; 11,11; 12,1.12; Jer 40,8; 51,59.61; 52,24; Esra 2,2; 7.1.
L: Jer 36,26.

*šebănjā*  +KLW  K: Neh 9—10, 12,14.
L: 1.Chr 15,24.

*š<sup>e</sup>kănjā*  +L  K: 1.Chr 3,21f.; Esr 8,3.5; 10,2; Neh 3,29; 6,18; 12,3.
L: 1.Chr 24,11; 2.Chr 31,15.

---

[26] Siehe Mettinger, Solomonic...1971, S.25ff hinsichtlich der Varianten zu diesem Namen.

*šᵉmărjā* + LW  K: 2.Chr 11,19 Sohn Rehabeams. Esr 10,32.41 Andere Person.
           L: 1.Chr 12,6.

*šᵉpăṭjā* + K  K: 2.Sam 3,4 Sohn Davids. Jer 38,1 Jeremias Widersacher.
           1.Chr 3,3; 9,8 Esr 2,4.57; 8,8 Neh 7,9.59; 11,4. Diverse Perso-
           nen.
           L: 1.Chr 12,6. 1.Chr 27,16 Simeonit. 2.Chr 21,2 Sohn Josa-
           phats.

Diese Abteilung umfasst 28 Namen. Wir sehen sogleich, dass diese weit üblicher sind als die in den Abt. a) und b) aufgeführten. Ein jeder von ihnen wird von
mehreren verschiedenen Personen getragen. In dem ausserbiblischen Material
sind 23 von diesen Namen belegt. Wir finden hier einige Schlüsselpersonen des
Alten Testaments wie den Hethiter *’ûrîjā*, König *jo’šîjahû* sowie die Propheten
*jᵉšăᶜjahû* und *ᶜobădjā*. Ferner gehören eine Anzahl nicht ganz unbekannter Ne-
benpersonen in diese Abteilung, aber ein Grossteil der Namen stammt doch aus
den Listen des chronistischen Geschichtswerkes. Wie wir schon früher feststellten, enthalten Esra und Nehemia nur Namen in Kurzform, dasselbe ist auch in
den ersten Kapiteln von 1.Chr am üblichsten. Andererseits ziehen der zweite Teil
von 1.Chr ebenso wie 2.Chr die lange Form vor. In dem jetzt folgenden Abschnitt
wollen wir die Namen betrachten, welche sowohl in ihrer langen wie kurzen
Form ein und dieselbe Person bezeichnen.


**d) Namen auf -*jh* oder -*jhw*, die ein und dieselbe Person tragen kann.**

*’ᵃdonîjā* + K  Sohn Davids.
           K: 2.Sam 3,4; 1.Kön 1,5.7.18; 2,28; 1.Chr 3,2.
           L: 1.Kön 1—2.
           Sonstige Personen.
           K: Neh 10,17.
           L: 2.Chr 17,8.

*’ᵃḥăzjā* + L  König in Israel.
           K: 2.Kön 1,2; 2.Chr 20,35.
           L: 1.Kön 22; 2.Kön 1,18; 2.Chr 20,37.
           König in Juda.
           K: 2.Kön 9,16.23.27.29; 11,2.
           L: 2.Kön 8—14; 1.Chr 3,11; 2.Chr 22.

*’ᵃmăṣjā*  König in Juda.
           K: 2.Kön 12,22; 13,12; 14,8; 15,1.
           L: 2.Kön 14; 2.Kön 15,3; 1.Chr 3,12; 2.Chr 24—26.
           Priester in Bethel.
           K: Am 7.
           Diverse Personen.
           K: 1.Chr 4,34; 6,30.

ʾᵃmărjā  + L  Levit.
K: 1.Chr 23,19.
L: 1.Chr 24,23.
Sonstige Personen.
K: 1.Chr 5,33.37; 6,67; Esra 7,3; 10,42; Neh 10—12; Zeph 1,1.
L: 2.Chr 19,11; 31,19.

bᵉnajā  + L  Befehlhaber bei König David.
K: 2.Sam 20,23; 1.Chr 11,22.
L: 2.Sam 8,18; 23.20.22; 1.Kön 1—2; 4,4; 1. Chr 11,24; 18,17; 27.
Pirgatonit, einer von Davids 30 Helden.
K: 1.Chr 11,31; 27,14.
L: 2.Sam 23,30.
Vater Pelatjas.
K: Hes 11,13.
L: Hes 11,1.
Sonstige Personen.
K: 1.Chr 4,36; 2.Chr 20,14; Esra 10.
L: 1.Chr 15—16; 27,34; 2.Chr 31,13.

bœrœkjā  + L  Vater Sacharjas.
K: Sach 1,1.
L: Sach 1,7.
Sonstige Personen.
K: 1.Chr 3,20; 9,16; 15,23; Neh 3,4.30; 6,18.
L: 1.Chr 6,24; 15,17; 2.Chr 28,12.

gᵉdăljā  + KL  Statthalter in Juda.
K: Jer 40; 41,16.
L: 2.Kön 25; Jer 39—41; 43,6.
Sonstige Personen.
K: Zeph 1,1; Esra 10,18.
L: 1.Chr 25,3.9; Jer 38,1.

zᵉkărjā  + LW  König in Israel. Sohn Jerobeams II.
K: 2.Kön 14,29; 15,11.
L: 2.Kön 15,8.
Grossvater Hiskias.
K: 2.Kön 18,2.
L: 2.Chr 29,1.
Sonstige Personen.
K: 1.Chr 9,21.37; 16,5; 15,20; 2.Chr 17,7; 24,20; 34,12; Esra; Neh 8,4; 11—12; Sach 1,1.7; 7,1.8.
L: 1.Chr; 2.Chr; Jes 8,2.

ḥizqîjā  + L  König in Juda.

K: 2.Kön 18,1.10—16; Spr 25,1.

L: 2.Kön 16,20; 18,9.17ff.; 19—21; 1.Chr 3,13; 2.Chr 29,18.27;[27]
30,24; 32,15; Jes 36—39; Jer 26,18f.

*j$^e$ḥizqîjā*, König in Juda

K: Hos 1,1; Micha 1,1.

L:[28] 2.Kön 20,10; 2.Chr 28—33; 1.Chr 4,41; Jes 1,1; Jer 15,4.

Sonstige Personen. *ḥizqîjā*:

1.Chr 3,23; Neh 7,21; 10,18; Zeph 1,1.

*j$^e$ḥizqîjā*: Esra 2,16.

*j$^e$ḥizqîjahû*: 2.Chr 28,12.

*ḥilqîjā*  +LW  Ein Mann an Hiskias Hof. Vater Eljakims.

K: 2.Kön 18,37.

L: 2.Kön 18,18.26; Jes 22,20; 36,3.22.

Hoherpriester zur Zeit Josias.

K: 2.Kön 22,8.10.12.

L: 2.Kön 22,4.8.14; 23,4,24; 2.Chr 34.

Sonstige Personen.

K: 1.Chr 5,39; 6,30; 9,11; 2.Chr 35,8; Ezra 7,1; Neh 8,4; 11,11;
12,7.21; Jer 29,3.

L: 1.Chr 26,11; Jer 1,1.

*ḥ$^a$nănjā*  +KL  Levit.

K: 1.Chr 25,4.

L: 1.Chr 25,23.

Sonstige Personen.

K: 1.Chr 3,19.21; 8,24; Esra 10,28; Neh; Jer 28; 37,13; Dan
1—2.

L: 2.Chr 26,11; Jer 36,12.

*j$^e$zănjā*  Offizier, derselbe wie *jă'$^a$zănjahû* in 2.Kön 25,23.

K: Jer 42,1.

L: Jer 40,8.

Vermutlich beziehen sich diese beiden Jeremia-Stellen auf
dieselbe Person.

*j$^e$ḥizqîjā*  Siehe *ḥizqîjā*.

*j$^e$kåljā*  Mutter Ussias.

K: 2.Chr 26,3.[29]

L: 2.Kön 15,2.

---

[27] MS Kenn 180 liest in 2.Chr 29,27 *jḥzqjhw*.

[28] MSS Kenn 30.201 liest *ḥzqjhw* in 2.Kön 20,10. MS Kenn 225 in 2.Chr 30,20. MSS Kenn 188.210.226
in 2.Chr 32,16 sowie MSS Kenn 1.224.602 in 2.Chr 32,23.

[29] Die Form *j$^e$kålja* ist hier *q$^e$re* zu dem *jkjljh* von BH. Andere Lesarten sind: *jkljh* (MSS Kenn
1.30.180.224.602 u.a.m.), *jkwljh* MSS Kenn 188.210.225 u.a.m.). Den Text von BH finden wir in MS
Kenn 226.

| | | |
|---|---|---|
| *jᵉkånjā* | +L | König in Juda.³⁰ |

$j^e k \mathring{a} n j \bar{a}$   +L   König in Juda.[30]
K: 1.Chr 3,16.17; Esth 2,6; Jer 27,20; 28,4; 29,2.
L: Jer 24,1.

$j^e r \hat{\imath} j \bar{a}$       Der Erste der Söhne Hebrons.
K: 1.Chr 26,31.
L: 1.Chr 23,19; 24,23.

$jirm^e j \bar{a}$   +L   Schriftprophet.
K: Esra 1,1; Jer 27—29; Dan 9,2.
L: 2.Chr 35—36; Jer.
Sonstige Personen.
K: 1.Chr 5,24; 12,5.11; Neh 10,3; 12.
L: 2.Kön 23,31; 24,18; 1.Chr 12,14; Jer 35,3; 52,1.

$m^e \check{s} \alpha l \alpha m j \bar{a}$     Türhüter
K: 1.Chr 9,21.
L: 1.Chr 26.

$ner \hat{\imath} j \bar{a}$   +L   Vater Baruchs
K: Jer 32,12.16; 36,4.8; 43,3; 45,1.
L: Jer 36,14.32; 43,6.
Sonstige Person
K: Jer 51,59.

$n^e t \breve{a} n j \bar{a}$   +L   Vater Ismaels.
K: 2.Kön 25,23.25; Jer 40,14f.; 41.
L: Jer 40,8; 41,9.
Tempelsänger.
K: 1.Chr 25,2.
L: 1.Chr 25,12.
Sonstige Personen.
L: 2.Chr 17,8; 36,14.

$^c uzz \hat{\imath} j \bar{a}$   +LW   König in Juda.
K:[31] 2.Kön 15,13.30; Hos 1,1; Am1,1; Sach 14,5.
L: 2.Kön 15,32.34; 2.Chr 26—27; Jes 1,1; 6,1; 7,1.
Sonstige Personen.
K:[32] 1.Chr 6,9; Esra 10,21; Neh 11,4.
L: 1.Chr 27,25.

---

[30] Auch *jᵉkônjā*. Siehe auch *kånjahû* (S. 57) Dieser Name wird auch *jᵉhôjakîn* (2.Kön 24—25; 2.Chr 36,8—9; Jer 52,31 und *jôjakîn* (Hes 1,2) geschrieben.
[31] Varianten-Lesarten in 2.Kön 15,13: ᶜzrjhw (MS Kenn 1), ᶜzrjh (MSS Kenn 154.180.201.224.225.226. 602 u.a.m.); in 2.Kön 15,30: ᶜzjhw (MSS Kenn 1. 30.201.225.226.602). An beiden Stellen haben die Cambridge-Manuskripte T-S A, 9,13 und T-S NS 47,3 denselben Text wie BH.
[32] Vgl. *ᶜuzzî ja'* in 1.Chr 11,44.

$^{ca}z\breve{a}rj\bar{a}$ +KLW König in Juda, derselbe wie $^c uzz\hat{\imath}j\bar{a}$ .

K:[33] 2.Kön 14—15; 1.Chr 3,12.

L: 2.Kön 15,6.8.

Sonstige Personen.

K: 1.Chr 2,8.38; 5—6; 9,11; 2.Chr 21,2; 23,1; Esra 7,1.3; Neh;
Jer 43,2; Dan 1—2.

L: 1.Kön 4,2.5; 2.Chr.

$^{ca}t\breve{a}lj\bar{a}$ Regentin in Juda.

K: 2.Kön 11,1.3.13f.; 2.Chr 22,12.

L: 2.Kön 8,26; 11,2.20; 2.Chr 22—24.

Sonstige Personen.

K: 1.Chr 8,26; Esra 8,7.

$\d{s}idq\hat{\imath}j\bar{a}$ König in Juda, derselbe wie $m\breve{a}tt\breve{a}nj\bar{a}$ .[34]

K: Jer 27, 12—29, 3; 49,34.

L: 2.Kön 24—25; Jer; 1. Chr 3,15; 2.Chr 36,10f.

Ein falscher Prophet zur Zeit Ahabs.

K: 1.Kön 22,11.

L: 1.Kön 22,24; 2.Chr 18,10.23.

Sonstige Personen.

K: Neh 10,2; 1.Chr 3,16.

L: Jer 29,21f.; 36,12.

$\d{s}^e p\breve{a}nj\bar{a}$ +L Priester.

K: Jer 21,1; 29,25.29; 52,24.

L: 2.Kön 25,18; Jer 37,3.

Sonstige Personen.

K: 1.Chr 6,21; Zeph 1,1; Sach 6,10.14.

$r^e h\breve{a}bj\bar{a}$ Levit, Enkel Moses.

K: 1.Chr 23,17.

L: 1.Chr 24,21; 26,25.

$\check{s}\ae l\oe mj\bar{a}$ +LW Vater Jehukals.

K: Jer 37,3.

Vater Jukals.

L: Jer 38,1.

Sonstige Personen.

K: Esra 10,39; Neh 3,30; 13,13; Jer 37,13.

L: 1.Chr 26, 14; Esra 10,41;[35] Jer 36,4.26.

---

[33] In 2.Kön 15,1.6.7 liest MS Kenn 1 $^c zjhw$. In 2.Kön 15,17 liest MS Kenn 4 $^c zjh$. Die Cambridge-Manuskripte T-S A 9,13. NS 47,3 und Ns 47,35 lesen in 2.Kön 15,7 den Text von BH.

[34] Siehe S.58.

[35] Die einzige lange Form in Esra-Nehemia.

š<sup>e</sup>mă'jā    +L     Prophet zur Zeit Rehabeams.
                   K: 1.Kön 12,22; 2.Chr 12,5.7.15.
                   L: 2.Chr 11,2.
                   Sonstige Personen.
                   K: 1.Chr; 2.Chr 29,14; Esra 8,13.16; 10,21.31; Neh; Jer 29,31f.
                   L: 2.Chr 11,2; 17,8; 31,15; 35,9; Jer 26,20; 29,24;36,12.

### e) Abia, Ahia, Elia und Micha

Diese Namen weisen Varianten einer besonderen Art auf, die bei den übrigen Namen nicht vorkommen.

'<sup>a</sup>bîjā    +LW    Sohn Samuels.
                   K: 1.Sam 8,2; 1.Chr 6,13.
                   Sohn Rehabeams.
                   K: 1.Chr 3,10; 2.Chr 11—13.
                   L: 2.Chr 13,20f.
                   Variante: '<sup>a</sup>bîjam 1.Kön 14,31; 15,1.7f.
                   Sohn Jerobeams.
                   K: 1.Kön 14,1.
                   Mutter Hiskias.
                   K: 2.Chr 29,1.
                   Variante: '<sup>a</sup>bî 2.Kön 18,2.
                   Sonstige Personen.
                   K: 1.Chr 2,24; 7,8; 24,10; Neh 10,8; 12,4.17.
                   Ausserdem ist hier '<sup>a</sup>bîhû', Aarons Sohn, zu erwähnen:
                   Ex 6,23; 24,1.9; 28,1; Lev 10,1; Num 3,2.4; 26,60f.; 1.Chr 5,29;
                   24,1f.

Epigraphisch ist 'bjw gut belegt, während die Form 'bjhw zwar von Aharoni in dem Aradtext 27 vorgeschlagen wird, der Text an jener Stelle aber sehr schlecht ist. Hinzu kommt, dass von dem letzten Buchstaben w nur ein minimaler Teil übrig ist, da das Ostrakon gerade hier abgebrochen ist. Daher möchte ich dieser Belegstelle keinen allzu grossen Wert beimessen. Der Gesamteindruck deutet darauf hin, dass die Formen auf -jh und -jw die ursprünglicheren sind, während die Formen auf -jhw und -hw' sekundär gebildet wirken. Die Form auf -jm dürfte eine Variante zu -jw sein.[36]

Man erhält den Eindruck, dass die alttestamentlichen Verfasser diesen Namen nicht als theophor ansahen. Eine Endung auf -jam kommt sonst niemals bei theophoren Personennamen vor, und in der Liste über Könige aus dem Geschlecht Davids in 1.Chr 3 ist '<sup>a</sup>bîjā einer von den wenigen, deren Namen nicht in der langen Form geschrieben sind. Jastrow, der darauf hinweist, dass der Na-

---

[36] Siehe Kap.V, Anm.19.

me Abia auch in babylonischen Texten vorkommt, zählt diesen Namen zu den Afformativbildungen auf -*jh*.[37] Da Jastrow keine Quelle angibt, ist es schwierig, seine Behauptung zu verifizieren. Indes finden wir diesen Namen nicht in irgendeiner von Tallquists später erschienenen grossen Arbeiten über Personennamen in Mesopotamien, dagegen mehrere andere theophore Bildungen mit der Vorsilbe *abi-*.[38] Unter der grossen Menge westsemitischer Personennamen aus dem 5.Jahrhundert v.Chr., die aus dem Archiv in Murašus Haus in Nippur stammen, finden wir auch '*abî-ya-a-ma*.[39] Die in diesen Texten übliche Endung -*ya-a-ma* gibt wahrscheinlich die Aussprache -*jaw* wieder.[40] Das deutet darauf hin, dass der Name unter babylonischen Juden im 5.Jahrhundert '*ᵃbijaw* ausgesprochen wurde, was der epigraphisch belegten Form '*bjw* entspricht. Wenn es sich so verhält, liegt kein Grund vor zu bezweifeln, dass auch '*bjw* anfänglich ein theophorer Name gewesen ist, wenngleich die theophore Bedeutung bereits vor der Aufzeichnung der alttestamentlichen Schriften verloren gegangen oder bewusst unterdrückt worden zu sein scheint, wobei sich das Suffix dann in Richtung auf -*jam, -îhû'* oder -*î* entwickelt hat.

'*ᵃḥîjā*   + LW     Prophet aus Silo.
          K: 1.Kön 11,29f.; 12,15; 14,2.4; 15,29; 2.Chr 9.29.
          L: 1.Kön 14,4—6.18; 2.Chr 10,15.
          Sonstige Personen.
          K: 1.Sam 14,3.18; 1.Kön 4,3; 15,27.33; 21,22; 2.Kön 9,9; 1.Chr
          2,25; 8,7; 11,36; 26,20; Neh 10,27.

Ebenso wie es in bezug auf Abia der Fall war, wurde das Suffix vermutlich bereits früh als ein Afformativ ohne theophore Bedeutung aufgefasst und daher nur in Ausnahmefällen in der langen Form geschrieben. Wir hätten die lange Form in 1.Chr 26 und 2.Chr 10 erwartet, aber offenbar hegte der Hebräer Namen gegenüber, in denen das theophore Element mit den intimen Familienbegriffen '*aḥ* und '*ab* vereint war, Zweifel. Zu diesem Namen kennen wir auch eine Variante '*aḥjô*, den einzigen -*jw*-Namen im Alten Testament. Der Name ist belegt in 2.Sam 6,3f mit einer Parallele in 1.Chr 13,7 sowie an drei Stellen in 1.Chr 8,14.31; 9,37.

'*elîjā*   + L      Prophet.
          K: 2.Kön 1,3f.8.12; Mal 3,23.
          L: 1.Kön 17—19; 21; 2.Kön 1—3; 9,36; 10,10.17; 2.Chr 21,12.
          Sonstige Personen.
          K: 1.Chr 8,27; Esra 10,21.26.
          Variante: '*ᵃlîhû* Hiob 32,4; 35,1; 1.Chr 26,7; 27,18.

---

[37] Jastrow, JBL 13/1894, S.111.
[38] Tallquist, Neubabylonisches Namenbuch,S.1, sowie *idem* Assyrian Personal Names S.4ff.
[39] Coogan, West Semitic Personal Names..., S.52.
[40] *Ibm* S.53. Cross, Canaanite Myth..., S.65. Vgl. Kap.I, Anm.20.21.

Variante: *ᵉlîhû'* Hiob 32,2.5f.; 34,1; 36,1; 1.Sam 1,1; 1.Chr 12,21.

Epigraphisch ist der Name unter der Form *'ljhw* belegt.

Der Name *'elîjā/hû* wird in der LXX durch Ηλια (1.Chr 8,27;[41]; Esra 10,26[42]) oder durch Ελια (Esra 10,21) wiedergegeben, aber wenn es sich um den Propheten handelt, schreibt die LXX immer Ηλιου.[43]

Der Name *'ælîhû/'* wird dagegen in der LXX an den meisten Stellen, die im Buch Hiob vorliegen durch Ελιους wiedergegeben. An den übrigen Stellen liest 1.Chr 12,21 (LXX 12,20) Ελιμουϑ und 1.Chr 27,18 Ελιαβ,[45] die restlichen 1.Sam 1,1 und 1.Chr 26,7[46] lesen Ελιου. Die Stelle in 1.Sam 1,1 ist jedoch unsicher, da der Name hier im Genitiv steht.

Es gibt im Alten Testament drei Namen, die auf *-hû'* enden. Ausser *'ælîhû'* sind es der oben erwähnte Name *'ᵃbîhû'* sowie ferner der Name *jehû'*. Diese drei Namen, die sich alle als Zusammensetzungen aus einem theophoren Präfix mit suffigiertem persönlichen Pronomen in der 3.Pers. m.Sg. auffassen lassen, können schwerlich voneinander isoliert behandelt werden, obschon der letztgenannte Name kaum zu der Namengruppe gehört, mit der sich diese Arbeit beschäftigt. Der Name *jehû'* lässt sich schwer auf eine andere Weise erklären, denn als eine Kombination des Gottesnamens mit dem Personalpronomen, wobei der erste Vokal durch Dissimilation in *e* übergegangen war.[47] Dieser Name ist auch auf dem schwarzen Obelisken Salmanassars III. in der Form *ja-ú-a* belegt.[48].

| | | |
|---|---|---|
| *mîkajā* | +L | Levit. |
| | | Neh 12,35 (MS Kenn 4.602: *mjkh*). |
| | | Varianten: *mîkā* Neh 11,17; *mîka'* Neh 11,22. |
| | | Schriftprophet. |
| | | Jer 26,18 (Liess *qᵉre: mîkā*. Siehe Kap.IV, Anm.33). |
| | | Variante: *mîkā* Micha 1,1. |
| | | Priester. |
| | | Neh 12,41 (MS Kenn 4: *mjkh*). |
| | | Person zur Zeit Josias. |
| | | 2. Kön 22,12 (MSS Kenn 4.30; *mjkh*) |
| | | Variante: *mîkā* 2.Chr 34,20. |
| *mîkajahû* | | Rehabeams Frau. 2. Chr 13,2. |
| | | Ein Oberer. 2.Chr 17,7, |

---

[41] Ms y: Ηλιας.
[42] Mss bye₂: Ηλιας.
[43] So im grössten Teil der Manuskripte. Der Lukianische Text liest Ηλιας.
[44] So in Mss Bsc₂. Mss Aadjmptz lesen Ελιουδ. Übrige Mss: —ου.
[45] Mss djmpqtz: Ελια.
[46] Mss Bc₂: Εννου.
[47] Noth, Die israelitischen Personennamen..., S.244, Nr.587. Vgl.S.245, Nr.614.
[48] ANET S.280, face B/base/, 97-99

*mîkajhû*        Sohn Gemarjas. Jer 36,11.13.

                  Ephraemit. Ri 17,1.4.

                  Variante: *mîkā* Ri 17—18, sonstige Stellen.

                  Sohn Jimlas. 1.Kön 22; 2.Chr 18.

                  Varianten: *mîkā* 2.Chr 18,14 (MSS Kenn 188. 226: *mjkjh*); *mî-kahû* 2.Chr 18,8 (MSS Kenn 1. 30.180.188.210.226: *mjkjhw*).

Sonstige Personen mit dem Namen *mîkā*:

                  Meribaals Sohn. 1.Chr 8,34f.; 9,40f.

                  Variante: *mîka'* 2.Sam 9,12.[49]

                  Sonstige Personen: 1.Chr 5,5; 23—24.

Sonstige Personen mit dem Namen *mîka'*: 1.Chr 9,15; Neh 10,12.

2.Chr 13 und 2.Chr 17 haben die längste Form, *mîkajahû,* diese Schreibung ist eine Analogie zu den übrigen *-jahû*-Namen in 2.Chr. Eine üblichere Art, dieselben Konsonanten zu lesen, ist *mîkajhû.* Der Name ist der einzige, in dessen Suffix der Vokal *a* elidiert ist. Es ist auch der einzige Name im älteren Material, in dem das nicht-theophore Element auf einen Vokal endet.[50] Dieser Vokal, der starktonig war, hat offenbar dazu geführt, dass das unbetonte *a* im Suffix elidiert wurde.

Die Lesung *mîkajhû* finden wir zunächst in Ri 17,1.4. Hier steht der Name als eine Variante zu *mîkā,* der Schreibweise, die sonst überall in Ri 17—18 vorkommt. Kommen wir dann zu Micha, Jimlas Sohn, lesen wir in 1.Kön 22 durchweg *mîkajhû,* während der Paralleltext in 2.Chr 18 mit *mîkā* in V.14 und der vermutlich korrupten Form *mîkahû* in V.8 wechselt.[51] Schliesslich lesen wir *mîkajhû* auch für den Sohn Gemarjas in Jer 36.11.13.

Obschon Jastrow auch diesen Namen als eine reine Afformativbildung betrachtet, halte ich es für das Wahrscheinlichste, dass der Name ursprünglich theophor war.[52] Dies umso mehr, als es auch einen entsprechenden Namen mit dem Suffix *-ʾel* gibt.

Die abgekürzte Form *mikā/a'* finden wir, ausser in Ri 17—18, zumeist in Esra, Neh und 1.Chr. Wir bemerken, dass bei ein und derselben Person die Form auf *-jh* niemals mit *-jhw* wechselt, dass es aber zu beiden Schreibweisen Varianten mit der kurzen Endung *-ā/a'* gibt, sowohl in dem chronistischen Geschichtswerk wie in Ri 17—18.

---

[49] Wahrscheinlich ist dieser Vers ein Zusatz. Siehe Smith, ICC, S.311; Hertzberg, ATD 10, S.246. MSS Kenn 4.84.224:*mjkh.*

[50] Sonstige Namen desselben Typs finden wir im Chronistischen Geschichtswerk, in 2.Kön 22,1 *(ᶜadajā).*12.14*(ᶜaśajā);* 23,36*(pᵉdajā),* sowie in Jer 29,21*(qôlajā);* 36,12*(dᵉlajā).* Der Name *bᵉnajā /hû* (2.Sam 8,18 u.a. Stellen) gehört kaum hierher, da er von dem Stamm *bnj* gebildet ist (Noth, Die israelitischen Personennamen..., S.172). Der Name *śᵉrajā* (2.Sam 8,17 u.a. Stellen) geht vermutlich auf einen ägyptischen Titel zurück (Mettinger, Solomonic..., S.27ff.).

[51] *qᵉre: mîkajhû.* Vgl. Kap.V, Anm.11.

[52] Vgl. Jastrow, JBL 13/1894, S.112.

Der letztere Abschnitt, der von den meisten Kommentatoren als ein Zusatz zum Buch der Richter angesehen wird, hat somit *mîkajhû* in V.1&4, während der Mann ab Ri 17,5 *mîkā* heisst.[53] Ältere Kommentare unterscheiden häufig sorgfältig zwischen J- und E-Quellen, es liegt aber keine Korrelation zwischen diesen beiden Quellen und den Namensformen *mîkajhû* bzw. *mîkā* vor.[54] Diese Trennung der Quellen bedeutet somit für uns keine Hilfe. Das gleiche gilt für Eissfeldts Versuch, den Text auf die J- und L-Quellen zu verteilen. Eissfeldt schlägt zwar vor, dass die J-Quelle anfänglich durchweg die längere Form des Namens verwendet habe, aber wenn diese Theorie stimmen soll, müssen recht viele Textänderungen vorgenommen werden.[55]

Während Hertzberg den Text im grossen ganzen als einheitlich betrachtet, meint Boling, V.1—4 und V.7ff seien ursprünglich zwei verschiedene Erzählungen gewesen, die man durch die Verse 5ff zusammengefügt habe.[56] Bolings Schlussfolgerung stimmt anscheinend gut mit den Variationen in den Namensformen überein und findet noch weitere Stützen im Text. Ri 17,1—4 erzählt, wie Michas Mutter *pæsœl ûmăssekā* zubereiten liess, während der weitere Bericht von der Einsetzung eines Priesters vom Stamme Levi handelt sowie davon, wie die Daniter alles zusammen in die Stadt Lajisch hinüberschaffen, die später den Namen Dan erhielt. Wie das nachfolgende Verb zeigt, ist in Ri 17,4 mit *pæsœl ûmăssekā* ein einziger Gegenstand gemeint. In Ri 18,17ff werden dagegen *pæsœl* und *măssekā* jedes für sich als verschiedene Gegenstände genannt. In Ri 17,5ff kommen ausserdem *'epôd* und *t<sup>e</sup>rapîm* vor, zwei Begriffe, die eher in der Religion Israels zu Hause sind, als die beiden zuvor erwähnten. Hinzu kommt, dass Ri 17,5ff ausgezeichnet ohne die einleitenden Verse auskommt, die aus einem grösseren Zusammenhang herausgerissen scheinen, der die merkwürdige Geldtransaktion erklären sollte, von der Ri 17,1—4 berichten.

Zusammenfassend stellen wir fest, dass die beiden in älterem Material am häufigsten belegten Formen des Namens Micha *mîkajhû* und *mîkā* sind. In späterem Material finden wir die Formen, die in Analogie zu den übrigen Namen des AT auf *-jh/jhw* gebildet sind. Die Form *mîkajā* findet sich nur an vier Stellen, 2.Kön 22,12; Neh 12,35.41 und Jer 26,18. Die Form *mîkajahû* ist nur in 2.Chr 13,2 und 2.Chr 17,7 belegt.

Epigraphisch ist der Name in der Form *mjkjhw* belegt, der letzte Konsonant ist hier jedoch unsicher.[57]

---

[53] Nowack, HkzAT I:4, S.140ff. Bolin, Judges, S.258. Hertzberg, ATD 9, S.141. Burney, The Book of Judges, S.xxxvii.

[54] Nowack, HkzAT I:4, S.141.

[55] Eissfeldt, Die Quellen des Richterbuches, S.87, 45*ff.

[56] Hertzberg, ATD 9, S.239. Boling, Judges, S.256ff.

[57] Die epigraphischen Belege für die Namen *mika* und *mika'* habe ich nicht notiert.

## f) Zusammenfassung des altestamentlichen Materials

Diese Durschsicht sämtlicher suffigierten JHWH-Namen im Alten Testament hat uns eine gewisse Auffassung davon vermittelt, wie sich die kurzen und langen Formen auf die verschiedenen Bücher der Bibel verteilen.

Während wir im Jesajabuch mit Ausnahme von Jes 8,2 nur Namen in der langen Form finden, ziehen alle kleinen Propheten wie auch das Buch Daniel und die Bücher Samuel die Kurzform vor. Ebenso steht es mit Esra und Nehemia. Im übrigen ist es bezeichnend für das chronistische Geschichtswerk, dass in der ersten Hälfte von 1.Chr die kurze Form stark dominiert ausser in der Liste über die Könige aus Davids Geschlecht in 1.Chr 3, wo die meisten Namen in der langen Form auftreten. In den letzten vier Kapiteln von 1.Chr überwiegen dann die langen Formen, und diese Tendenz herrscht auch in 2.Chr. In 2.Chr finden wir jedoch keineswegs dieselbe Anhäufung von Namen, wie in all den langen Listen in 1.Chr sowie bei Esra und Nehemia. Am kompliziertesten sind die Verhältnisse im Buch Jeremia und in den Büchern der Könige, in denen die kurzen und langen Formen in einer Weise wechseln, die einerseits nicht ganz auf Zufall zu beruhen scheint, andererseits aber auch keinen unmittelbaren Schluss hinsichtlich der Ursache für diese Variation nahelegt.

In bezug auf die übrigen Bibelbücher konstatieren wir, dass im Pentateuch als einzige Belege die merkwürdigen Namen *'ăjjā* und *ᶜălwā* in Gen 36,24.40 vorkommen. Das Buch der Richter hat nur das früher erörterte *mîkajā*. Das Buch Hesekiel weist fünf Belegstellen in Kap.8 und Kap.11 auf. Es sind dies die Namen *bᵉnajā* (K:11,13 L: 11,1), *pᵉlăṭjahû* (11,1.13) und *jă'ᵃzănjā* (K.11.1 L:8,11). Die Proverbia nennen nur König *ḥizqîjā* einmal, Spr 25,1, und zwar in der Kurzform. Auch im Buch Esther finden wir in Kap. 2,6 die Kurzform *jᵉkånjā*. In Dan 1,6f.19; 2,17 finden wir *ᶜᵃzărjā* und *ḥᵃnănjā* und in Dan 9,2 *jirmᵉjā*.

# C. Wie wurde das Suffix *-jh/jhw* ausgesprochen?

Wir wenden uns nun einer für unsere Untersuchung grundlegenden Frage zu. Wie wurden einst die beiden Suffixe *-jh* und *-jhw* ausgesprochen? Die am nächsten liegende Lösung, die auch Noth vertrat, meint, dass das Suffix *-jhw* das älteste sei und *-jahu* gelesen wurde.[58] Aus dieser Form habe sich dann die Kurzform entwickelt, die in nachexilischer Zeit die übliche wurde.

Diese Hypothese wird jedoch dadurch kompliziert, dass die Bücher Samuel überall ausser in 2.Sam 6,3f *('ahjô)* und 2.Sam 8,18: 23,20.22 *(bᵉnajahû)* kurze Formen auf *-jh* aufweisen. Insgesamt enthalten die Bücher Samuel 9 verschiedene Namen mit Formen auf *-jh*. Das müsste somit bedeuten, dass die Bücher Samuel in nachexilischer Zeit niedergeschrieben worden wären, ja später als sowohl die Bücher der Könige wie das Buch Jeremia. Zu einer solchen Annahme liegen keinerlei sonstige Gründe vor.

---

[58] Noth, Die israelitischen Personennamen..., S.104f.

Der im einleitenden Kapitel erwähnten Hypothese Miliks, die ursprüngliche Form des Suffixes sei *-jaw* gewesen, widerspricht zum einen der Umstand, dass diese Form im Alten Testament so gut wie völlig fehlt und ferner, dass wir Belegstellen für *-jh* in offensichtlich alten Texten gefunden haben.

Die wichtige Frage lautet, wie die Suffixe *-jh* beziehungsweise *-jhw* eigentlich in alter Zeit ausgesprochen wurden. Da die Schrift urprünglich rein konsonantisch war, müssen wir uns denken, dass das Suffix *-jh* die Aussprache *-jahû* repräsentieren konnte. Falls die Form *-jahû, defective -jh* geschrieben, die älteste Form des Suffixes ist, wurde sie im Nordreich zu *-jaw (-jw)* kontrahiert. Als die *plene*-Schreibung der Endvokale eingeführt wurde, ergab sich im Südreich die Schreibweise *-jhw,* die wiederum in nachexilischer Zeit zu *-jh (-jā)* verkürzt wurde.

Es fragt sich nun, von welcher Zeit an wir mit *w* und *h* als matres lectionis in finaler Position rechnen können. Während Cross und Freedman erklären, dass Endbuchstaben mit Vokalbedeutung seit dem 9.Jahrhundert v.Chr. benutzt wurden, rechnet Bange eigentlich gar nicht mit irgendwelchen rein vokalischen *matres lectionis* in vorexilischer Zeit.[59] Bange zufolge haben wir uns vielmehr vorzustellen, dass während der ganzen Königszeit ein semikonsonantisches Stadium herrschte, in welchem *j, w* und *h* als "offglide" nach langen betonten offenen Silben dienten, während ein Schluss- ' kurze betonte offene Silben bezeichnete. In der Praxis spielt jedoch der Unterschied zwischen Banges und Cross-Freedmans Auffassungen für uns eine geringe Rolle. Die Arbeiten von sowohl Bange wie

Cross und Freedman zeigen jedoch, dass wir vor dem Meša-Stein, der um die Mitte des 9.Jahrhunderts entstand, in dem gesamten kanaanäichen Gebiet mit einer rein konsonantischen Schrift rechnen müssen. In der Meša-Inschrift haben wir dagegen Beispiele für sowohl vokalisches *j* und *w* wie *h* in Endposition.[60] Wenden wir uns dann den hebräischen Inschriften aus dem 8.Jahrhundert zu, finden wir dort leider keine richtig guten Beispiele für Endvokale, dagegen stimmt die Orthographie in den Lakis-Briefen und mit ihnen zeitgleichem Material offenbar annähernd mit der bibelhebräischen überein.

Schematisch lässt sich unsere Hypothese folgendermassen ausdrücken:

[59] Vgl. Einl.,Anm.18. Cross/Freedman, Early Hebrew Orthography, S.56. Bange, A Study of Vowel Letters, S.131ff.139. Vgl. Zevit, Matres Lectionis..., S.5ff. Zevit meint, finale *matres lectionis* seien erheblich früher aufgetreten, aber keines der Beispiele, die Zevit anführt, vermag ganz zu überzeugen. Drinkard, Vowel Letters..., S.187f bekräftigt Cross/Freedmans Auffassung, dass wir keine klaren Belege für *matres lectionis* vor dem 9. Jahrhundert v.Chr. besitzen.

[60] Siehe beispielsweise Gibson, Textbook of Syrian Semitic Inscriptions, Vol 1, S.71ff, und Cross/Freedman, Early Hebrew Orthography, S.35ff. Die besten Beispiele sind *mlktj* (Z.2/3), *kj* (Z.4) *bllh* (Z.15) und *bnh* (Z.18).

Nordreich: *-jaw (-jw)*

*-jahu*

Südreich: *-jahû (-jh)* → *-jahû (-jhw)* → *-jā (-jh)*
        (9.Jahrh.)    (nachexilische Zeit)

Wir wollen nun von diesem Ausgangspunkt her die Schreibweise der theophoren Suffixe *-jh* und *-jhw* diskutieren. Wir stellen sofort fest, dass die Bücher Samuel, welche die Zeit vor und unter König David schildern, beinahe überall Namen vom *-jh*-Typ aufweisen.

Da sich diese Kurzformen nicht als Produkt einer nachexilischen Verfasserschaft erklären lassen, müssen wir vielmehr annehmen, dass wir es hier mit erhaltenen defektiv geschriebenen Formen mit dem Suffix *-jahu (-jh)* zu tun haben. In der Zeit, welche die Samuelbücher schildern, kamen keine *matres lectionis* vor.

In den folgenden Kapiteln der vorliegenden Arbeit wollen wir untersuchen, ob unsere Hypothese die Verteilung von Namen auf *-jā* und *-jahû* in den übrigen Bibelbüchern zu erhellen vermag und in welchem Umfang auch andere Faktoren zu berücksichtigen sind.

KAPITEL III

# Das deuteronomistische Geschichtswerk

## A. Josua-, Richter und Samuelbücher

Während das Buch Josua keinerlei Namen auf *-jh/jhw* aufweist, finden wir in Ri 17 den Namen *mîkajhû,* den wir bereits ausführlich behandelt haben.[1]

Auch in den Büchern Samuel ist das Material recht gering. 10 verschiedene Namen verteilen sich auf einige 50 Belegstellen. Mit Ausnahme von *'ăhjô,* 2.Sam 6,3.4 und *bᵉnajahû,* 2.Sam 8,18; 23,20.22, werden die Namen immer mit der Endung *-jh* geschrieben. Abgesehen davon, dass die Manuskripte Kenn.30.224 u.a.m. die lange Form *bᵉnajahû* auch an der weiteren Stelle lesen, an der diese Person erwähnt wird, 2.Sam 20,23, weist das Quellenmaterial keine Varianten auf. Wir haben bereits erwähnt, dass die Kurzformen in den Büchern Samuel sich kaum anders erklären lassen, als dass es sich bei ihnen um konservierte Defektivschreibungen handelt. Daher brauchen wir uns bei diesem Material nicht lange aufzuhalten, aber wir wollen doch einige Gesichtspunkte anführen, die vornehmlich als Hintergrund für die folgende Darstellung der Bücher der Könige gedacht sind.

In 1.Sam liegen nur drei *-jh*-Namen vor, *'ăbîjā*, 1.Sam 8,2, *'ăhîjā*, 1.Sam 14,3.18 sowie *ṣᵉrûjā* 1.Sam 26,6. Die letztere, deren Name immer mit *-jh* geschrieben wird, ist die Mutter von König Davids Offizier Joab. Sie kommt an mehreren Stellen in 2.Sam und 1.Kön vor.

In 2.Sam wird die oben erwähnte *ṣᵉrûjā* am häufigsten genannt. Sie begegnet uns bereits in Kap.2,13.18. In 2.Sam 3,4 stossen wir dann auf zwei von Davids Söhnen. *'ădonîjā* und *šᵉpăṭjā*. Zu dieser Gruppe können wir auch *jᵉdîdjah* (sic!), 2. Sam 12,25, zählen. In 2.Sam 6,3.4 finden wir den einzigen *-jw*-Namen des Alten Testaments, *'ahjô*, als Namen eines der beiden Priester, die dabei sind, als die Bundeslade aus dem Hause Abinadabs in das Obed-Edoms gebracht wird. In Kap.8,16ff folgt dann die erste der beiden Listen über Beamte am Hofe König Davids. Hier werden die beiden Personen *sᵉrajā* und *bᵉnajahû* genannt, von denen der erstere Schreiber ist und der andere Offizier. Dieselbe Liste erscheint in einer etwas anderen Version in 2.Sam 20,23ff, aber dort werden diese beiden Personen *šᵉja'* bzw *bᵉnajā* geschrieben.

Die beiden Listen bilden den Rahmen um den ersten Teil der Erzählung von Davids Thronnachfolge, 2.Sam 9—20. Inhaltlich erweckt die spätere Liste den

---

[1] Siehe S.66ff.

Eindruck, eine zweite Auflage der früheren zu sein, aber beide dürften doch aus der Zeit König Davids stammen.[2] Andererseits ist offenbar, dass sprachlich gesehen die letztgenannte Liste ursprünglicher ist. Wir bemerken hier mehrere Defektivschreibungen: *'drm* V.24, *spr* V.25, *khn* V.26. Ferner finden wir in dieser Liste das merkwürdige *šj'*, das wahrscheinlich auf einen alten ägyptischen Titel zurückgeht.[3] Falls *hkrj* anstatt *hkrtj* in V.23 keine falsche Lesart ist, macht auch dieses Wort einen ursprünglicheren Eindruck, da an anderen Stellen Karäer als Soldaten erwähnt werden. Die Form mit einem *t* lässt sich leicht erklären als eine Analogie zu dem benachbarten *pltj*.[4] In 2.Sam 8,16ff finden wir die Pleneschreibungen *ṣrwjh* in V.16 und *swpr* in V.17, daher würde sich auch *bnjhw* in V.18 leicht in die Reihe der Pleneschreibungen einfügen. Den Namen *śᵉrajā* möchte ich dann als eine Fehllesung des merkwürdigen *šj'* und Anpassung an einen bekannten Namen ansehen.[5]

Unsere Analyse der Listen deutet darauf hin, das in 2.Sam 20,23ff die ältere Sprachform vorliegt, und das bedeutet, dass *bnjh* eine Defektivschreibung sein dürfte, während die übrigen Stellen, an denen der Name vorkommt, die ausgesprochene Form zu spiegeln scheinen, in welcher der Endvokal durch ein *w* ausgedrückt wird. Warum hat dann wohl ein Schreiber, der tätig war, nachdem die finalen Pleneschreibungen eingeführt worden waren, die ausgesprochene Form *bᵉnajhû* wiedergegeben, aber die geschriebene *ṣᵉrujā*? Der Grund dafür dürfte sein, dass *bᵉnajahû* ein üblicherer Name ist, den mehrere verschiedene Personen im Alten Testament tragen. Davids Heerführer *bᵉnajahû* dürfte aufgrund seiner verschiedenen Heldentaten eine wohlbekannte Person gewesen sein.[6] In diesem Fall konnte sich der Schreiber also auf eine Erzählertradition stützen.

Bei *ṣᵉrûjā* liegen die Dinge ganz anders. Diesen Namen, der vermutlich überhaupt nicht theophor ist, trägt einzig Joabs Mutter.[7] Über sie wird nichts berichtet. Ihr Name erscheint nur als Konstruente in Verbindungen wie *ben ṣᵉrûjā* oder *bᵉnê ṣᵉrûjā*, ja, er ist beinahe zu einem Teil der Namen ihrer Söhne reduziert. Der Name kommt häufig in der Thronnachfolgeerzählung vor, und der Redaktor der Bücher Samuel sah keinen Grund, von der wahrscheinlich schriftlich belegten Kurzform abzugehen.

Schliesslich verbleibt noch der Hethiter *'ûrîjā*. Jastrow betrachtete diesen Namen als ein Hypokoristikon, da sein Träger kein Israelit ist. Dies Argument wirkt

---

[2] Siehe Hertzberg, ATD 10, S.309; Veijola, Die ewige..., S.124ff.

[3] Mettinger, Solomonic..., S.25ff.

[4] Vgl. 2.Kön 11,4.19. In MSS Kenn.1.4.30.224 u.a. lesen wir *krtj* in 2.Sam 20,23, doch scheint das eine sekundäre Harmonisierung zu sein.

[5] Betr. Wechsel zwischen *j* und *r*, siehe Wutz, Die Transkriptionen..., S.196.

[6] Vgl. 2.Sam 23, 20ff.

[7] Siehe Noth, Die israelitischen Personennamen..., S.227: "Die mit *ṣrj*, mit Mastixbalsam Parfümierte". Siehe auch Stamm, VT Suppl 16/1967, S.328.

an und für sich ganz überzeugend.[8] Doch muss der Name später jedenfalls als theophor aufgefasst worden sein, da von ihm auch eine lange Form sowohl in der Bibel in Jer 26,20ff wie in epigraphischem Material belegt ist. Ausserdem kommt an mehreren Stellen in den Büchern der Chronik die entsprechende -el- Form vor.[9] Nun ist es ja durchaus denkbar, dass der Name schon zur Zeit König Davids als theophor aufgefasst wurde, und dass der Hethìter 'ûrîjā entweder zu der Religion Israels übergetreten war oder diesen Namen von König David erhalten hatte.

# B. Die Bücher der Könige

## a) Einleitung

Die Bücher der Könige enthalten etwa 330 Belegstellen für Namen auf -jh/jhw. Kurze und lange Formen kommen augenscheinlich vermischt vor, doch fragt es sich, ob der Wechsel auf Zufall beruht oder ob ein System dahinter steht. Aus der Materialübersicht geht hervor, dass die langen Formen das Bild beherrschen, aber Kurzformen sind nicht direkt ungewöhnlich. Oft treten ein und dieselben Personen unter beiden Namensformen auf.

Man kann sich für diese Variationen verschiedene Gründe denken. Wenn wir den Entstehungsprozess des Textes zurückverfolgen, erwacht in uns zunächst der Verdacht, es handele sich um zufällige oder vielleicht bewusste Variationen im Verlauf des Abschreibungsprozesses des Textes. In diesem Fall müsste die grosse Menge mittelalterlicher Handschriften des masoretischen Textes bei den Namen einen starken Wechsel zwischen kurzen und langen Formen aufweisen. In dem textkritischen Abschnitt weiter unten werden wir zu dieser Frage Stellung nehmen, aber zuvor wollen wir hier schon eine kurze Übersicht über die Forschungslage im Hinblick auf die Redaktionsgeschichte der Königsbücher vorlegen.

Leider kann man hier nicht von einem Konsens der Forscher sprechen. Die älteren Theorien, die auf der Pentateuchkritik aufbauten und die Pentateuchquellen bis zu den Büchern der Könige reichen liessen, wurden durch M.Noths Arbeit Überlieferungsgeschichtliche Studien I, 1943 von einer neuen Sichtweise abgelöst. Ausgehend von einem aus erhaltenen "Tagebüchern der Könige von Israel bzw Juda" und Prophetenerzählungen bestehenden Material, habe ein in Palästina lebender deuteronomistischer Verfasser, Dtr, um die Mitte des 6.Jahrhunderts v.Chr. die Bücher der Könige abgefasst.[10] Der grosse Vorzug von Noths Theorie war ihre Einfachheit. Sie erhielt bald eine breite Zustimmung von seiten der Forscher.

Zur gleichen Zeit wie Noth schrieb A.Jepsen eine Arbeit über dasselbe The-

---

[8] Jastrow, JBL 13/1894, S.117.
[9] 1.Chr 6,9; 15,5.11; 2.Chr 13,2.
[10] Noth, Ueberlieferungsgeschichtliche Studien I, 1943. S.(72)ff., (91), (110) Anm.1.

ma.[11] Jepsen setzte einen Redaktionsprozess in mehreren Stufen voraus. Sein Ausgangspunkt war eine synchronistische Chronik über die Geschichte des geteilten Reiches, die kurz nach dem Fall des Nordreiches niedergeschrieben worden sein sollte. Diese Chronik hätte ein Redaktor $R^I$, der kurz nach dem Fall Jerusalems tätig war, durch annalistische Aufzeichnungen ergänzt. Sein Werk hätte dann ein etwas späterer Redaktor $R^{II}$ etwa um die Zeit von Noths Dtr mit den Prophetenerzählungen kombiniert. Schliesslich hätte ein dritter Redaktor $R^{III}$ gegen Ende des 6.Jahrhunderts einige Zusätze beigesteuert. Jepsens Arbeit ist als eine Reaktion gegenüber den älteren Theorien von den Pentateuchquellen in den Königsbüchern anzusehen. Noths Arbeit lernte Jepsen erst später kennen, doch geriet seine eigene in den Schatten der Nothschen und erhielt daher in der Debatte nur eine geringe Bedeutung. Vor dem Hintergrund von Noths Arbeit fällt es auch schwer, in Jepsens recht komplizierter Theorie irgendwelche eigentlichen Vorzüge zu entdecken. Seine Hypothese von der synchronistischen Chronik ist nicht ganz problemlos, da die Jahreszahlen trotz allem nicht zusammenpassen wollen. Es fällt auch schwer, zwingende Gründe für Jepsens Aufteilung auf die beiden Redaktoren $R^I$ und $R^{II}$ zu erkennen.

Eine Theorie, die in jüngster Zeit grosse Aufmerksamkeit auf sich zog, lancierten R.Smend und W.Dietrich.[12] Diese Theorie, die sowohl durch Noths wie durch Jepsens Arbeit angeregt wurde, rechnet mit drei verschiedenen deuteronomistischen Redaktionen, sämtlich aus der Zeit des Exils. Die älteste, Dtr G (Geschichte), sollte aus der Zeit direkt nach dem Fall Jerusalems im Jahre 587 stammen. Die letzte Redaktion, die DtrN (Nomos) genannt wird, hätte nomistisches Material hinzugefügt. Die nomistische Redaktion wäre um das Jahr 560 abgeschlossen worden, kurz nach König Jojachins Rehabilitierung. Zwischen DtrG und DtrN schob Dietrich den Redaktor DtrP (Prophetie) ein, der das prophetische Material in die Königsbücher einfügte.[13] Die Schichtung in diese drei Redaktionen gründet sich auf literarische und sprachliche Kriterien, aber ihre Überzeugungskraft ist trotz allem zweifelhaft. Dietrich muss gestehen, dass DtrP stark von älterem Material abhängig ist, nicht zuletzt von DtrG. Der kurze Zeitraum, innerhalb dessen die drei gewirkt haben sollen, muss bedeuten, dass jedem der drei die Existenz der beiden anderen wohlbekannt war. Ebenso gut wie einen Zeitunterschied von jeweils zehn bis fünfzehn Jahren zwischen ihnen anzunehmen, könnten wir sie uns als eine Gruppe an einem gemeinsamen Redaktionstisch vorstellen.

Auf allerlei Schwächen der Theorie hat D.Nelson hingewiesen.[14] Ihm zufolge

[11] Jepsen, Die Quellen des Königbuches, Erst 1953 gedruckt.
[12] Smend, Probleme Biblischer Theologie, 1971, S.494ff. *Idem,* Die Entstehung des Alten Testaments, 1978, S.115ff. Dietrich, Prophetie und Geschichte, 1972. Smend änderte die Bezeichnung GtrG später in DtrH (Historie). Siehe Die Entstehung..., S.115.
[13] Dietrich, Prophetie..., S.143f.
[14] Nelson, The Double Redaction..., 1981, S.20ff.

beruht Smends Scheitern teilweise darauf, dass er vom Josua-Richter-Buch ausging, das sich literarisch in einem stark zerstörten Zustand befindet. Man hätte vielmehr von den Büchern der Könige ausgehen sollen, bei denen eine literarische Schichtung leichter fällt. Dort aber finden Smend/Dietrich andererseits sehr wenige Spuren von DtrN. Nelson weist auch darauf hin, dass die Spannungen im Material nicht grösser sind, als dass man sich einen einzigen Verfasser denken könnte.

Die Hauptalternative zu Noth bilden vielmehr die Forscher, die mit einem vorexilischen Redaktor des Hauptteiles der Königsbücher rechnen. Hier können wir G.Gray nennen, der an eine ältere Untersuchung von W.Nowack anknüpft.[15] Eissfeldt rechnet mit einer Fortsetzung der Pentateuchquellen L, J und E, die zusammen mit anderem Material die Basis für ein möglicherweise im 8.Jahrhundert komponiertes vordeuteronomistisches Königsbuch gebildet hätten, das die Zeit von David bis Hiskia umfasste.[16] Eissfeldt denkt sich, dass der eigentliche Autor oder Herausgeber der Königsbücher erst nach dem Jahre 587 tätig war.[17]

Fohrer nimmt in seiner Bearbeitung von Sellins Einleitung Abstand von Eissfeldts Auffassung, dass die Pentateuchquellen bis zu den Büchern der Könige reichen sollten.[18] Fohrer selbst setzt zwei deuteronomistische Hände voraus. Der erste Verfasser wirkte ihm zufolge kurz nach der Reform Josias im Jahre 622 und wusste noch nichts von dessen gewaltsamem Tod (2.Kön 22,20), während des Exils hätte dann ein Ergänzer die Arbeit abgeschlossen[19]

Eine Fohrer nahestehende Auffassung legte F.M.Cross vor.[20] Entscheidend für Cross ist die Spannung zwischen den beiden Hauptthemen der Königsbücher, Jerobeams Sünde und Davids Treue. Der deuteronomistische Geschichtsschreiber (Dtr[1]) kontrastiert diese beiden Themen miteinander. Zusammen bilden sie die Plattform für Josias Reform. Das Geschichtswerk ist Cross zufolge eine Propagandaschrift für diese Reform. Während des Exils wäre die Arbeit von einer zweiten deuteronomistischen Hand (Dtr[2]) revidiert und erweitert worden.

Unter einem originellen Einfallswinkel betrachtet H.Weippert das Problem. Sie hebt die Formeln hervor, mit denen das Wirken der Könige von Israel und Juda beurteilt wird.[21] Weippert verteilt diese Formeln auf drei Hauptgruppen. Deren erste umfasst die Zeit von König Josafat bis zum Fall des Nordreiches. Innerhalb dieses Materials treten ziemlich gleichartige Formeln auf, die einem Redaktor R[I] zugeschrieben werden. An zwei Stellen (2.Kön 8,18.27) wird hier die Formel *wăjjelæk b^edæræk...* gebraucht. Sonst verwendet R[I], der auf das Ende

[15] Gray, I&II Kings, S.13. Hölscher, Eucharisterion I (FS Gunkel), S. 158ff.
[16] Eissfeldt, Einleitung..., S.401.
[17] *Ibm* S.31.
[18] Sellin/Fohrer, Einleitung, 1969, S.247.
[19] *Ibm* S.256.
[20] Cross, Canaanite Myth..., 1973, S.274ff.
[21] Biblica 53/1972, S.301ff.

des 8.Jahrhunderts datiert wird, Formeln, welche die Opfer auf *bamôt* erwähnen. In den Aussagen über das Nordreich werden auch Jerobeams Sünden angeführt.

Dem nächsten Redaktor, R$^{II}$, aus der Zeit kurz vor dem Exil, werden die Mitteilungen über die positiv gewerteten Könige David, Asa, Hiskia und Josia zugeschrieben. In diesen Aussagen findet man immer einen Hinweis auf König David. Für die negativen Formeln dieses Redaktors lässt sich schwieriger ein einheitliches Muster entdecken. Weippert sagt, jener habe eine Vorliebe für *figurae etymologicae* gehabt, auch kämen die Worte *lo' sar min* nicht in den Formeln vor. Der Redaktor R$^{II}$ steht Weippert zufolge hinter den Formeln, die wir in 1.Kön

11—21; 22,53f. finden, wie auch hinter den Beurteilungen der beiden Könige Hiskia, Manasse und Amon in 2.Kön 18—22. Es fragt sich indes, ob Weippert nicht das Stereotype in diesen Formeln überbetont hat. Nelson wies darauf hin, dass dieselben im Grunde stärker wechseln, als aus Weipperts Studie hervorgeht. Die zunehmende Ähnlichkeit zwischen den Formeln in 2. Kön könnte auch stilistische Gründen habe. "This hammering repetition expresses the stubbornness of the disobedience.."[22]

Für die Beurteilung der letzten vier Könige findet H.Weippert eine besondere Formel, die sie einem dritten, exilischen, Redaktor R$^{III}$ zuweist. Alle diese Könige, Joahas, Jojakim, Jojachin und Zedekia werden mit den Worten *wăjjăᶜăś harăᶜ bᵉᶜênê Jhwh kᵉkol 'ᵃšœr ᶜaśu 'ᵃbotâw* charakterisiert.[23] Hier finden wir also eine kategorische Beurteilung der Bosheit aller früheren Könige, die in keinen anderen Formeln vorliegt. So stempelhaft wurden Formeln zuvor nirgends kopiert. Daher haben wir es hier wahrscheinlich mit einem besonderen Redaktor zu tun.

Genau wie Cross meint auch Nelson, dass wir es mit einem vorexilischen Königsbuch aus der Zeit Josias zu tun haben, das einen Teil der Propaganda für dessen Politik bildete.[24] Dieses Buch habe dann eine exilische Bearbeitung und Erweiterung durchgemacht.

Unser Exposé über die redaktionsgeschichtliche Forschung in bezug auf die Bücher der Könige hat ergeben, dass wir als Grundlage für unsere weitere Arbeit mit zwei Hauptalternativen zu Noths Theorie von einem einzigen Verfasser rechnen müssen. Eine Gruppe von Forschern verteilt mit traditionell literarkritischer Methode den Stoff auf drei exilische Schichten DtrG, DtrP und DtrN. Eine andere Gruppe greift den alten Gedanken eines vorexilischen Königsbuches auf und führt als Stütze für diese Auffassung neue Argumente verschiedener Art an.

Es ist zu früh, hier schon Stellung für eine dieser Richtungen innerhalb der

---

[22] Nelson, The Double Redaction..., 1981, S.33.
[23] 2.Kön 23,32.37. In 2.Kön 24,9.19 ist das letzte Wort in der Formel *'abîw* bzw. *jᵉhôjaqîm*.
[24] Nelson, The Double Redaction..., 1981, S.121.

Forschung zu beziehen. Einerseits ist offenbar, dass vieles Material in den Büchern der Könige keine Kenntnis vom Exil erkennen lässt, andererseits rechnen auch die Forscher, die keine vorexilische Redaktion annehmen damit, dass vorexilischer Stoff oft in unbearbeitetem Zustand verwendet wurde. H.Weipperts Untersuchung hat hier den Vorzug, dass sie sich auf Material beschränkt, das offensichtlich redaktionell ist.

Wir werden auf die Frage der Redaktionsgeschichte zurückkommen, nachdem wir die verschiedenen Namensformen in unserem Material überprüft haben.

## b) Textkritische Bemerkungen

Das publizierte Textmaterial zu den Büchern der Könige besteht aus dem Text des Codex Leningradiensis in der BH sowie ferner Kennicotts Material. Ausserdem liegt das Geniza-Fragment Cambr. T-S B 4,24 im Druck vor.[25] Schliesslich wurden eine Reihe von Geniza-Fragmenten im Originalmanuskript kollationiert.

Die folgende Zusammenstellung zeigt, welche Textstellen in diesem Material kollationiert wurden. Namen auf -*jh/jhw* mit einer von BH abweichenden Lesart werden in () angeführt.[26]

| *Text* | *Manuskripte* |
|---|---|
| 1.Kön | 1,5.7.8—10   T-S B 16,10. |
| | 1,5.7—9   B 14,124. |
| | 1,5.7.8.10   B 14,92; 14,116. |
| | 1,5.7.9.11   A 30,77 (V.7: '*dnjhw*). |
| | 1,7—10   Misc. 1,58. |
| | 1,7   Misc.2,50. |
| | 1,8.11.13   A 30,63 *('dnjh)*. |
| | 1,9—11   A 30,74. |
| | 1,9   B 14,92 *('dnjh)*. |
| | 1,11   B 14,116; 16,10; Misc. 1,58. |
| | 2,28   NS 47,11; 48,38; Wm Bibl.4,50. |
| | 12,15.22   T-S NS 48,13. |
| | 14,6   NS 47,6; Wm Bibl.4,55. |
| | 14,18   T-S A 30,58; Wm Bibl.4,55. |
| | 22,9.11.24   T-S Or 1080.2.61. |
| | 22,9.24   NS 283,47. |
| | 22,24   A 9,9; 9,14. |

---

[25] Siehe Kap.II, Anm.12.
[26] Manuskriptnummer nach Davies, Hebrew Bible Manuscripts... Vol 1—2, 1978—80.

2.Kön      1,2   A 9,9; NS 48,31; 51,11; 283,47; Or 1080.2.61 *('ḥzjhw)*.

1,3—18   NS 48,28; 48,31. Teilweise beschädigt.

1,3—15   Or 1080.2.61.

1,3—4   A 9,9.

1,4   NS 51,11.

1,8—15   NS 283,47.

1,8.12.   A 9,9.

9,15—16   A 9,6.

9,16   NS 280,32. Wm Bibl. 4,60.

9,23   Wm Bibl. 4,60.

9,27   T-S A 9,6; NS 48,6. Wm Bibl. 4,60.

10,13   A 9,21. Teilweise beschädigt.

11,1—2   Wm Bibl. 4,60a.

11,2   T-S A 9,5.

12,22   A 9,4; 9,6; 39,10; NS 48,44; 50B:1.

13,12   A 9,4 *('mṣjhw)*; 9,6; NS 48,44. Beschädigt.

14,8—9.11   Or 1080 A 9,2. Wm Bibl. 4,61.

14,9   T-S NS 47,3; 47,35.

14,13   Or 1080 A 9,2 *('mṣih$^I$)*. Wm Bibl. 4,61 in schlechtem Zustand.

14,29   T-S NS 47,3.

15,7.11.13   A 9,13; NS 47,3; 47,35.

15.11   NS 50B:7.

15,30.32   A 9,13; NS 47,3; 48,9 kaum leserlich.

15,34   A 9,13; NS 47,3; 49,21 sehr undeutlich.

16,11   NS 47,13.

18,13   Misc 2,112 *(ḥzqjhw)*; Or 1080 A 9,2; NS 48,15.

18,37   Misc 2,14 *(ḥlqjhw)*; NS 80,8; 283,6 *(ḥlqjhw)*.

20,10   A 9,3.

22,8   A9,2; 30,40; B 14,30 *(ḥlqjhw$^{II}$)*; NS 47,43; 161,121; 282,52 *(ḥlqjhw$^{II}$)*; 283,123 *(ḥlqjhw$^{II}$)*; 319,7 *(ḥlqjhw$^{II}$)*.

22,10   A 9,2; 30,40; B 14,76 *(ḥlqjhw)*; NS 47,43; 161,170; 335,40. Wm Bibl. 4,63.

22,12   A 9,1; 30,40; B 14,76 *(ḥlqjhw)*; NS 47,43 beschädigt; 47,46 teilweise beschädigt; 161,170; 174,44 teilweise beschädigt; 335,40 sehr schlechter Zustand. Wm Bibl. 4,63 *ḥlqjhw)*.

Aus dieser Durchsicht geht hervor, dass nur eine geringe Anzahl der kollationierten Bibelstellen Lesarten enthalten, die von BH abweichen. Das lehrt uns zwei Dinge. Erstens können wir konstatieren, dass die Texttradition zur Zeit der Entstehung der Geniza-Manuskripte auch in bezug auf Einzelheiten dieser Art als fest zu betrachten ist. Zum anderen müssen wir damit rechnen, dass die wenigen Variantenlesarten, die wir fanden, von hohem textkritischem Wert sind.

Was die von Kennicott kollationierten Manuskripte betrifft, müssen wir fest-stellen, dass Abweichungen in den Namensfomen vorliegen, jedoch in den mei-sten Fällen in so geringem Umfang, dass wir keinen Grund haben, auf irgendeine andere Weise zu lesen als BH.

Die folgenden Zahlen vermitteln eine ungefähre Auffassung von der textkriti-schen Lage hinsichtlich des Wechsels zwischen Namen auf -*jh* und -*jhw*. Wenn wir zunächst die 65 Manuskripte zu den Büchern der Könige betrachten, die von Kennicott "per totum" kollationiert sind, und dabei im Gedächtnis behalten, dass es sich um etwa 260 Belegstellen i 1.-2.Kön handelt, finden wir folgende An-zahl von Abweichungen vom textus receptus.[27]

| | | |
|---|---|---|
| 0—5 | Abweichungen — | 40 Manuskripte |
| 6—10 | Abweichungen — | 19 Manuskripte |
| 11—15 | Abweichungen — | 3 Manuskripte |
| 16—20 | Abweichungen — | 2 Manuskripte |
| 22 | Abweichungen — | 1 Manuskript |

Kein Manuskript weist also auch nur 10% Abweichungen auf. Die meisten Abweichungen, 22 Stück, finden wir in Kenn.150, Berlin, Bibl. Reg. Class 1, aus dem 13.Jahrhundert. Das älteste Manuskript, Kenn.1, aus dem 10. Jahrhundert, enthält sieben Abweichungen, und bei den meisten Manuskripten des 12.Jahrhunderts haben wir Zahlen von der gleichen Grössenordnung. Verteilen wir die Manuskripte nach dem Alter ihrer Entstehung und berechnen, wieviele Prozent der Gesamtanzahl von Manuskripten aus dem jeweiligen Zeitraum Ab-weichungen aufweisen, erhalten wir folgende Zusammenstellung:

| | vor 1200 | 13.Jh. | 14. und 15.Jh. | |
|---|---|---|---|---|
| 0—5 Abweichungen | 30% | 59% | 73% | |
| 6—10 Abweichungen | 60% | 27% | 21% | |
| mehr als 10 Abweichungen | 10%=1 MS | 14%=3 MSS | 6%=2 MSS | |
| Anzahl der Mss | 10 | 22 | 35 | |

Manuskripte mit mehr als 10 Abweichungen sind so gering an Zahl, dass wir von ihnen absehen können, aber um der Vollständigkeit willen habe ich sie doch berücksichtigt. Was die übrigen Zahlen betrifft, weisen sie deutlich auf eine zu-nehmende Einheitlichkeit in der Texttradition im späteren Teil des Mittelalters hin.

Interessant ist auch, welche Tendenz die Abweichungen erkennen lassen.[28] Das illustrieren wir folgendermassen:

---

[27] Mit textus receptus ist die Mehrzahl der mittelalterlichen Handschriften gemeint. Die Zahlenanga-ben für Manuskripte mit wenigen Varianten werden in einigem Umfang dadurch beeinflusst, dass in drei Handschriften Teile des Textes fehlen. Das betrifft Kenn. 86, das mit 1.Kön 22,8 endet Kenn. 115, das mit 1.Kön 9,11 anfängt sowie Kenn 180, das mit 2.Kön 1,10 anfängt.

[28] Ich rechne mit 2/3 Übergewicht nach der anderen Seite, wenn eine Tendenz in Richtung auf -*jh* oder -*jhw*-Endung vorausgesetzt wird.

## Anzahl der Manuskripte

|  | vor 1200 | 13.Jh. | 14. und 15.Jh. |
|---|---|---|---|
| Tendenz in Richtung auf *-jh* — | | — | 9 |
| Tendenz in Richtung auf *-jhw* | 6 | 10 | 7 |
| Ohne Tendenz | 4 | 12 | 17 |

Diese Tabelle zeigt, dass die Abweichungen in etwa der Hälfte der Manuskripte keine spezielle Tendenz aufweisen. In der ältesten Gruppe finden wir immerhin ganze sechs Stück, darunter auch das alte Kenn.1, mit einer Vorliebe für die langen Formen, und diese Tendenz hält sich auch im 13.Jahrhundert, während die Lage in den späteren Jahrhunderten weniger klar ist.

Es ist nun äusserst wichtig zu sehen, wie die Abweichungen sich auf die verschiedenen Belegstellen verteilen. Ein kurzer Überblick zeigt eine in der Regel so breite Streuung, dass die Abweichungen im Rahmen normaler Schreibfehler liegen. Das mag die folgende Tabelle illustrieren, die von den früher erwähnten 65 Manuskripten und etwa 260 Belegstellen ausgeht.

| | |
|---|---|
| Anzahl von Belegstellen mit mehr als 20 abweichenden Manuskripten: | 3 |
| 16—20 abweichende Manuskripte | 2 |
| 11—15 abweichende Manuskripte | 4 |
| 6—10 abweichende Manuskripte | 6 |
| 1— 5 abweichende Manuskripte | 76 |
| Anzahl von Belegstellen mit Abweichungen in anderen als den erwähnten Manuskripten | 8 |
| Insgesamt: | 99 |

Es verbleiben also etwa 160 Belegstellen, die keinerlei abweichende Lesarten aufweisen.

Abschliessend verzeichnen wir nun die Belegstellen in den Königsbüchern, für die Manuskripte aus der Zeit vor 1200 Abweichungen aufweisen. In Klammern gebe ich die Anzahl sonstiger Manuskripte mit dieser Lesart an. Hier rechne ich mit Kennicotts gesamtem Material, 312 Manuskripten und alten Drukken.[29]

| 1.Kön | 1,7 | *'dnjhw* | Kenn.196 ( + 11 MSS), Cambr.T-S A 30,77 (6 GenizaMSS = BH). |
|---|---|---|---|
| | 1,8 | *'dnjh* | Cambr.T-S A 30,63 (5 GenizaMSS = BH). |
| | 1,9 | ,, | ,, B 14,92 (5 GenizaMSS = BH). |
| | 1,11 | ,, | ,, A 30,63 (5 GenizaMSS = BH). |
| | 1,13 | ,, | ,, A 30,63. |
| | 2,28 | *'dnjhw* | Kenn.30 ( + 4 MSS). |

[29] Unter Handschriften können in dieser Zusammenstellung auch die alten Drucke, die Kennicott kollationiert hat, gemeint sein.

| | 13,2 | *j'šjh* | " 224. |
|---|---|---|---|
| | 14,6 | *'ḥjh* | " 225 (+2 MSS). |
| | 14,18 | " | " 30 (+1 MS). |
| 2.Kön | 1,2 | *'ḥzjhw* | " 224 (+12 MSS), Cambr.T-S Or 1080. 2.61 (4 GenizaMSS = BH). |
| | 1,3 | *'ljhw* | Kenn.224 (+11 MSS). |
| | 1,8 | " | " 30 *prima ms* (+1 MS). |
| | 1,10 | *'ljw* | " 1. |
| | 1,12 | | " 1. Der Name *'ljh* fehlt. |
| | 8,26 | *ᶜtljh* | " 201. |
| | 9,16 | *'ḥzjhw* | " 30. 1 *prima ms* (+6 MSS). |
| | 9,23 | " | " 30 (+5 MSS). |
| | 9,27 | " | " 30. 201 (+1 MS). |
| | 9,29 | " | " 1. 224 (+3 MSS). |
| | 9,29 | " | " 1. 224 (+3 MSS). |
| | 10,13 | *'ḥzjh* | " 30. |
| | 11,2 | *'ḥzjhw* | " 1. 30. 210. 224 (+12 MSS). |
| | 11,3 | *ᶜtljhw* | " 30 (+1 MS). |
| | 12,22 | *'mṣjhw* | " 225. 226 (+2 MSS). |
| | 13,12 | " | " 1 *prima ms.* 201 (+6 MSS). Cambr.T-S A 9,4 (2 GenizaMSS = BH). |
| | 14,8 | " | Kenn.154 *prima ms.* |
| | 14,9 | *'mṣjh* | " 154.225.226 (+4 MSS). |
| | 14,13 | *'mṣjh*[I] | Cambr.T-S Or 1080 A 9,2. |
| | 14,18 | *'mṣjh* | Kenn.154 (+1 MS). |
| 2.Kön | 14,21 | *ᶜzrjhw* | Kenn.154 (+5 MSS). |
| | 14,29 | *zkrjhw* | " 201.225 (+8 MSS). |
| | 15,1 | *ᶜzjhw* | " 1. |
| | | *'mṣjhw* | " 226 (+5 MSS). Fehlt in MS 1. |
| | 15,6 | *ᶜzjhw* | " 1. |
| | 15,7 | *ᶜzrjhw* | " 30, 154 sowie Kenn.461, 12.Jh. (+27 MSS). MS 1 liest *ᶜzjhw*. |
| | 15,8 | *ᶜzrjh* | " 356, 12.Jh. (+8 MSS). |
| | 15,11 | *zkrjhw* | " 180, 226 (+3 MSS). |
| | 15,13 | *ᶜzrjhw* | " 1 (+3 MSS). |
| | | *ᶜzrjh* | " 154.180.201.224.226 sowie Kenn.602 (+25 MSS). |
| | 15,17 | *ᶜzrjhw* | " 154. |
| | 15,30 | *ᶜwzjhw* | " 4.154 (+2 MSS). |
| | | *ᶜzjhw* | " 1.30.201.225.226 sowie Kenn.602 (+13 MSS). |
| | 15,32 | *ᶜwzjh* | " 224 (+1 MS). |

| | | | |
|---|---|---|---|
| 15,34 | " | " 224. | |
| 18,1 | *ḥzqjhw* | " 201 (+3 MSS). | |
| 18,9 | *ḥzqjh* | " 180. | |

18,13 *ḥzqjh*  Diese Lesart haben BH (Codex Leningradiensis), MSS Cambr.T-S Or 1080 A 9,2; NS 48,15 sowie Kenn.201 (+20 MSS *per totum collati*). Textus receptus liest hier ebenso wie Kenn.4.30.180.210.224—226 (+31 MSS *per totum collati*) sowie Cambr.T-S Misc.2,112 *ḥzqjhw*. MSS 1.154 (+3 MSS) lesen jetzt die Kurzform, vertreten aber einen korrigierten Text.

18,15 *ḥzqjhw*  Kenn.154 *prima manus*.

18,37 *ḥlqjhw*  Kenn.30.154.201.224.225.226 (+23 MSS). Cambr. T-S Misc.2,14; NS 283,6 (1 GenizaMS = BH).

20,21 *ḥzqjh*  Kenn.201 (+2 MSS).

22,8 *ḥlqjhw*[II]  Kenn.1. 30. 154. 201 *prima ms* sowie Kenn 602 (+22 MSS). MSS Cambr.T-S B 14,30; NS 282.52; 283.123; 319,7. Aber 4 GenizaMSS haben den Text von BH.[30]

22,10 "  Kenn.1. 30 (+20 MSS). MSS Cambr.T-S B 14,76. (6 GenizaMSS = BH).

22,12 "  Kenn.1. 201. 225 (+23 MSS). Cambr. T-S B 14,76. Wm Bibl. 4,63 (4 GenizaMSS = BH).

*mjkh*  Kenn.4.30 (+1 MS).

Die textkritische Durchsicht des Materials zu den Büchern der Könige lässt sich folgendermassen zusammenfassen: Es gibt eine Anzahl abweichender Lesarten, besonders in Manuskripten aus der Zeit vor dem Jahre 1200, aber insgesamt sind es wenige. Oft kommen sie nur in einem vereinzelten Manuskript vor. Trotzdem müssen wir doch mit einer geringen Zahl von Stellen rechnen, an denen die ursprüngliche Lesart eine andere sein kann, ja sogar sein muss, als diejenige, die wir in unseren üblichen hebräischen Bibeln finden.

Da wir konstatiert haben, dass die mittelalterliche Texttradition in bezug auf Namensformen auf *-jh/jhw* im grossen ganzen einheitlich ist, leuchtet ein, dass auch der masoretische Text während der Zeit, aus der uns kein erhaltenes Handschriftenmaterial vorliegt, einheitlich gewesen sein muss. Wir dürften dann schliessen können, dass die Variationen, die wir heutzutage zwischen den beiden Namenstypen finden, im Wesentlichen mit der Textform übereinstim-

---

[30] Siehe S.79.

men, welche die Katastrophe des Jahres 70 überlebte und damit den Ausgangspunkt für die masoretische Texttradition bildete.[31]

Wenden wir uns dann der vom textkritischen Gesichtspunkt dunklen Periode des zweiten Tempels zu, zeugen sowohl die LXX wie die Qumranfunde davon, dass verschiedene Textformen vorkamen. Unsere Kenntnis vom genaueren Aussehen der verschiedenen Textformen muss sich jedoch häufig mit Spekulationen begnügen. Die griechischen Transkriptionen von Namen auf -*jh/jhw/jw* sagen uns wenig über das Aussehen ihrer Vorlage, da diese Endungen fast durchweg durch -ια oder -ιας wiedergegeben werden. Vereinzelte Fälle mit dem Suffix -ιου wurden schon erwähnt.[32] Wie wir oben hervorhoben, hat der einzige Qumran-Fund, der für uns relevante Namen enthält, so gut wie überall die langen Formen durch kurze ersetzt.[33] Wir haben auch festgestellt, dass die ganz und gar nachexilischen Bücher Esra, Nehemia und Daniel mit einzelnen Ausnahmen lediglich Kurzformen aufweisen.[34] Daher haben wir keinen Grund anzunehmen, dass die Formen während dieser Zeit wahllos verändert wurden. Wir könnten erwarten, dass der Schreiber die langen Formen in die kurzen seiner eigenen Zeit änderte. Der Wechsel zwischen kurzen und langen Formen in den Büchern der Könige wie auch im Buch Jeremia spricht jedoch stark dafür, dass die Schreiber bestrebt waren, die Namensformen ihrer Vorlagen beizubehalten. Natürlich können sich aber trotz dieser Absicht allerlei unbewusste Änderungen eingeschlichen haben.

Somit dürfen wir mit gutem Grund behaupten, dass die Namensformen im masoretischen Text sich in der Hauptsache aus dem Redaktions- und Abfassungsprozess des Textes ergeben haben. In den folgenden Abschnitten werden wir die relevanten Texte von diesem Gesichtspunkt untersuchen.

### c) Durchsicht der Texte

#### 1.Kön 1—2, Ende der "Thronnachfolge"
'ᵃdonîjā 1,5.7.18; 2,28.
    -jahû 1,8ff; 2 (ausser V.28).
ṣᵉrûjā 1,7; 2,5.22.
bᵉnajahû 1.Kön 1—2, diverse Stellen.

Die beiden letztgenannten von diesen Personen lassen sich am leichtesten behandeln, da die Schreibweise ihrer Namen ziemlich einheitlich ist. Joabs Mutter ṣᵉrûjā erscheint immer in der Kurzform. Der Offizier bᵉnajahû kommt hingegen fast immer in der langen Form vor. Die kurze finden wir nur an einer einzigen Stelle, 2.Sam 20,23, in dem deuteronomistischen Geschichtswerk.

---

[31] Ich knüpfe hier an die Auffassung vom Ursprung des Masoretischen Textes an, die Albrektson, VT Suppl. 29/1978, S.49ff, vertreten hat.
[32] Siehe Kap.I, Anm.16 sowie S.66.
[33] Siehe Kap.II, Anm.15.
[34] Siehe S.69.

Wie wir im Anschluss an die Bücher Samuel erwähnten, kann die lange Form darauf beruhen, dass der Name so üblich war; der Schreiber wurde dadurch mehr von der zum Zeitpunkt der Niederschrift gängigen Schreibart des Namens beeinflusst als von der Orthographie etwaiger älterer Quellen.[35]

Der Name *'ᵃdonîjā/hû* kommt in beiden Formen vor. Die Kurzform in Kap.2,28 lässt sich zwar einer Interpolation im Text zuschreiben und damit im Augenblick aus der Diskussion ausklammern, aber die drei Stellen 1,5.7.18 aus dem Kontext auszusondern, haben wir keinen Grund.[36]

Falls nun 1.Kön 1—2 ein Teil derselben Erzählung ist wie 2.Sam 9—20, werfen indes nicht diese drei Kurzformen, die ja gut mit 2.Sam übereinstimmen, Probleme auf. Man fragt sich vielmehr, warum wir nun ganz plötzlich an mehreren Stellen *'ᵃdonîjahû* lesen.

Eine Antwort würde sich anbieten, wenn wir es wagten, den seit L.Rosts Arbeit angenommenen festen Zusammenhang zwischen 2.Sam 9—20 und 1.Kön 1—2 aufzulösen.[37] J.Flanagan hat überzeugend auf die Mängel jener Theorie hingewiesen.[38] Ihm zufolge unterscheiden sich die beiden Teile der "Thronnachfolge" stark voneinander. Während 2.Sam 9—20 als ein Hofbericht bezeichnet werden kann, der darauf abzielt zu zeigen, dass König Davids Herrschaft trotz verschiedener Angriffe Bestand hat — er endet damit, dass David in voller Kraft dasteht —, bildet 1.Kön 1—2 einen Zusatz. In diesem Zusatz ist David ein alter Mann, und erst hier kommt der Thronnachfolgestreit aufs Tapet. Erst der Zusatz, 1.Kön 1—2, macht aus dem Hofbericht eine Thronnachfolge-Erzählung. Zu Flanagans Argumentation lässt sich ergänzend sagen, dass Salomo, die Hauptperson in 1.Kön 1—2, in den Samuelbüchern nur an zwei Stellen erwähnt wird; an keiner davon ist die Rede von ihm als Thronfolger.[39] Berücksichtigen wir Flanagans Kritik an Rost, können wir die folgende Lösung für unser Problem skizzieren. 1.Kön 1,1—7.18, wo die Kurzformen vorkommen, könnte den Rest eines älteren Schlusses der Davidgeschichte darstellen, der in alten Dokumenten vorlag. Der übrige Text, der die langen Formen enthält, würde dann einen Zusatz bilden, der Salomo als Thronfolger nach David in den Mittelpunkt stellt.[40]

---

[35] Siehe S.73.

[36] Montgomery, Kings, S.94, charakterisiert die Parenthese in V.28 als "superfluous", geht aber nicht so weit, sie als sekundär zu bezeichnen. MS Kenn.30 u.a. lesen hier die lange Form.

[37] Siehe Rost, Die Ueberlieferung... 1926. Wir können hier nicht auf die gesamte Forschung um die David-Traditionen eingehen. Einen guten Ueberblick gibt Veijola, Die ewige Dynastie, Einleitung.

[38] Flanagan, JBL 91/1972ff. Auch McCarter, Interpretation 35/1981, S.361, weist auf die Unterschiede zwischen 2.Sam 9—20 und 1.Kön 1—2 hin. McCarter sieht in 1.Kön 1—2 eine Apologie, komponiert "in reference to materials in 2.Sam".

[39] 2.Sam 5,14; 12,24.

[40] MS Kenn. 196 u.a. beginnen bereits in V.7 mit der langen Form, aber das hat in der Sachfrage nichts zu bedeuten.

## 1.Kön 4. Die Beamten König Davids

$^{ca}z\breve{a}rjah\hat{u}$    4,2 Priester

4,5 'stand den Amtleuten vor'

$b^enajah\hat{u}$    4,4 Offizier

$^{\prime a}\underline{h}\hat{\imath}j\bar{a}$    4,3 Schreiber

1.Kön 4 wird mit einer Liste von derselben Art, wie die Listen in 2.Sam 8 und 2.Sam 20 eingeleitet, aber Salomos Thronbesteigung bedeutete, dass die meisten Posten mit neuen Personen besetzt wurden. $b^enajah\hat{u}$ ist nun zum Oberbefehlshaber aufgerückt. Sein Name wird, wie zu erwarten, hier ebenso geschrieben wie in 1.Kön 1—2 und an den meisten übrigen Stellen, an denen er genannt wird. Dass die beiden Personen mit dem Namen $^{ca}z\breve{a}rjah\hat{u}$ auch in der langen Form geschrieben werden, verwundert ebenfalls nicht, da wir es hier mit derselben Hand zu tun haben dürften wie bei dem Namen $b^enajah\hat{u}$. Die meisten Kommentare sehen diese Liste als authentisch an.[41] Bedeutet dass dann, dass diese Namen immer in der langen Form geschrieben wurden? Da Pleneschreibung von Vokalen zu dieser Zeit, vor dem 9.Jahrhundert, nicht üblich war, muss in diesem Fall das Schluss-$w$ konsonantisch gewesen sein, was wiederum voraussetzt, dass die kurzen Endvokale noch in Gebrach waren.[42] An und für sich ist es nicht unmöglich, dass es sich zur Zeit König Salomos noch so verhielt, aber das würde in umso grösserem Umfang dann für die Zeit König Davids gegolten haben. Nun finden wir jedoch nichts in den Samuelbüchern, was derartige Verhältnisse spiegelt. Auch wenn die Beamtenliste in 1.Kön 4 an und für sich authentisch ist, dürften wir daher die langen Formen der Namen trotzdem einem späteren Schreiber zuweisen. Sowohl $^{ca}z\breve{a}rjah\hat{u}$ wie $b^enajah\hat{u}$ sind recht übliche, auch epigraphisch belegte, Namen.

Den dritten Namen, $^{\prime a}\underline{h}ij\bar{a}$, trägt ein Schreiber. Wir erinnern uns, dass in 1.Sam 14,3.18 von einem Priester dieses Namens in Silo die Rede ist, und in 1.Kön 11ff werden wir den Propheten $^{\prime a}\underline{h}ij\bar{a}$ aus Silo treffen, dessen Name ebenfalls hauptsächlich in der Kurzform vorkommt. Daher ist es natürlich, dass die kurze Namensform auch für den $^{\prime a}\underline{h}ij\bar{a}$ benutzt wird, den die Beamtenliste anführt. Wir haben oben erwähnt, dass wir es hier mit einem Schreiber zu tun haben dürften, der an die übliche Schreibweise der betreffenden Namen anknüpft.

## 1.Kön 11—15. Die Häuser Jerobeams und Baesas. Der Prophet Ahia

$^{\prime a}\underline{h}\hat{\imath}j\bar{a}$    11,29f; 12,15; 14,2.4; 15,29 Der Prophet aus Silo

15,27 Der Vater König Baësas

---

[41] Siehe z.B. Noth, Könige, 1968, S.61f. sowie Montgomery, ICC, 1951, S.118.

[42] Noch zur Zeit des Meša-Steins können an und für sich kurze Endvokale vorgelegen haben. Irgendwann zwischen der Zeit des Meša-Steins und den Inschriften des 8.Jahrhunderts fiel das Schluss-$t$ in Fem.st.abs. fort. Schon vorher müssen die kurzen Endvokale gefallen sein. Siehe Harris, Development..., 1939, S. 60f. Zumindest das Phönizische muss noch im 10.Jh. kurze Endvokale gehabt haben (*Ibm* S.57).

| | |
|---|---|
| *-jahû* | 14,4b—6.18 Der Prophet aus Silo |
| *šᵉmăᶜjā* | 12,22 Prophet |
| *jo'šîjahû* | 13,2 König in Juda, hier vorgreifend genannt |
| *'ᵃbîjā* | 14,1 Jerobeams Sohn |
| *'ûrîjā* | 15,5 Der Hethiter |

Auch in diesen Kapiteln, welche die Zeit zwischen der Reichsteilung und dem Auftreten des Propheten Elia umfassen, begegnen nicht sehr viele Namen vom Typ *-jh/jhw*. Obschon Kap.11 eigentlich den Schluss der Salomoerzählung bildet, beziehe ich es hier mit den Kapiteln 12—15 zusammen in eine Einheit ein, denn dieser ganze Komplex wird durch die Aussprüche des Propheten *'ᵃhîjā* zusammengehalten. Der stellenweise stark deuteronomistisch überarbeitete Abschnitt basiert in Kap.11 auf *sepœr dibrê šᵉlomō* und in Kap.12; 14—15 auf Erzählungen, die hauptsächlich die Geschichte des Nordreichs zum Inhalt haben. Kap.13 über den Mann Gottes aus Juda und den alten Propheten in Betel wird allgemein als ein späterer Zusatz betrachtet.[43]

Zum ersten Mal stossen wir auf den Propheten *'ᵃhîjā* in Kap.11,29f, wo er verkündet, dass Jerobeam König über zehn der Stämme Israels werden soll. In Kap.12,15 folgt eine Notiz, die jene Prophezeiung bekräftigt. In Kap.14,2ff sucht dann die Frau Jerobeams den Propheten auf, um ihn wegen ihres kranken Sohnes *'ᵃbîjā* zu befragen. Er antwortet mit einer Prophezeiung über den Tod des Sohnes, aber auch über den Untergang des ganzen Hauses Jerobeam. Schliesslich folgt in Kap.15,29 eine Bestätigung auch dieser Prophezeiung. Der Name des Propheten hat überall die Kurzform, ausser in Kap.14,4b—6.18.

Zunächst wollen wir Kap.11,29ff betrachten. Die Aussage des Propheten ist hier ganz offensichtlich durch deuteronomistisches Material in den Versen 32—39 erweitert, aber es liegt schwerlich ein Grund dafür vor, wie Noth und Dietrich auch die einleitenden Verse, in denen der Name des Propheten gennant wird, dem deuteronomistischen Material zuzurechnen.[44] Propheten hatten häufig eine entscheidende politische Bedeutung im alten Israel, und wir haben keinen Anlass an der Tradition zu zweifeln, derzufolge die Machtübernahme von Jerobeam von dem Propheten *'ᵃhîjā* gestützt wurde. Eine derartige Tradition kann wohl kaum die Erfindung eines deuteronomistischen Redaktors sein, da eine prophetische Legitimation von König Jerobeam keineswegs die deuteronomisti-

---

[43] Kittel, HkzAT, I:5, S.112. Gray, I&II Kings, S.293f.

[44] Noth, Könige, 1968, S.245f., ”...wirkt dieser Abschnitt literarisch einheitlich”. Vgl. Dietrich, Prophetie..., 1972, S.54f. Dietrich verweist auf Noth, *ibm*, sowie auf Debus, Die Sünde Jerobeams, S.4f. Doch erklärt Debus, dass alles zwischen V.26 und V.40 zwar ein Zusatz zu einer authentischen Quellen sei (Debus S.4), dass aber der deuteronomistische Abschnitt erst in V.32 beginne (S.11). Er beschreibt ausdrücklich V.27f und V.29—31 als Berichte, die kaum von einem späten judäischen Redaktor geprägt zu sein scheinen (S.8). Vgl. auch Noth, Ueberlieferungsgeschichtliche Studien, 1943, S.(79) wo dieser V.29aβb—31.36abα.37 zu den ”Ahia-Geschichten” rechnet.

sche Gesamtschau der Geschichte Israels stützt, in der die Könige des Nordreichs böse sind und Jerobeam I. der schlimmste von allen ist.

Wir können somit voraussetzen, dass die Tradition zumindest einen authentischen Kern hat. Dieser Kern dürfte entweder aus den Annalen des Nordreichs stammen oder aus den Legenden um den Propheten *'aḥîjā*.[45] Dass zwischen den Versen 31 und 32 eine Grenze verläuft, findet eine Stütze in dem Umstand, dass in V.31 von zehn Stämmen die Rede ist und in V.32 davon, dass dem Hause David nur ein Stamm verbleiben soll.[46]

So meinen wir, dass Kap.11.29—31, das den Propheten *'aḥîjā* nennt und die Reichsteilung als solche positiv zu bewerten scheint, alten nordisraelitischen Ursprungs ist. In den folgenden Versen sehen wir dann eine deuteronomistische Auslegung, der eine typisch deuteronomistische Verheissung in V.38 folgt.

In 1.Kön 12,15 begegnet der Name des Propheten in einer kurzen Aussage, die die Richtigkeit der in Kap.11 ausgesprochenen Prophezeiung bestätigt. W.Dietrich, der diesen sog. Erfüllungsvermerken ein grosses Interesse gewidmet hat meint, dass diese in 1.Kön 12,15; 15,29; 16,12; 2.Kön 10,17; 24,2 auf den deuteronomistischen Redaktor DtrP zurückgehen.[47] Bei 1.Kön 12,15 unterscheidet er jedoch zwischen V.15aα, der ein hohes Alter haben dürfte, und dem Rest des Verses, den er als späteren Nachtrag ansieht.[48] Diese Erfüllungsvermerke beziehen sich Dietrich zufolge zurück auf Prophetenaussprüche, die von demselben Verfasser stammen, der hinter den Erfüllungsvermerken steht.

Andere Forscher vertraten wechselnde Ansichten über V.15.[49] M.Noth erklärte in Ueberlieferungsgeschichtliche Studien, dass V.15b für die ganze Ahiageschichte notwendig sei, schliesst sich dann aber in Könige, BKAT, denen an, die V.15 als deuteronomistische Bearbeitung ansehen.[50]

Man muss sich fragen, ob Noths und auch Dietrichs Argumentation dafür, dass V.15 ganz oder teilweise ein Zusatz sei, wirklich standhält. Diese Auffassung dürfte in allzu hohem Grade auf den beiden Voraussetzungen bauen, dass der Vers in Zusammenhang mit Kap.11,29ff steht, sowie dass die Verse 11,29ff insgesamt deuteronomistischen Ursprungs sind. Wir haben oben gezeigt, dass die letztere Prämisse schwerlich ein sicheres Faktum ist. Als weiteres Argument führt

---

[45] Jepsen, Nabi, 1934, S.92. Gray, I&II Kings, S.268. Siehe auch *ibm* S.273 sowie Weippert, ZAW 95/1983, S.344 mit weiteren Literaturangaben. Burney, Notes..., 1903, S.170 zählt nur V.31—39 zu Rd. Kittel, HkzAT I:5, 1900, S.100f., zählt V.32—38 zu Rd.

[46] Siehe Gray, I&II Kings, 1964, S.275.Noth, Könige, 1968, S.261. Vgl. Dietrich, Prophetie..., 1972, S.17: " 'Die zehn Stämme' in V.35 ist sicherlich eine Glosse."

[47] Dietrich, Prophetie..., S.22ff.62f.

[48] Vgl. 2.Sam 12,42b; 17,14b. Nach Dietrich, Prophetie..., S.25, deutet das ungewöhnliche Wort *sbh* hier auf ein hohes Alter hin.

[49] Kittel, HkzAT I:5, S.101, sondert hier V.15 nicht aus. Burney, Notes..., S.173, meint, V.15, der Kap.11,31ff. voraussetzt, sei ein Zusatz (Burney S.173). Montgomery, Kings, S.250, meint, die Worte über Ahia "...may itself be secondary". Gray, I&II Kings, sondert V.15 nicht aus. Debus. Die Sünde..., S.22, sondert ebenfalls V.15 nicht aus.

[50] Noth, Ueberlieferungsgesch. Studien, S.(79) Anm.2. Könige, S.272.276.

Dietrich an, V.15aβb habe grosse Ähnlichkeit mit den übrigen Erfüllungsvermerken. Er denkt hier an die Worte '"'ᵃšœr dibbœr bᵉjăd..."'. Dieselben Worte kommen aber auch in Kap.14,18b vor, das Dietrich als einen ursprünglichen Teil der Erzählung über 'ᵃḥîjā ansieht.[51]

Wenn wir mit einem Kern einer echten 'ᵃḥîjā-Tradition in Kap. 11,29ff rechnen, dürfen wir Kap.12,15 nicht teilen oder aus seinem Kontext herauslösen. Vielmehr ist auch dieser Vers in seiner Gesamtheit auf eine Quelle zurückzuführen, die vermutlich nordisraelitischer Provenienz ist.[52]

Der Prophet 'ᵃḥîjā war nun nicht nur beteiligt, als Jerobeam König über das Nordreich wurde. Er wird später auch als derjenige dargestellt, der dessen Tod und den Untergang seines Hauses, ja des ganzen Nordreichs, prophezeite. In diesem Komplex, 1.Kön 14,1ff + 15,29, kommt der Name des Propheten sowohl in der kurzen wie der langen From vor. Dieser Umstand lässt uns einen ziemlich komplizierten Entstehungsprozess dieser Tradition vermuten.

Dietrich hat behauptet, die lange Form gehöre der älteren Traditionsschicht an, während der Redaktor DtrP die Kurzform vorziehe.[53] Da dieser Standpunkt sich zum einen auf die Ansicht stützt, dass 1.Kön 11,29 als ganzes von DtrP stamme, wofür wir keinen Grund gefunden haben, und zum anderen auch keine Rücksicht darauf nimmt, dass die Verse 1.Kön 14,1—6, die Dietrich der älteren Erzählung zurechnet, beide Namensformen enthalten, können wir uns dieser Auffassung nicht anschliessen.

Im Gegensatz zu Kittel, der erklärte, das ganze Kap. 14 ausser V.25—26 stamme von dem deuteronomistischen "Verfasser", wollten die meisten Kommentatoren eine Grenze nach V.6 erkennen, so dass eine ältere Kernerzählung dort von einer deuteronomistischen Partie abgelöst würde.[54] Was die folgenden Verse betrifft, sind die Meinungen geteilt. Burney nahm keine genauere Aufteilung von V.7—16 vor, aber Gray rechnet auch V.12 zum Grundbestand des Textes. Noth meint dagegen, nur die Verse 7aβb—9 sowie 14—16 bildeten das deuteronomistische Material, während Dietrich eine sorgfältige Schichtung in altes Material und die Arbeit zweier Redaktionen vornimmt.[55]

---

[51] Dietrich, Prophetie..., S.53f.
[52] So nach Gray, I&II Kings, S.280. Siehe auch Debus, Die Sünde..., S.22f., mit ausführlicher Begründung. Andererseits meint Noth, Könige, S.271, ebenso wie Plein, ZAW 78/1966, S.10ff., dieses Material stamme aus Kreisen in Jerusalem die, der Art und Weise, in der das Königtum in Juda ausgeübt wurde, kritisch gegenüber standen.
[53] Dietrich, Prophetie..., S.53.
[54] Kittel, HkzAT I:5, S.116ff. Burney, Notes..., S.185. Gray, I&II Kings, S.304. Noth, Könige, S.311. Dietrich, Prophetie..., S.53. Debus, Die Sünde..., S.52. Plein, ZAW 78/1966, S.23.
[55] Dietrich, Prophetie..., S.53. Altes Material: V.1—6.12—13a.17.18a. DtrP: V.7. v.8a.9b—11.13b. DtrN (nomistisch): V.8b.9a.15f. Glosse: V.14. Auch Debus, Die Sünde... S.51, meint, die Verse 10aβ—13 gehörten zu dem Grundbestand. Wir sehen jedoch keinen Grund, hier Noth und Debus zu folgen. Der Umstand, dass sich an anderen Stellen ein ähnlicher Wortlaut findet (1.Kön 16,3f.; 21,21.24; 2.Kön 9,8ff.) ist alles andere als ein Indiz dafür, dass die Worte gerade in 1.Kön 14,10ff. ursprünglich sind.

Das Nächstliegende wäre, sich Dietrich u.a. in der Auffassung anzuschliessen, dass V.12f und 17f, die die Handlung weiterführen und sich direkt auf Jerobeams Person beziehen, dem Grundbestand der Überlieferung angehören.[56] Es wird jedoch oft übersehen, dass bereits das einleitende Stück, die Verse 1—6, uneinheitlich ist.[57] Während die Handlung bis V.4b gleichmässig dahinfliesst, wird sie nun unterbrochen, so als mische sich eine andere Stimme ein mit einem völlig unnötigen Kommentar über die Blindheit des Propheten und mit dem Hinweis, dass der Herr schon im Voraus mit dem Propheten in Verbindung getreten sei. V.6 knüpft dann wieder ganz natürlich an V.4a an; somit bilden V.4b—5 einen Einschub von anderer Hand.

Dies alles könnte erklären, warum der Prophet in V.4b—5 'ₐḥîjahû genannt wird: aber wie verhält es sich mit V.6 und V.18b, in denen ebenfalls die lange Form vorliegt? Die letztere Stelle rechnet Dietrich, eben wegen der langen Namensform, zum Grundbestand des Textes.[58] Wenngleich Dietrichs Argumentation sich in diesem Punkt als unhaltbar erwiesen hat, müssen wir ihm doch, im Anschluss an mehrere andere Forscher, in der Sachfrage zustimmen und V.18 der älteren Schicht des Textes zuweisen.[59]

Die Quellen liefern eine kleine, obschon kaum hinreichende Stütze dafür, dass v.6 anfänglich die Kurzform aufwies.[60] Doch ist es am wahrscheinlichsten, dass die lange Form in dem heutigen Kontext ursprünglich ist, dass sie aber auf eine Analogiebildung zu V.4b—5 zurückgeht.

In V.18 finden wir die Kurzform als abweichende Lesart in MS Kenn.30 von etwa 1200 und in dem auf das Jahr 1281 datierten MS Kenn. 145.[61] Quantitativ ist die Stütze für die kurze Lesart zwar nicht sehr stark, aber der Umstand, dass gerade zwei vergleichsweise alte Manuskripte die kurze Form vorziehen, spricht zu ihrem Vorteil. Da zudem die Lesart im textus receptus sich leicht als eine Harmo-

---

[56] Jepsen, Die Quellen..., Uebersicht, verteilt den Text folgendermassen: N (Nabi-Quelle) — V.1—6.12—13a.17—18a. RII = DtrN (Nebiistische Redaktion) — V.2bβ.7—11.13b—16.18b. Siehe auch Plein, ZAW 78/1966, S.23f.

[57] Angedeutet von Debus, Die Sünde..., S.51f.

[58] Dietrich, Prophetie..., S.53f.

[59] Noth, Könige, S.318. Debus, Die Sünde..., S.53. Plein, ZAW 78/1966, S.23. Vgl. Jepsen, Die Quellen..., S.6, der ohne nähere Begründung V.18b der Hand des Ergänzers zuweist.

[60] Kurzform in MS Kenn 225 (Siehe S.82) sowie in zwei MSS aus dem 14.Jahrhundert. Es ist möglich, dass diese Lesart ursprünglich ist, aber wahrscheinlicher ist, dass die häufige Schreibung des Namens in der kurzen Form sie verursacht hat. Die meisten von Kennicotts MSS wie auch die Geniza-Manuskripte Cambr. T-S NS 47,6v. und Wm Bibl. 4,55:1r. lesen die lange Form.

[61] MS 30 weist zwar ganze fünfzehn Varianten zwischen Formen auf -jh und -jhw auf, zieht aber Kurzformen nur an zwei Stellen vor. Die zweite Stelle ist 'ₐḥazjā in 2.Kön 10,13. Auch MS 145 zeigt keine besondere Vorliebe für die kurze Form. Dieser Codex, Argentoratensis (Strasburg) 1, enthält acht -jh/-jhw-Varianten, und zwar an vier Stellen die lange und an weiteren vier die kurze Form. Von den Geniza-Manuskripten liest Wm Bibl. 4,55:1r. in 1.Kön 14,18 die lange Form, während Cambr.T—S A 30,58 die kurze Form aufweist, gefolgt von einem w, das den Eindruck erweckt, sekundär hinzugefügt worden zu sein.

nisierung mit V.4b—6 erklären lässt, halten wir es für wahrscheinlich, dass die kurze Form hier die primäre ist.

In der Hauptsache scheint somit eine Korrelation zwischen der Kurzform *ᵃḥîjā* und der Ursprungsschicht der Erzählung vorzuliegen, während die deuteronomistische Schicht dagegen die lange Form *ᵃḥîjahû* aufweist. Aufgrund von Analogiebildungen zeigt die lange Form eine Tendenz, die kurze zu verdrängen.

Nun verbleibt noch 1.Kön 15,29, wo wir von diesem Propheten des Herrn Abschied nehmen. Der Vers berichtet, dass das ganze Haus Jerobeam im Einklang mit den Worten des Propheten untergegangen ist. Damit bildet der Vers eine klare Anknüpfung an die deuteronomistische Schicht in 1.Kön 14,1—18. Wir haben daher keinen Grund, uns von dem Konsens zu distanzieren, der unter den Forschern im Hinblick auf den deuteronomistischen Ursprung dieses Verses herrscht.[62] Der deuteronomistische Redaktor hat die Schreibung beibehalten, welche die alten *ᵃḥîjā*-Traditionen aufweisen. Die Namensform wurde wohl nach den beiden anderen Erfüllungsvermerken in Kap.12,15 und Kap.14,18 kopiert.

Wir wenden uns nun den übrigen Namen auf -*jh/jhw* in 1.Kön 11—15 zu. In 1.Kön 15,27 finden wir *ᵃḥîjā*, Baësas Vater aus dem Hause Isaschar. Die Aussage über ihn unter über Baësas Thronbesteigung in Israel stammt sicherlich aus einer alten nordisrealitischen Quelle.[63]

In Kap.14,1, das zu dem oben erwähnten ursprünglichen *ᵃḥîjā*-Abschnitt gehört, stossen wir auf Jerobeams Sohn *ᵃbîjā*. Es entspricht unserer Erwartung, dass dieser Name ebenso geschrieben wird wie der des Propheten.

Auch bei *'ûrîjā* in Kap.15,5 brauchen wir uns nicht lange aufzuhalten. Der Schluss von V.5 fehlt in LXX^B und ist vermutlich ein späterer Zusatz zum Text.[64] Der für diesen Zusatz Verantwortliche sah keinen Grund, von der Schreibung abzugehen, die überall sonst für den Namen des Hethiters üblich war.

Ähnlich verhält es sich mit *jo'šîjahû* in Kap.13,2. Die Zentralgestalt der deuteronomistischen Theologie wird immer so buchstabiert. Es dürfte schwer fallen, Gründe gegen den Konsens der Forscher vorzubringen, die meinen, dieser Name sei hier von deuteronomistischem oder noch späteren Ursprung.[65]

Schliesslich bleibt noch der Prophet *šᵉmaᶜjā* in Kap.12,22. Dieser Vers gehört zu dem grösseren Abschnitt V.21—24. Wie die meisten Kommentatoren beton-

---

[62] Kittel, HkzAT I:5, S.128. Burney, Notes..., S.199. Noth, Könige, S.344. Robinson, The First Book of Kings, S.179. Dietrich, Prophetie..., S.59f. 63.

[63] Kittel, HkzAT I:5, S.128.

[64] Montgomery, Kings S.274. Gray, I&II Kings, S.316. Noth, Könige, S.334.

[65] Kittel, HkzAT I:5, S.112. Burney, Notes..., S.179. Gray, I&II Kings, S.296 — *Vat.ex eventu* oder Glosse. Noth, Könige, S.296 — Josias Name in V.2bα stammt von dem Deuteronomisten. Robinson, The first Book of Kings, S.158f. — Aus der Zeit nach Josias Reform. Ein legendärer *midraš*. Dietrich, Prophetie..., S.117 — *Vat.ex eventu*. Lemke, Magnalia Dei, S.317 — 13,2 stammt von einem deuteronomistischen Autor. Jepsen, Die Quellen..., S.104 — 1.Kön 13 sammt aus dem späten 6.Jh (Die levitische Redaktion).

ten, ist dieser Abschnitt im Kontext nicht ursprünglich, und zwar deshalb, weil der Stamm Benjamin hier mit Juda zusammen genannt wird, was gegen V.20 verstösst. Zudem befindet sich die Angabe über Frieden zwischen Rehabeam und Jerobeam im Widerspruch zu Kap. 14,30 und Kap.15,6. Wir haben es hier also mit der gleichen Aufteilung des Reiches in 10 + 2 Stämme zu tun wie in Kap. 11,31. Das bedeutet, dass der Abschnitt Kap.12,21—24 sich nicht als deuteronomistisch bezeichnen lässt, da er den deuteronomistischen Versen 11,32; 14,30 und 15,6 widerspricht. Grønbaek zufolge ist auch Kap.12,20b mit der Angabe, nur der Stamm Juda habe zum Hause David gehalten, deuteronomistisch.[66] Eine Entstehungzeit im 7.-6.Jahrhundert dürfte ausserdem bewirkt haben, dass der Name $š^e m\breve{a}^c j\bar{a}$ die lange Form erhalten hätte, wie das epigraphische Material aus dieser Zeit erkennen lässt. Daher ist kaum zu vermuten, dass Jepsen recht hat, wenn er den Abschnitt dem levitischen Redaktor vom Ende des 6.Jahrhunderts zuschreibt.[67]

Es verbleiben zwei Möglichkeiten. Die meisten Ausleger meinen, wir hätten es mit einem nachexilischen Zusatz zum Text zu tun, bedingt durch den Umstand, dass die aus dem Exil Heimkehrenden sowohl vom Stamme Juda wie Benjamin waren.[68] Dieser Auffassung trat Grønbaek entgegen mir der Ansicht, der Abschnitt sei ein vordeuteronomistischer Zusatz zu den Ahiaerzählungen.[69] Grønbaek zeigt, dass die Zusammenstellung von Juda und Benjamin auch in vorexilischer Zeit durchaus denkbar wäre.[70] Dieser Zusatz zu dem Ahiasagenkreis dürfte zustande gekommen sein, als die Erzählungen in Jerusalem tradiert wurden, da die meisten Forscher in den Versen eine prodavidische Tendenz erkennen wollen, weil sie dem Umstand, dass Rehabeam den Abfall der Nordstämme duldete, eine göttliche Legitimation zu verleihen suchen. Das heisst, Rehabeam hätte die Reichseinheit sehr wohl wieder herstellen können, wenn Gott es nicht anders gewollt hätte. Wir dürften jedoch ebenso gut behaupten können, das die Tendenz der Verse nordisraelitisch sei, da das Prophetenwort ja faktisch dass Nordreich legitimiert. Es liegt nahe, an die gleiche Tendenz in den Ahiaerzählungen anzuknüpfen, die in Kap.11,31 zudem dieselbe Einteilung des Reiches in 10 + 2 Stämme aufweisen.

Wenn wir auch mit einiger Sicherheit feststellen können, dass der $š^e m\breve{a}^c j\bar{a}$-Text nicht deuteronomistisch ist, lässt es sich andererseits schwieriger entscheiden, ob er vordeuteronomistisch oder nachexilisch ist. Die Wahl zwischen diesen beiden

---

[66] Grønbaek, VT 15/1965, S.424. Wir müssen damit Nielsens Annahme (Shechem, 1955, S.205) ablehnen, derzufolge die Verse 21—24 deuteronomistisch wären.

[67] Jepsen, Die Quellen..., 1953, S.103.

[68] Kittel, HkzAT I:5, S.106. Gray, I&II Kings, S.285. Noth, Könige, S.279f. Vgl. unten Anm.69. Dietrich, Prophetie..., S.114, Anm.16.

[69] Grønbaek, VT 15/1965, S.426ff. im Anschluss an Noth, Ueberlieferungsgeschichtliche Studien, S.(79), Anm.2. Grønbaek meint, V.21 bewahre eine alte Ueberlieferung, während V.22—24 einen fiktiven Zusatz darstellten (S.425.429).

[70] Grønbaek, VT 15/1965, S.435.

Standpunkten ist vor allem eine Frage danach, wie man die Beweislast verteilt.

In Kap.V erörtern wir die *š^emǎ^cja*-Stellen in 2.Chr., welche teils in einem Paralleltext zu 1.Kön 12,21—24 in 2.Chr 11,1ff bestehen und teils in Sonderstoff in 2.Chr 12. Das Parallelmaterial hat, wie das meiste synoptische Material in 1.—2.Chr die lange Form des Namens, während in dem Sonderstoff die Kurzform auftritt. Daraus können wir zwei Schlüsse ziehen. Erstens dürfte 1.Kön 12,21—24 zu einer Zeit in den Königsbüchern gestanden haben, als die lange Form allgemein gebräuchlich war, da der Name in dem Königsbuchtext, der dem Chronisten als Vorlage diente, in der langen Form geschrieben war. Zweitens muss zur Zeit des Chronisten eine Materialsammlung mit der Bezeichnung *dibrê š^emǎ^cjā hǎnnabî'* existiert haben.[71] Diese Quellen könnte einst auch die *š^emǎ^cjā*-Erzählung enthalten haben, die uns in 1.Kön 12 vorliegt. Ein Indiz in dieser Richtung ist, dass der Name in 1.Kön 12 und 2.Chr 12 die gleiche Schreibung aufweist. In diesem Fall könnte Grønbaeks Auffassung der Wahrheit am nächsten liegen.[72]

## 1.Kön 17—2.Kön 3, Die Zeit König Ahabs, Ahasjas und Elias

*'elîjā*      2.Kön 1,3f.8.12.

*-jahû*      1.Kön 17—19; 21; 2.Kön 1,10.13—3.11.

*^cobǎdjahû* 1.Kön 18 diverse Stellen.

*'^ahîjā*      1.Kön 21,22 Vater Baësas (auch in Kap.15,27).

*mîkajhû*   1.Kön22 Sohn Jimlas.

*ṣidqîjā*     1.Kön 22,11 Sohn Kenaans.

*-jahû*      1.Kön 22,24 Sohn Kenaans.

*'^ahǎzjā*    2.Kön 1,2 König in Israel.

*'^ahǎzjahû* 1.Kön 22,40.50.52; 2.Kön 1,18 König in Israel.

Der Prophet Elia ist die Figur, die diese Kapitel zusammenhält; sie behandeln wie der vorhergehende Abschnitt hauptsächlich Ereignisse im Nordreich. Lediglich in Kap.20 und 22 fehlt Elia, dafür treffen wir hier an seiner Statt einen anonymen Propheten (Kap.20) sowie *mîkajhû bœn jimlā* (Kap.22). 2.Kön 2—3 bildet eigentlich den Anfang der Elisa-Erzählungen, aber für uns ist es praktisch, auch dieses Kapitel im vorliegenden Abschnitt zu behandeln.

Die Elia-Erzählungen erwecken den Anschein, alle voneinander unabhängig zu sein. Von den Elia-Erzählungen der Königsbücher finden wir keine beim

---

[71] 2.Chr 12,15. Siehe Kap.V, S.193.

[72] Vgl. Anm.69 oben. Der Auffassung Gallings (ATD 12, S.103), der Text sei aus 2.Chr in 1.Kön übernommen, widerspricht, dass der Name in 2.Chr 11 wie alle anderen 1.—2.Kön entnommenen Namen in der langen Form geschrieben wird, während der Sonderstoff des Chronisten für denselben Namen in 2.Chr 12 die Kurzform verwendet. Hinzu kommt dass der Begriff *d^ebǎr ha'^elohîm* in 1.Kön 12,22 in der Bedeutung "Prophetenwort von Jhwh" einmalig ist (Vgl. denselben Begriff mit anderem Inhalt in 2.Sam 16,23; 1.Chr 25,5; 26,32). In 2.Chr 11,2 steht anstelle dieses Ausdrucks das üblichere *d^ebǎr Jhwh*.

Chronisten, aber in 2.Chr 21,12ff wird statt dessen von einem Brief Elias an König Joram von Juda berichtet.

Der Name des Gottesmannes wird überall in der langen Form geschrieben ausser an einigen Stellen am Anfang von 2.Kön 1, wo auch der Name von König *'ăḥăzjā* in der Kurzform steht (V.2). Im textkritischen Abschnitt haben wir einige Varianten-Lesarten in diesem Kapitel angeführt. So lesen Ms 224 (12.Jahrhundert) sowie einige spätere Manuskripte in V.2—3 die lange Form sowohl für den König wie den Propheten, doch lassen sich diese langen Formen am einfachsten als sekundäre Analogiebildungen zu den früheren Stellen erklären, an denen dieselben Personen genannt werden. Harmonisierung zwischen V.8 und V.10 finden wir in Ms 30 sowie in Kenn.263,[73] wo an beiden Stellen die lange Form *'elîjahû* steht. Das alte Ms 1 hat die eigentümliche Schreibung *'ljw* in V.10 und lässt den Namen in V.12 weg, aber die textkritische Stütze für diese Lesarten ist allzu schwach um uns zu veranlassen, von dem in der Biblia Hebraica vorliegenden Text abzugehen.

Das Studium des Namens *'elîjahû* kompliziert sich durch die merkwürdige Schreibung Ηλιου in der LXX, die voraussetzen dürfte, dass der Name zur Zeit der Entstehung der LXX zumindest in gewissen Kreisen *'elîhû* gelesen wurde.[74] Diese Lesung muss jedoch lokal begrenzt gewesen sein, da sie anscheinend weder die Targumim noch die Peschitta beeinflusst hat.[75] Auch die Kurzformen in 2.Kön 1, Mal 3,23 und im Neuen Testament liessen sich nicht leicht erklären, wenn der Name *'elîhû* gelautet hätte. Wir tun also am besten daran, hier von der Schreibung der LXX abzusehen und uns auf das Verhältnis zwischen den kurzen und den langen Formen im hebräischen Text der Königsbücher zu konzentrieren.

Wir wollen mit 1.Kön 17—19 beginnen. Diese drei Kapitel enthalten mehrere anfänglich freistehende Traditionen, die zu einer einigermassen zusammenhängenden Erzählung bearbeitet wurden. Wir brauchen hier nicht auf die Problematik der älteren Überlieferungsgeschichte dieses Materials einzugehen, da dieselbe schwerlich einen Einfluss auf die Namensformen ausgeübt hat, die uns heute vor Augen stehen, wir begnügen uns mit der Feststellung, dass das Material sicherlich in nordisraelitischen Prophetenkreisen verwurzelt war.[76] Nun hat indes die neuere Forschung gezeigt, dass das uns vorliegende Elia-Material keineswegs von der Hand eines nordisraelitischen Tradenten unverändert aufgezeichnet wurde. Es wurde redaktionell bearbeitet und eine zeitlang auch im Südreich überliefert, bevor es die Form erhielt, in der wir es heute vorfinden. Zwar enthalten die Elia-Erzählungen kaum irgendetwas, was auf deuteronomistischen Einfluss hindeutet, aber sie weisen dennoch Spuren davon auf, dass sie in prädeute-

---

[73] Kenn.263 ist ein Druck aus dem Jahre 1495. Siehe Kennicott, Dissertatio Generalis, S.93.
[74] LXX gibt sonst die *-jh/jhw*-Suffixe mit *-ια* oder *-ιας* wieder. Siehe ferner Kap.II, S.53.
[73] *'ljh* bzw. *'lj*.
[76] Kittel, HkzAT I:5, S.138. Burney, Notes..., S.207. Gray I&II Kings, S.336.

ronomistischer Zeit im Südreich tradiert wurden. Wir können darauf verweisen, dass Elia an drei Stellen (18,15; 19,10.14) sich als Diener von *Jhwh ṣ°ba'ôt* bezeichnet, und diesen Begriff verknüpfen wir gern mit dem Zionsheiligtum.[77] Andererseits finden wir in den Elia-Erzählungen nichts von der deuteronomistischen Zentrierung um das Heiligtum in Jerusalem. Man erhält eher den Eindruck, dass die Erzählungen die deuteronomistische Reformperiode unberührt überstanden haben und erst danach dem Geschichtswerk einverleibt wurden.[78] Wenn wir davon ausgehen, dass die Erzählungen eine Zeitlang mündlich im Südreich tradiert worden waren, ehe sie niedergeschrieben wurden, ist es natürlich, dass der Name *'elîjahû* ebenso wie *°obădjahû* (1.Kön 18) in der längeren Form geschrieben wurde. Die lange Form ist nämlich im epigraphischen Material aus dem Südreich im 7. und 8. Jahrhundert v.Chr. die übliche.

In 1.Kön 21 mit der Erzählung von Nabots Weinberg und der Strafrede Elias über König Ahab und sein Haus sind die Verhältnisse komplizierter. In der Geschichte von Nabots Weinberg kommt kein Name auf *-jh/jhw* vor, danach aber wird *'elîjahû* in V.17.20 und 28 genannt. In V.22 stossen wir auf *ªḥîjā*, Baësas Vater, eine Person, die uns schon in Kap.15,27 begegnet ist. Dieser Name wird immer in der Kurzform geschrieben.

Die meisten Kommentatoren sind sich darin einig, dass eine deutliche Grenzlinie irgendwo nach der eigentlichen Nabot-Erzählung verläuft, auf die ein redaktioneller deuteronomistischer Nachtrag folgt. Man ist häufig der Ansicht, dass dieser letztere wenigstens die Verse 20—26 umfasst.[79] Eingehende Analysen dieses Textes nahmen in der jüngsten Zeit Steck, Dietrich, Hentschel und Bohlen vor.[80]

Wie die meisten anderen Forscher rechnet Steck damit, dass V.21—22.24—26 deuteronomistische Zusätze sind, aber ausserdem sollte Steck zufolge auch V.27—29 ein Zuwachs sein. Die Szene in

---

[77] Mettinger, SEÅ 44/1979, S.7ff. *Idem,* The Dethronement of Sabaoth, 1982, S.12ff. *Idem,* SPDS, S.112.

[78] Unter neueren Arbeiten behandelt Georg Hentschel, Die Elija-Erzählungen, 1977, die Elia-Traditionen am eingehendsten. Nach Hentschel haben die Erzählungen ihre Form vor der Zeit von Amos und Hosea erhalten (S.44), danach aber Bearbeitungen durchgemacht. Es lasse sich nicht mit Sicherheit entscheiden, ob die Verse 18,18 und 18,36 auf deuteronomistischen Einfluss hinweisen (S.46ff). Hentschel vertritt die Auffassung, die Erzählungen seien vermutlich erst während des Exils in das deuteronomistische Geschichtswerk eingefügt worden (S.235) Steck, Ueberlieferung und Zeitgeschichte in den Elia-Erzählungen, 1968, meint, die Elia-Tradition habe bereits zu Ende des 9.Jahrhunderts fertig vorgelegen (S.134). Das brauche aber nicht auszuschliessen, dass kleinere spätere Bearbeitungen vorkamen.

[79] Kittel, HkzAT I:5, S.158 weist V.20b—22.24—26 dem deuteronomistischen Redaktor zu. Montgomery, Kings, S.332 betrachtet V.20b—26 als ein redaktionelles Supplement. Noth, Ueberlieferungsgesch. Studien, 1943, S.(83) hält V.21.22.24—26 für deuteronomistisch. Robinson, The first Book of Kings, S.240 meint, "v.21—26 express the attitude of the deuteronomic editors..". Fohrer, Elia, S.29 zufolge stammen V.20bβ — 22 + 24 von dem deuteronomistischen Verfasser.

[80] Steck, Ueberlieferung und Zeitgeschichte in den Elia-Erzählungen, 1968. Dietrich, Prophetie und Geschichte, 1972. Hentschel, Die Elijaerzählungen, 1977. Bohlen, Der Fall Nabot, 1978.

V.17—18a.19—20abα, in der *elîjahû* zweimal erwähnt wird, zählt Steck zu dem eigentlichen Grundstock der prophetischen Nabot-Überlieferung, während er V.1—16 als sekundäres Material betrachtet.[81] Die gesamte vordeuteronomistische Elia-Tradition in 1.Kön 17—19.21 lag nämlich Steck zufolge schon gegen Ende des 9.Jahrhunderts fertig vor.[82]

Auch Dietrich will V.27—29 als im Verlgeich zu der älteren Elia-Überlieferung sekundär betrachten, aber er stellt diese Verse mit V.19b und V.20bβ—24 zusammen und schreibt das Ganze dem Redaktor DtrP zu.[83] Die Verse 27—29, die gut an den Zusammenhang in V.24 anknüpfen, seien ihrer Gattung nach Verheissungen an reuige Könige. Die Verse zeigen grosse Ähnlichkeit mit 1.Kön 11,34f und 2.Kön 22, 18—20. In V.27—29 liegt uns die eine der drei Belegstellen des Kapitels für *elîjahû* vor. Von den beiden übrigen finden wir eine in V.17, der in engem Zusammenhang mit der sog. Wortereignisformel steht, die sonst nur in Texten aus dem 7.Jahrhundert oder späterer Zeit vorliegt.[84] Das deutet darauf hin, dass auch dieser Vers zu einer deuteronomistisch bearbeiteten Schicht gehört. Die noch verbleibende *elîjahû*-Stelle i V.20a, die Steck dem älteren Elia-Material zuweist, wird von Dietrich nicht behandelt.[85]

Der Unterschied zwischen Hentschel und Dietrich liegt vor allem darin, dass der erstere weit weniger geneigt ist, Teil der Erzählung einem deuteronomistischen Bearbeiter zuzuschreiben. Hentschel meint zwar, dass V.17—19 und V.27ff im Verhältnis zu V.20ab sekundär sind aber er sieht die Zusätze als vordeuteronomistisch an.[86] Eine wichtige Einzelheit bei Hentschel ist seine Erörterung des Verlaufs der vor deuteronomistischen Redaktionsgeschichte.[87] Hentschel erklärt hier, dass die ganze sog. prophetische Komposition irgendwann kurz nach 722 in Juda entstanden sei.[88] Dann wäre es natürlich, dass sich die damals übliche -*jhw*-Schreibung in der Lesart *elîjahû* an sämtlichen Stellen in 1.Kön 21 durchgesetzt hat.

Auch Bohlen meint, das Kapitel habe seine endgültige Form auf judäischem Boden erhalten. Genau wie Steck und Hentschel rechnet er damit, dass die Verse 17—20 den ältesten Teil der Erzählung bilden, obgleich diese Bohlen zufolge ihre Form nicht vor der Zeit Jerobeams II. erhalten hat.[89] Irgendwann gegen Ende des 7.Jahrhunderts wurden V.17—20a mit der "Kleinen Einheit" (V.1—16) vereinigt und von DtrP (580—560) mit V.20e—24 bereichert, worauf das Kapitel in nachdeuteronomistischer Zeit mit V.27—29 vervollständigt wurde.[90]

Eine Gemeinsamkeit der vier erwähnten Forscher ist ihre Betonung des Unterschiedes zwischen 1.Kön 21,1—16 und den folgenden Versen. Es herrscht auch Einigkeit darüber, dass die Verse 27ff, in denen eine der *elîjahû*-Stellen vorkommt, sekundär sind. In bezug auf V.17—20 wechselt die Datierung, aber abgesehen von Steck besteht die Tendenz, die Verse frühestens dem 8.Jahrhundert zuzuweisen. Aus jener Zeit besitzen wir mehrere epigraphische Belege für -*jhw*-Formen

[81] Steck, Ueberlieferung..., S.41f.
[82] *Ibm*, S.134. Steck stiess auf Widerspruch bei Peter Welten (Ev.Theol. 33/1973, S.18ff) und Ernst Würthwein (ZTK 75/1978, S.375ff.). Während Welten (S.26) zu behaupten versucht, dass 1.Kön 21 1—20a eine einheitliche "Novelle" sei, befasst sich Wührtweins Kritik an Steck mit dem Verhältnis von V.1—16 zu V.17ff. Würthwein zufolge sind die Verse 1—16 das ältere Material, das in sich eine geschlossene Einheit bildet (S.390), während der ganze Abschnitt V.17—24 deuteronomistisch oder jünger ist (S.382). Von den beiden Forschern führt Würthwein die besseren Gründe für seine Kritik an, doch spielt für unsere Untersuchung die Datierung von V.1—16 keine so grosse Rolle.
[83] Dietrich, Prophetie..., S.36.48ff.
[84] *Ibm* S.71.
[85] Steck, Ueberlieferung..., S.43.
[86] Hentschel, Die Elijaerzählungen, S.39f.154f.
[87] *Ibm*, S.208f.
[88] *Ibm*, S.215.
[89] Bohlen, Der Fall Nabot, S.300.302.
[90] *Ibm*, S.319.

im Südreich. Wir haben oben festgestellt, dass Kap.17—19 ihre schriftliche Fixierung erst nach dem Fall des Nordreichs erhalten haben dürften, und dasselbe muss in noch höherem Grade für Kap.21 mit seiner weit komplizierteren Entstehungsgeschichte gelten. Lesen wir *'elîjahû* in der Wortereignisformel in V.17, die wie Dietrich sicherlich zu Recht behauptet, frühestens aus dem 7.Jahrhundert stammt, ist es ganz natürlich, dass derselbe Name auch in V.20 diese Form erhielt. Vielleicht hat Würthwein recht mit seiner Behauptung, dass dieser Vers noch jünger sei als V.17—19.[91]

Die Elia-Erzählung, die in 2.Kön 1 vorliegt, ist komplizierter. Hier finden wir sowohl die Kurzform *'elîjā* wie die lange *'elîjahû*. Wie bereits erwähnt, weist dieses Kapitel eine Reihe von Varianten zu den Namen in einigen mittelalterlichen Manuskripten auf, aber wir sahen keinen Grund dafür, von der Textform abzugehen, welche die Biblia Hebraica bietet. Wir fragen uns daher, ob wir auf literarkritischem und redaktionsgeschichtlichem Wege eine Erklärung dafür finden können, dass in V.3.4.8 und 12 *'elîjā* steht, in V.10.13ff jedoch *'elîjahû* und dazu noch *'ăḥăzjā* in V.2, eine Schreibung, die nirgends sonst in 1.—2.-Kön für diese Person vorkommt.

Eine übliche Auffassung ist, dass V.2—8 eine ältere Erzählung enthalten, während V.9ff einen Zusatz irgendeiner Art darstellen.[92] Die Kommentatoren zählen häufig auch V.17a zu der ursprünglichen Erzählung, aber eigentlich fällt es schwer, einen klaren Grund hierfür zu finden.[93]

Die Erzählung in 2.Kön 1 unterscheidet sich ziemlich stark von den sonstigen Elia-Geschichten. Zunächst einmal wird hier nicht König Ahab kritisiert, sondern sein Nachfolger Ahasja. Ferner deutet V.17 mit der Mitteilung von Jorams Thronbesteigung darauf hin, dass der ganze Abschnitt V.2—17 sekundär in das deuteronomistische Geschichtswerk eingefügt wurde. Die hier vorliegenden Angaben lassen sich nämlich nur schwer mit denen in Einklang bringen, die wir in 2.Kön 3,1 und 8,16 finden. Wir können uns wohl unbesorgt den Forschern anschliessen, die meinen, die Erzählung sei zuerst durch V.9ff ergänzt und danach in das deuteronomistische Geschichtswerk eingefügt worden.[94] Dann liegt die Annahme nahe, dass es sich um eine in Nordisrael aufgezeichnete Erzählung handelt, die nach dem Jahre 722 auf südisraelitischem Boden mit dem Zusatz in V.9ff versehen wurde.[95] Der spöttische Ton, in dem der Zusatz schildert, wie re-

---

[91] Würthwein, ZTK 75/1978, S.380.

[92] Kittel, HkzAT I:5, S.181. Fricke, Das Zweite Buch von den Königen, S.16. Fohrer, Elia, S.42f. Fohrer zählt jedoch auch V.17aα mit der langen Form zu V.1—8. Dieselbe Aufteilung wie Fohrer vertritt auch Steck, Ev. Theol. 27/1967, S.547.

[93] Hentschel, S.10, rechnet mit der Möglichkeit, dass auch V.17aα ein Zusatz ist. Hentschel verweist auf das, was Dietrich über "Erfüllungsvermerke" schreibt, aber Dietrich selbst weist den Vers anscheinend dem ursprünglichen Material zu. Siehe Dietrich, S.125.

[94] Hentschel, S.202, Steck, Ev.Theol. 27/1967, S.547.

[95] Nach Steck, Ev.Theol. 27/1967, S.547 dürften V.2—8.17aα gleich nach dem Ereignis niedergeschrieben worden sein.

spektlos der König den Gottesmann behandelte, ist leicht als Teil der Polemik gegen das in den Augen des Südreichs gottlose Haus Ahabs zu verstehen. Die Namensform *'elîjahû* in V.9—18 stimmt gut mit einer Entstehung des Zusatzes zur oben angegebenen Zeit überein.

Schwieriger fällt eine Erklärung dafür, warum wir in dem Abschnitt, den die Kommentatoren im allgemeinen für älter halten, die Kurzform finden. Früher haben wir Kurzformen in älteren Textabschnitten als konservierte Defektivschreibungen betrachtet. Natürlich wäre es möglich, hier ebenfalls diese Lösung vorzuschlagen, aber die Dinge komplizieren sich dadurch, dass wir aus jener Zeit auf dem Meša-Stein Beispiele dafür besitzen, dass lange Endvokale nun mit den *matres lectionis j, w* und *h* markiert werden.[96] Daher ist kaum anzunehmen, dass die Schreibung *'ljh* am Anfang von 2.Kön 1 der Aussprache *'elîjahû* entspricht. Eher dürfte es sich um eine kontrahierte Form *'elîjō* handeln, von derselben Art wie die in nordisraelitischem Material belegten Namen mit dem Suffix *-jw*.[97] In diesem Fall könnten wir in 2.Kön 1, (1)2—8 eine ursprünglich nordisraelitische Quelle besitzen, die wegen ihres kurzen Umfanges sehr wohl schriftlich vorgelegen haben könnte. Der Text, der seiner Gattung nach an 1.Kön 14,1ff, "Orakelsuche im Falle von Krankheit" erinnert, dürfte von Jhwh-treuen Kreisen im Nordreich aufgezeichnet worden sein, um der Nachwelt die Aussage über den Tod des Königs zu erhalten, so dass man später auf den Wahrheitsgehalt der Verheissung hinweisen könnte.[98] Falls unsere Schlussfolgerungen richtig sind, ist diese kurze Elia-Erzählung das am stärksten authentische Material, das wir über den Gottesmann besitzen.

Es verbleibt nun das Problem der Kurzform in V.12. Das Einfachste wäre, mit Ms Kenn.1. den Namen hier zu streichen, — dann wäre die Sache klar —, aber eine gesunde textkritische Methodik gestattet keine solche Verfahrensweise.[99] Eher handelt es sich um eine gewisse Unsicherheit der Schreiber hier beim Übergang von der älteren Erzählung zu dem Zusatz.

In 2.Kön 2 wird in dem Bericht von Elias Himmelfahrt der Prophet mehrere Male erwähnt, und zwar immer in der langen Form. Mit diesem Kapitel gelangen wir von den Elia-Erzählungen zu den Elisa-Geschichten, die Haag zufolge von einer lehrhaften Erzählung eingeleitet werden, deren Ziel es ist, die Sukzession

---

[96] Cross/Freedman, Early Hebrew Orthography, S.43.

[97] Nach Cross/Freedman, Early Hebrew..., S.48 wurde dieses Suffix *(jw) -aw* ausgesprochen, da es lange nachdem die allgemeine Kontraktion von Diphtongen stattgefunden hatte entstanden war (Vgl. das Ugaritische). Nach Cross/Freedman fehlen uns klare Belege für *w* als *mater lectionis* für *o*, dagegen ist klar belegt, dass *h* schon frühzeitig als *mater lectionis* für *o* verwendet wurde (Cross/Freedman, Early Hebrew..., S.43.57. Vgl. Zevit, Matres Lectionis..., S.24.). In epigraphischem Material aus vorexilischer Zeit ist *h* das übliche Suffix der 3.Sg.Mask. Dieses Suffix wurde vermutlich *o* ausgesprochen, da eine konsonantische Aussprache *hu* die Schreibung *hw* ergeben haben müsste (Zevit, Matres Lectionis..., S.17, No 23).

[98] Vgl, Jes 8,1ff.

[99] Alle übrigen MSS Kennicotts haben den Namen erhalten.

zwischen Elia und Elisa zu betonen.[100] Diese Erzählung gehört also weder zu den Elia- noch den Elisa-Legenden. Fricke weist darauf hin, dass das ganze Kapitel den Eindruck erweckt, zwischen 1,18 und 3,1 eingeschoben zu sein. Das Geschilderte knüpft auch nicht an die Regierungzeit irgendeines Königs an.[101]

Eine eingehende Analyse der Elisa-Erzählungen legte H C Schmitt vor.[102] Er zeigt, dass nur 1.Kön 19,19ff, 2.Kön 2 und 2.Kön 3,11 Elisa als Nachfolger von Elia schildern, dass diese Vorstellung aber in den älteren Elisa-Erzählungen nirgends vorkommt. Schmitt führt auch Gründe dafür an, dass diese Sukzessionsberichte auf das Ende der Königszeit zu datieren sind und dass sie aus Juda stammen.[103]

Schliesslich haben wir noch 'elîjahû in 2.Kön 3,11 zu besprechen. Obschon Kittel dieses ganze Kapitel ausser V.1—3 einer Sammlung von Elisa-Legenden zuweist, rechnen die meisten neueren Ausleger damit, dass das Kapitel eine kompliziertere Entstehungsgeschichte hat.[104] Im Aschluss an Hölscher verweist Jepsen auf die hervortretende Rolle, die König Josafat von Juda in dem Kapitel spielt.[105] Eine Anknüpfung an Juda finden wir ferner in V.14, in dem *Jhwh ṣᵉba'ôt* genannt wird.[106] Nun ist 2.Kön 3 einer der wenigen Texte, deren Geschehnisse auch in ausserbiblischen Dokumenten geschildert werden. Auf dem Meša-Stein wird dasselbe wie in 2.Kön 3 vom moabitischen Gesichtspunkt berichtet. Schmitt zufolge liegt uns in V.4—9a. 20—27 eine volkstümliche Erzählung vor, die ebenso wie die Schilderung auf dem Meša-Stein mit der Niederlage Israels endet.[107] Diese Erzählung hat sodann eine prophetische Überarbeitung erfahren.[108] Den Ursprungsbericht datiert Schmitt auf das Südreich des 8.Jahrhunderts, während die prophetische Bearbeitung, zu der V.11 mit dem Namen *elîjahû* gehört, frühestens aus der Exilzeit stamme.[109]

---

[100] Haag, TrThZ 78/1969, S.29ff.

[101] Fricke, Das Zweite Buch von den Königen, S.27.

[102] H.C. Schmitt, Elisa, 1972, S.102ff.

[103] *Ibm.*, S.117f. Schmitt verweist auf die Vorstellung von dem prophetischen Geist, die uns auch in Num 11,25f begegnet. Er führt auch die Vorstellung vom Entrücktwerden an (vgl. Gen 5,24) und von dem himmlischen Wagen und den Pferden (vgl. Sach 6,1—18) sowie die Vorstellung von Elisa als dem Diener des Elia in 1.Kön 19,19ff. (Vgl. Josua als Diener Moses). Diese letzteren Argumente finden wir jedoch nicht ebenso haltbar wie das auf die Mitteilung des Geistes bezügliche. Die Verknüpfung von Mose mit Elia, die in dem ganzen Kapitel 1.Kön 19 stark ist, wird in nachexilischer Zeit noch intensiviert (vgl. Mal 3,22f).

[104] Kittel, HkzAT I:5, S.191ff.

[105] Jepsen, Nabi, S.79. Hölscher, Eucharisterion, S.191.

[106] Mettinger, SEÅ 44/1979, S.14ff. *Idem*. SPDS, S.117. *Idem*, The Dethronement of Sabaoth, S.12.

[107] Schmitt, Elisa, S.34.

[108] *Ibm*, S.34ff.

[109] *Ibm.*, S.45.71. Schweizer, Elischa in den Kriegen, 1974, S.41.171.178, rechnet zwar damit, dass 2.Kön 3,4—27 ein einheitliches Werk von einem priesterlichen Verfasser ist, betrachtet aber doch V.11 als eine Ergänzung des Sammlers der Elia- und Elisa-Erzählungen. Eine nähere Bestimmung von Zeit und Ort dieses Sammlers nimmt Schweizer nicht vor.

Ein Rückblick auf 1.Kön 17—19; 21; 2.Kön 1—3 zeigt uns, dass alle Stellen, an denen die lange Form steht, seit dem 8.Jahrhundert bis zur Exilzeit im Südreich enstanden sind. Das gilt vor allem für die *'elîjahû*-Stellen, aber auch für *ᶜobadjahû* in 1.Kön 18 und *'ᵃḥăzjahû* in 2.Kön 1,18. Die einleitenden Verse von 2.Kön 1 scheinen dagegen älteren nordisraelitischen Ursprungs zu sein. In diesem Abschnitt (V-1—8) finden wir die Kurzformen *'ᵃḥăzjā* und *'elîjā*.

In dem Stück 1.Kön 17 — 2.Kön 3 bleibt dann noch 1.Kön 22 übrig. Hier kommt Elia nicht vor, dagegen begegnen uns *ṣidqîjā/hû* (V.11—24), *mîkajhû* (v.8f, 13ff, 24ff) und Israels König *'ᵃḥăzjahû* (V.40.50.52). Den letzteren haben wir bereits im Zusammenhang mit 2.Kön 1 behandelt. Sein Name kommt in dem abschliessenden Teil des Kapitels, dem sog. deuteronomistischen Epilog, vor.[110] Das prädeuteronomistische Material des Kapitels umfasst die Verse 1—37.

In jüngster Zeit unternahmen mehrere Forscher allerlei Versuche zu einer literarischen Aufteilung dieser Perikope, die lange für eine einzige zusammenhängende Einheit gegolten hatte.[111]

Würthwein sondert zunächst V.5—28 als einen Einschub innerhalb der geschlossenen Einheit von V.2b—4.29—37 aus, da V.29 sich natürlich an die einleitenden Verse 2b—4 anschliesst. Wichtige Gründe für diese Aufteilung sind der Gegensatz zwischen V.4 und V.5 sowie der Umstand, dass der Ablauf der Ereignisse in V.29 sich ohne irgendwelche Rücksicht auf die Schilderung in V.5—28 abspielt.[112] Aber auch die Verse 5—28 lassen sich in kleinere Einheiten aufteilen. Als erstes sondert Würthwein die Vision in V.19—23 von dem himmlischen Thronsaal aus.[113] Diese Vision, die in keinerlei Zusammenhang mit der ersten Vision in V.17 steht, macht deutlich den Eindruck, sekundär im Kontext zu sein. Es ist sehr merkwürdig, dass zwei Visionen so dicht aufeinander folgen, ohne das Geringste miteinander zu tun zu haben.

Einen weiteren sekundären Abschnitt bilden Würthwein zufolge die Verse 24f, die weder einen Zusammenhang mit der Vision in V.19—23 noch mit den vorhergehenden Versen erkennen lassen.[114] Das Bild, das wir von dem Geist Jhwhs in V.24 erhalten, ist ein ganz anderes als das in der Thronsaalvision gezeichnete. Zudem schildert V. 25 das Eindringen des Feindes in die Stadt selbst, während V.17 davon spricht, dass Israel in Frieden heimkehren darf, nachdem der Hirt, d.h. der König, im Kampf geschlagen wurde. Die beiden Verse 24—25 werden wiederum mit V.10—12 verknüpft, wo der Prophet *ṣidqîjā/hû* uns zum ersten Mal begegnet. Da V.10—12 als eine Parallele zu V.6 betrachtet wird, ergibt sich eine natürliche Aufteilung der Verse 5—28 in drei Schichten:[115]

    I.   V.5—9.13—17(18).26—28.
    II.  V.10—12.24—25.
    III. V.19—22(23).

Würthwein zufolge wurde die dritte Schicht im Anschluss an die Rede vom Geist Jhwhs in V.24f geschrieben.[116]

---

[110] Kittel, HkzAT I:5, S.178. Gray, I&II Kings, S.406f.
[111] Die Einheitlichkeit des Abschnittes wird vorausgesetzt von Kittel, HkzAT I:5, S.172; Burney, Notes..., S.250; Noth, Überlieferungsgesch. Studien, S.(80).
[112] Würthwein, Das ferne und nahe Wort, S.245 ff.
[113] Würthwein, Das ferne..., S.249. Siehe auch Hossfeld/Meyer, Prophet gegen Prophet, 1973, S.32.
[114] Würthwein, Das ferne..., S.250.
[115] *Ibm*, S.251f.
[116] *Ibm*, S.252.

Lindström knüpft an Würthweins Aufteilung des Textes an, bindet aber V.10—12 mit V.19—23 zusammen.[117] Die irdische und die himmlische Thronszene bilden somit zusammen eine Schicht, welche die Frage beantwortet, warum Jhwh einander widersprechende Prophezeiungen zulässt. Als letztes wären V.24f, die sich mit der Frage falscher und wahrer Propheten beschäftigen, hinzugefügt worden.

De Vries nimmt eine Aufteilung des Textes vor, die an die Würthweinsche erinnert, doch sieht er keinen Widerspruch zwischen V.19—23 und V.24f; daher kann er zwei zusammenhängende Erzählungen in dem Text unterscheiden.[118] Seine Erzählung A umfasst Würthweins Schicht I (ausser V.14) sowie ferner die umgebenden Verse 2b—4a.4bβ.29—37. Die Erzählung B entspricht damit Würthweins Schicht II + III und dazu V.14.

Zwei verschiedene Erzählungen bilden auch das Ergebnis von Schweizers selbständiger literarkritischer Analyse.[119] Leider müssen wir jedoch konstatieren, dass eine so mechanische Arbeit mit behaupteten, häufig anfechtbaren Widersprüchen zwischen einzelnen Versen hier zu zwei Erzählungen geführt hat, die in bezug auf einen inneren Zusammenhang viel zu wünschen übrig lassen.[120] Schweizers Verfahrensweise, aus dem Kontext losgerissene Einzelheiten den übergreifenden Zusammenhang des Textes verdunkeln zu lassen, fordert starke Kritik bei uns heraus.

Um einige Klarheit in die Redaktionsgeschichte dieses Textes zu bringen, müssen wir die kontroversen Abschnitte einen nach dem anderen behandeln und das Gewicht der verschiedenen vorgebrachten Argumente bewerten. Wir gehen dabei von der Grundschicht aus, hinsichtlich welcher Würthwein, de Vries und Lindström im wesentlichen übereinstimmen: es sind dies die Verse 5—9.13—17(18).26—28.

Die Verse 10—12 werden oft aufgrund von Wiederholung als im Widerspruch zu V.6 stehend betrachtet. Lindström meint, diese Verse gehörten der Thronszene wegen mit V.19—23 zusammen.[121] Zwischen V.24f und V.10—12 besteht sowohl ein positiver Zusammenhang durch die Erwähnung des Propheten ṣidqîjā /hû als auch ein Widerspruch wegen der verschiedenen Schreibung dieses Namens in V.11 bzw V.24. Was den angeblichen Gegensatz zu den unmittelbar voraufgehenden Versen betrifft, müssen wir uns fragen, ob die Wiederholung hier von einer Art ist, die auf verschiedene Quellen schliessen lässt. Von einem allgemeinen Überblick über die 400 Heilspropheten in V.6 geht der Text zu einer Nahaufnahme in V.10f über, wo das Partizip in V.10 den Eindruck eines durativen Geschehens erweckt, das mit dem Gespräch der Könige in V.7—9 gleichzeitig ist. Dass die Heilspropheten die Zeit, die gebraucht wird, um nach mîkajhû zu schicken, dazu benutzen, ihre Argumentation noch nachdrücklicher durch Symbolhandlungen der Art, wie sie V.11 beschreibt, zu unterstreichen, passt gut in den Kontext hinein. Wir sehen daher keinen Grund dafür, V.10—12 aus der Grund-

---

[117] Lindström, God and the Origin of Evil, 1983, S.85.
[118] De Vries, Prophet against Prophet, 1978, S.33ff.
[119] Schweizer, BZ 23/1979, S.1ff.
[120] So sieht Schweizer Gegensätze zwischen Aram in V.11 und Ramot in V.12, zwischen verschiedenen Stammformen des Verbs nb' in V.10 und V.12 (S.9), zwischen zwei Königen in V.10 und einem König in V.15 (S.10) usw. Andererseits betrachtet Schweizer V.19—29 als einen einheitlichen Zusammenhang (S.7).
[121] Siehe Anm. 117.

schicht des Textes auszusondern. Bedeutet das nun, dass auch V.19—23 und V.24f zu dieser Grundschicht gehören? Ähnlichkeiten zwischen zwei Texten können zwar daher kommen, dass die Texte der gleichen literarischen Schicht angehören, aber eine andere Möglichkeit ist, dass der eine Text die Ausgestaltung des anderen beeinflusst hat.

Im Hinblick auf V.19—23 lässt es sich schwerlich übersehen, dass hier ein Widerspruch vorliegt sowohl gegenüber den unmittelbar vorausgehenden Versen, die eine Vision mit einem an den Kontext anknüpfenden Inhalt schildern, wie auch zu V.24f, die uns ein ganz anderes Bild von *rûᵃh* zeichnen. Das Verb *wǎjjo'mær* in V.19, dessen Subjekt *mîkajhû* ist, steht hier ohne jede Anknüpfung an den vorausgehenden Text. Ausserdem ist V.20 die einzige Stelle hier, an der König Ahab bei Namen genannt wird. Falls die Verse 19—23 lose in den Kontext eingefügt sind, hat es somit den Anschein, als sei die Thronszene hier von der Thronszene in V.10—12 beeinflusst, ohne dass wir deshalb von einer gemeinsamen literarischen Schicht in der Erzählung sprechen können.

Wir wollen uns nun dem Verhältnis der Grundschicht zu V.24f zuwenden. Dass der Prophet aus V.11 nun wieder genannt wird, ist ein Argument dafür, dass V.24f zu dem ursprünglichen Kontext gehören. Das würde bedeuten, dass die zwei Formen des Namens *ṣidqîjā /hû* beide der Ursprungsschicht des Textes angehören.

Es haben sich somit zwei denkbare Lösungen herauskristallisiert. Entweder ist der gesamte Text ausser V.19—23 einheitlich, oder aber V.24f ist ein Zusatz, der jedoch mit den Versen 19—23 in keinem ursprünglichen Zusammenhang steht.

Für Würthwein ist die Verknüpfung mit V.10—12 das wichtigste Argument dafür, dass V.24f ein Zusatz ist, aber er führt auch den Unterschied in der Schilderung des Krieges in V.17 bzw V.25 als Grund dafür an, dass V.24f nicht zur Grundschicht der Erzählung gehören können. Schwerer wiegt jedoch, dass *rûᵃh* in V.24 eine Stichwortanknüpfung an *harûᵃh* in V.19—23 darstellt. Wie Lindström deutlich zeigt, verschieben V.24f ausserdem den Inhalt der ganzen Erzählung von einem Konflikt zwischen dem König von Israel und dem Propheten des Herrn zu einer Erörterung des Kriteriums für wahre und falsche Prophetie. Die wahre Verheissung geht in Erfüllung.[122]

Da das Geschehnis sich im Nordreich Israel abspielt, liegt es nahe, dass die Grunderzählung als solche nordisrealitisch ist, jedoch später in Juda überliefert wurde und dort die beiden Zusätze erhielt.

---

[122] Ich schliesse mich hier Lindström, God..., S.91, an. Die Vorstellung von *harûᵃh* in dem göttlichen Hofstaat ist im Alten Testament einmalig. Daher ist das Wahrscheinlichste, dass dieser Text vor V.24f, in denen eine im Alten Testament üblichere Betrachtungsweise zum Ausdruck kommt, in den Kontext eingefügt wurde. In V.25 scheint *rûᵃh* auf *rûᵃh šæqœr* in V.23 anzuspielen. Erheblich schwieriger ist Würthweins Auffassung zu verstehen (Das ferne und nahe Wort, S.252), dass V.19—23 der jüngste Zusatz seien. Während die zu *rûᵃh šaeqær* spezifizierte allgemeine Rede von *harûᵃh* förmlich nach dem positiven Pendant des ersteren Ausdrucks, *rûᵃh Jhwh*, schreit, ist es bedeutend schwieriger, sich den entgegengesetzten Gedankengang vorzustellen.

Wörtliche Übereinstimmungen mit 2.Kön 3 an ein paar Stellen sprechen für einen Zusammenhang zwischen 1.Kön 22 und 2.Kön 3.[123] Oben haben wir konstatiert, dass 2.Kön 3 judäischer Provenienz sein dürfte. Daher ist es wahrscheinlich, dass auch 1.Kön 22,1—28, wo in ebenso hohem Grade wie in 2.Kön 3 König Josafat im Mittelpunkt steht, ihre endgültige Gestalt von einer judäischen Hand erhalten haben.[124]

In 1.Kön 22,8f.13ff.24ff.26 finden wir *mîkajhû* und in V.11 *ṣidqîjā* mit der Variante auf *-jahû* in V.24. Varianten-Lesarten in den hebräischen Manuskripten gibt es zwar, aber nicht von einer Art oder Menge, die uns veranlassen könnten, vom Text der Biblia Hebraica abzugehen.[125]

Wir können feststellen, dass der Name *mîkajhû* sowohl in der Grundschicht vorkommt wie in dem Zusatz, V.24f, während *ṣidqîjā/hû* in der Grundschicht die kurze, im Zusatz aber die lange Form hat. Am wahrscheinlichsten ist, dass die Kurzform *ṣdqjh* in V.11 von derselben Art ist wie die früher erwähnten Kurzformen in 2.Kön 1,1—8, nämlich nordisraelitische Formen auf *-jō*, die in Juda mit *h* geschrieben wurden; so war es in vorexilischer Zeit üblich, den Endvokal *o* auszudrücken.[126] Der Redaktor, der V.24f hinzufügte, bediente sich der zu seiner Zeit üblichen Schreibweise mit dem Suffix *-jhw*.

Hinsichtlich des Namens *mîkajhû* hat das Fehlen des *a* im Suffix dazu geführt, dass die Entwicklung *-jahu→jaw→jo* unterblieb, daher wird der Name in dem ganzen Textabschnitt auf dieselbe Weise geschrieben.

## 2. Kön 8—16. Thronstreitigkeiten und goldenes Zeitalter.

| | | |
|---|---|---|
| *'aḥăzjā* | König in Juda. | 2.Kön 9,16.23.[II].27.29; 11,2.[II] |
| *-jahû* | König in Juda. | 2.Kön 8—14, diverse Stellen. NB 2.Kön 9,21—23.[I] |
| *'atăljā* | Regentin in Juda. | 2.Kön 11,1.3.13f. |
| *-jahû* | Regentin in Juda. | 2.Kön 8,26; 11,2.20. |
| *'aḥîjā* | Baësas Vater. | 2.Kön 9,9. Vgl 1.Kön 15,27;21,22. |
| *'elîjahû* | Gottesmann. | 2.Kön 9,36; 10,10.17. Vgl. den vorhergehenden Abschnitt. |
| *'amăṣjā* | König in Juda. | 2.Kön 12,22; 13,12; 14,8; 15,1. |

---

[123] 1.Kön 22,4//2.Kön 3,7. 1.Kön 22,7//2.Kön 3,11.

[124] Siehe Gray, I&II Kings, S.395. Schmitt, Elisa, S.45. Schweizer, Elischa..., S.32ff. Schweizer rechnet damit, dass 1.Kön 22 von 2.Kön 3 abhängig ist, während De Vries, Prophet... S.123, das Gegenteil behauptet. Nach De Vries, S.128f ist die B-Erzählung (siehe S.101) in 1.Kön 22 der letzte prädeuteronomistische Zusatz zu "the Omride war-cycle". Dieser Zusatz stamme von judäischen Propheten (De Vries, s.77), daher hätten wir mit einer Schlussredaktion der Erzählung in Juda zu rechnen.

[125] MS 96 (14.Jahrhundert) hat eine Vorliebe für die Form *mjkhw* die sich auch an ein paar Stellen in MSS 23, 89 und 158 (13. und 14.Jahrhundert) findet. Zu *ṣidqîjā/hû* gibt es neun abweichende MSS zu V.11 und vier zu V.24, sämtliche aus dem 13. und 14.Jahrhundert.

[126] Siehe Anm.97.

| | | |
|---|---|---|
| *-jahû* | König in Juda. | 2.Kön 14, diverse Stellen. 2.Kön 15,3. |
| *ṣibjā* | Joas' Mutter. | 2.Kön 12,2. |
| *caẑărjā* | König in Juda. | 2.Kön 14,21; 15,1.7.17.23.27. |
| *-jahû* | König in Juda. | 2.Kön 15,6.8. |
| *cuzzîjā* | Derselbe wie oben. | 2.Kön 15,13.30. |
| *-jahû* | Derselbe wie oben. | 2.Kön 15,32.34. |
| *zekărjā* | König in Israel. | 2.Kön 14,29; 15,11. |
| *-jahû* | König in Israel. | 2.Kön 15,8. |
| *peqăḥjā* | König in Israel. | 2.Kön 15,22—23.26. |
| *jekåljahû* | Mutter von *caẑărjā*. | 2.Kön 15,2. |
| *remăljahû* | Vater von Pekach. | 2.Kön 15,25.27.30.32.37; 2.Kön 16,1.5. |
| *'ûrîjā* | Priester. | 2.Kön 16,10f. |
| *ḥizqîjahû* | König in Juda. | 2.Kön 16,20. Vgl. den folgenden Abschnitt. |

In 2.Kön 8 stossen wir auf König *'aḥăzjahû* von Juda sowie dessen Mutter *catăljahû*.[127] In 2.Kön 8 verläuft eine klare Grenze zwischen der Elisa-Erzählung am Anfang des Kapitels und dem hauptsächlich von dem deuteronomistischen Redaktor produzierten Schluss v.16—29.[128] Im Hinblick auf die Vorliebe des deuteronomistischen Redaktors für die langen Formen entspricht es völlig unserer Erwartung, in diesem Abschnitt *'aḥăzjahû* und *catăljahû* zu lesen.

In 2.Kön 9—10 kommen wir zu der Revolution Jehus. Die meisten Kommentatoren sind sich darin einig, dass wir es hier mit einem authentischen Kern zu tun haben nebst einer oder mehreren redaktionellen Bearbeitungsschichten. Weiter reicht indes die Einigkeit kaum, ausser hinsichtlich 9,7—10 und 9,29, die bereits Kittel als deuteronomistische Zusätze aussonderte.[129] Gray zufolge liegt 9,11—14a eine prophetische Quelle zugrunde, während die Fortsetzung aus einer säkularen Quelle stammt.[130] Gray stiess jedoch auf Widerspruch bei H.C.Schmitt, dem Forscher, der diesem Abschnitt in jüngster Zeit das grösste Interesse gewidmet hat.[131]

Schmitt rechnet in 2.Kön 9 mit drei Bearbeitungsschichten. Den Kern des Ka-

---

[127] MS 201 liest in Kap.8,26 die Kurzform *ctljh*.

[128] Kittel, HkzAT I:5, S.223. Gray, I&II Kings, S.479.

[129] Kittel, HkzAT I:5, S.229.233. Burney, Notes..., S.297.300. Gray, I&II Kings, S.485.495. Robinson, The Second Book of Kings, S.82.89.

[130] Gray, S.484. Norin, VT 29/1979, S.95.

[131] Elisa, S.28. Schmitt weist darauf hin, dass eine prophetische Quelle einen Propheten niemals *mešugga'* nennen würde (9,11). Gegen Schmitt lässt sich einwenden, dass die Worte ja dem unwissenden Diener in den Mund gelegt werden.

pitels bilden ihm zufolge V.1—6.10b—13.15b—21a.22—24.27.30—35. Dazu kommen eine vordeuteronomistische apologetische Schicht, V.21b.25f. eine deuteronomistische Schicht, V.7—10a.36f und schliesslich eine annalistische Bearbeitungsschicht, zu der V.14—15a und V.28f, gehören.[132]

Es lässt sich schwerlich leugnen, dass das Kapitel aus unterschiedlichen Erzählungen besteht, die mit Hilfe von redaktionellem Material zu einer kontinuierlichen Einheit kombiniert wurden. V.14—16 stellen eine erweiterte Version von Kap.8,28b—29 dar, wobei Kap.9,14b.15a.16b fast direkt den Text von Kap.8 wiedergeben. Dass muss bedeuten, dass wir diese drei Halbverse nicht voneinander trennen können. Ein Vergleich zwischen dem Text in 2.Kön 8,28f und 2.Kön 9,14f zeigt klar, dass der erstgenannte Text der ältere ist und Kap.9,14f eine spätere Konstruktion. In v.16b knüpft das Wort *wa'ᵃḥăzjā* direkt an V.15a an. In seiner endgültigen Gestalt erweckt der Text dagegen den Eindruck, dass der König von Juda erst nach Jehu nach Jesreel kam. Nun rechnet Schmitt V.14.15a zu einer annalistischen Bearbeitung des Textes. Die Worte von der Verschwörung in V.14a erinnern nämlich an ähnliches annalistisches Material in 1.Kön 15,27b; 16,9b.[133] Die annalistische Bearbeitung des Textes fand jedoch spät statt, d.h. nach der deuteronomistischen Bearbeitung. Das mag erklären, dass in Kap.9,14a die *hitpa'el*-Form *wajjitqaššer* anstatt der üblicheren *pi'el*-Form gebraucht wird.[134] Wie oben gesagt wurde, dürfte es jedoch unmöglich sein, V.16b von V.14b.15a zu trennen. Es ist dann wahrscheinlicher, dass ein Redaktor den ganzen Abschnitt V.14—16 komponiert hat, und zwar unter dem Einfluss von sowohl anderen Texten, in denen von Verschwörungen die Rede war, wie von Material aus Kap. 8,28f.

Kap.9,14—16 dient nämlich als Bindeglied zwischen einerseits dem Text von Jehus Thronbesteigung in Kap.9,1—13 (mit dem deuteronomistischen Einschub in V.7—10a) und andererseits dem, was ich die Jesreelnovelle nennen möchte, Kap.9,17—35. Die letztere ist allerdings nicht einheitlich. Schmitt betont, dass V.25f die Nabotgeschichte als Grund für Jehus Revolution angibt anstatt Isebels Ba'alsverehrung: er sondert daher V.25f wie auch den Schluss von V.21 aus. Diese Verse stellen Schmitt zufolge eine vordeuteronomistische Bearbeitung des Textes dar.[135] Zudem weist Schmitt V.28f derselben annalistischen Bearbeitung zu wie V.14. V.28 steht ausserhalb der eigentlichen Handlung der Erzählung und erinnert an die annalistische Notiz in 2.Kön 23,30. Nun dürfte es jedoch schwer fallen, V.27 von V.28 zu trennen; daher dürften zumindest die Verse 27—29 derselben Bearbeitungsschicht angehören wie V.14. Dieser Analyse zufolge bilden somit die Inthronisation Jehus und die Jesreelnovelle zwei ursprünglich getrennte Teile, die ein Redaktor vereinigte, der V.14—16.27—29 hinzufügte.

---

[132] Schmitt, Elisa, S.23ff.
[133] *Ibm* S.23, Anm.38.
[134] *Hitpa'el* sonst nur in 2.Chr 24,25f.
[135] Schmitt, Elisa, S.26.

In dem Kapitel kommt *'ᵃḥăzjā* in V.16.23.27.29 vor sowie in der langen Form seines Namens in V.21 and V.23. Ausserdem begegnen uns *'ᵃḥîjā*, Baësas Vater in V.9 und *'elîjahû* in V.36. Die beiden letzteren bereiten uns keine Probleme. Baësas Vater wird hier ebenso geschrieben wie an den früheren Stellen, die ihn erwähnen.[136] Der Name steht zwar in der deuteronomistischen Bearbeitungsschicht, aber der Redaktor benutzt hier, wie an den früheren Stellen, die sicherlich authentische kurze (defektive) Form aus 1.Kön 15,27. Ebenso ist es natürlich, dass *'elîjahû* in V.36, einem typisch deuteronomistischen Erfüllungsvermerk, in der langen Form auftritt, die wir früher in den judäisch bearbeiteten Schichten der Eliaerzählungen gefunden haben.

Der noch übrige Name in diesem Kapitel, *ᵃḥăzjā /hû*, lässt sich nicht isoliert von den präfigierten Namen *jᵉhôšapaṭ* (V.14) und *jô/jᵉhôram* (V.14.16.29/V.15. 17.21.24) behandeln. Was den ersteren Namen betrifft, haben wir keinen Anlass, aus textkritischen Gründen vom Text der Biblia Hebraica abzugehen.[137] Bei *jᵉhôram* lesen etwa die Hälfte der älteren Manuskripte in V.15 die Kurzform. Wir müssen hier also mit der Kurzform als einer möglichen ursprünglichen Lesart rechnen.[138]

Für die Jesreelnovelle sind somit lange Formen kennzeichnend, sowohl bei den präfigierten Namen wie bei *'ᵃḥăzjā /hû* überall ausser in V.23, wo wir in dem vokativischen Satz die kurze Form vorfinden. In diesem ganzen Abschnitt trägt der König von Israel den Namen *jᵉhôram*.

In den redaktionellen Abschnitten V.14—16.27—29 begegnet uns der König von Juda unter der Kurzform *'ᵃḥăzjā*. Im Anschluss an Schmitts Datierung der annalistischen Bearbeitungsschicht können wir feststellen, dass dieses Stück, das offenbar von dem deuteronomistischen Text in Kap.8,25.28f abhängig ist, die Namensform für den König von Juda aufweist, die wir in einem nachexilischen Textabschnitt erwarten. In der redaktionellen Schicht lesen wir auch *jᵉhôšapaṭ* (V.14), immer mit dem langen Präfix geschrieben. Der König von Israel dagegen erscheint unter der Kurzform *jôram,* ausser in dem textkritisch schwer zu beurteilenden V.15.

2.Kön 10 hat nur lange Formen. Wir finden hier *'elîjahû* (V.10.17) und *'ᵃḥăzja-hû* (V.13).[139] Diese Schreibweise der beiden Namen ist die weitaus üblichste. Wir

---

[136] 1.Kön 15,27.33; 21,22.

[137] Siehe S.82 betr. Varianten-Lesarten.

[138] Kurzform in MSS 154. 180. 201. 224. 226 + 15 späteren MSS. Das bedeutet, dass die Biblia Hebraica eine Stütze in MSS 1.4.30.225 + dem grössten Teil der späteren Manuskripte findet. Für die Ursprünglichkeit der Kurzform spricht besonders, dass MSS 154 und 226 nur in vereinzelten Fällen Kurzformen haben, wo der textus receptus lange Formen aufweist. Andererseits hat das Geniza-Manuskript T-S A 9,6:1 r:o denselben Text wie BH, die unzweifelhaft eine *lectio difficilior* aufweist, da der Nahkontext etliche Belege für *jôram* bietet.

[139] *'ᵃḥăzjā* in MS Kenn.30.

brauchen hier nicht auf die Frage einzugehen, ob die *'eliîjahû*-Stellen, wie Schmitt behauptet hat, der deuteronomistischen Schicht angehören, oder ob das ganze Kapitel einheitlich ist. Es bildet die direkte Fortsetzung von Kap.9, und wir haben keinen Grund zu erwarten, dass die Namensformen in Kap.10 anders sein sollten als in Kap.9.[140]

In 2.Kön 11 treffen wir aufs neue die beiden suffigierten Namen $^{ca}t\check{a}lj\bar{a}/h\hat{u}$ (V. 1.3.13f/V.2.20) und $^{'a}h\check{a}zj\bar{a}/h\hat{u}$ (V.2$^{II}$/V.1.2$^{I}$) an, die uns bereits in Kap.8 begegneten.

Den Namen $^{'a}h\check{a}zj\bar{a}$ in Kap.11,2 schreiben einige Textzeugnisse in der langen Form, aber das beruht vermutlich auf Analogie zu sonstigen Belegstellen im Kontext.[141] Wichtiger ist, dass LXX an dieser Stelle diesen Namen überhaupt nicht hat. LXX liest vielmehr $\upsilon\iota o\nu$ $\alpha\delta\epsilon\lambda\varphi o\upsilon$ $\alpha\upsilon\tau\eta s$, was den hebräischen Worten *bæn* $^{'a}h\hat{\imath}h\bar{a}$ entsprechen dürfte, woraus leicht *bæn* $^{'a}h\check{a}zj\bar{a}$ geworden sein kann, entweder durch Fehllesung oder durch Glossierung.[142]

Forscher, die 2.Kön 11 vom literarkritischen Gesichtspunkt betrachtet haben, stellten schon frühzeitig fest, dass der letzte Vers des Kapitels in einem gewissen Gegensatz zu der vorausgehenden Schilderung in dem Kapitel steht. Das gilt sowohl von dem Ort, an dem die Königin getötet wird, wie für die relative Chronologie der Ereignisse. B.Stade sah in V.13—18a eine separate Schilderung der Geschehnisse, die im Gegensatz zu V.1—12.18b—20 stehe.[143]

In der letzteren Version spielt die königliche Leibwache eine entscheidende Rolle, während in V.13—18a das Volk stärker betont wird. Stades Einteilung hat sich im grössten Teil der späteren Literatur durchgesetzt.[144] Auch Gray teilt den Text so auf, weist aber auch auf die grosse Übereinstimmung zwischen den beiden Versionen hin. Als ausreichenden Grund für eine Aufteilung auf zwei Quellen führt er die unterschiedlichen Angaben über den Tod der Königin an. Nach Kap.11,16 wurde sie während der Festlichkeiten getötet. V.20 sagt dagegen, dies sei erst geschehen, nachdem der König in den Palast geführt worden war und die allgemeine Erregung sich gelegt hatte.[145]

Nun müssen wir andererseits auch konstatieren, dass die Tötung der Königin

[140] Vermutlich hat Schmitt recht, wenn er diese Weissagungshinweise für deuteronomistisch erklärt (Elisa, S.23).

[141] MSS Kenn. 1.30.210.224. Andererseits findet BH eine Stütze in dem Manuskript T-S A 9,5. In MS Wm.Bibl.4,60a ist das Suffix undeutlich.

[142] Eine Gruppe von LXX-Manuskripten, borc$_2$e$_2$ lesen $o\chi o\zeta\iota o\upsilon$ $\tau o\upsilon$ $\alpha\delta\epsilon\lambda\varphi o\upsilon$ $\alpha\upsilon\tau\eta s$ was deutlich den Eindruck erweckt, eine Kombination der Lesarten von MT und den übrigen LXX-Manuskripten zu sein.

[143] Stade, ZAW 5/1885, S.280ff.

[144] Kittel, HkzAT I:5, S.244. Burney, Notes..., S.308. Montgomery, The Book of Kings, S.418. Fricke, Das zweite Buch von den Königen, S.145. Dagegen verteidigt Rudolph (Festschrift A Bertholet, 1950, S.473ff) die Einheit des Textes, indem er V.18a hinter V.20 versetzt.

[145] Gray, I&II Kings, S.512.

in V.20 durch die Perfektform *hemîtû* ausgedrückt wird. Dadurch wird das Kontinuum des Geschehens in dem Text unterbrochen, und die letzten Worte werden zu einer Zusammenfassung des gesamten Tuns der Königin. Es liegt also kein eigentlicher Gegensatz zwischen V.16 und V.20 vor. Damit haben wir auch kaum einen Grund dazu, mit Stade u.a. den Text in verschiedene Schichten aufzuteilen. Die Schlussbemerkung in V.20, die keinen integrierten Teil der vorhergehenden Erzählung bildet, dürfte dagegen von einem Redaktor stammen.[145a] Wir können feststellen, dass dieser Redaktor die lange Form *ᶜᵃtăljahû* benutzt, die uns früher schon in dem deuteronomistisch redaktionellen Vers 2.Kön 8,26 begegnete.

Auch in Kap.11,2 finden wir die Form *ᶜᵃtăljahû*. Vielleicht ist diese Form die Frucht einer Dittographie aufgrund der unmittelbar folgenden Kopula *u*.

Wir konnten somit eine gewisse Einheitlichkeit in der Schreibung der Namen in Kap. 11 aufzeigen, insofern als der Name der Königin hauptsächlich in der Kurzform vorkommt, während der Name des toten Königs *ʾᵃḥăzjahû* hier durchweg die lange Form aufweist wie überall sonst ausser an den Stellen in 2.Kön 9, die wir oben kommentiert haben.

Wir haben früher gesagt, dass die *-jh/jhw*-Namen — wir befinden uns nun am Ende des 9.Jahrhunderts — das Suffix *-jahû* gehabt haben dürften, das normalerweise plene, *-jhw*, geschrieben worden sein dürfte. Wie erklären wir dann den Namen *ᶜᵃtăljā* hier? Bevor wir dieses Problem lösen können, müssen wir in einem kurzen Exkurs die gesamte Frage der theophoren Frauennamen erörtern.

## EXKURS: Theophore Frauennamen

Die Frage der weiblichen Namen im Alten Testament wurde eingehend von J.J.Stamm behandelt. Stamm stellt fest, dass das Alte Testament insgesamt 1400 Männer- und 92 Frauennamen enthält.[146] Auch wenn wir die Unterschiede zwischen langen und kurzen Formen nicht berücksichtigen, erhalten wir etwa 170 *jh/jw/jhw*-haltige Namen: davon sind aber nur neun Frauennamen. Unter den Männernamen gibt es eine geringe Anzahl, besonders präfigierter Namen, die als nicht theophor zu betrachten sind. Aber wie verhält es sich in dieser Hinsicht mit den weiblichen Namen? Nichts spricht dafür, dass die drei präfigierten Namen nicht theophor wären. Es sind *jᵉhôšœbăᶜ* (2.Kön 11,2) mit der Variante *jᵉhôšăbᶜăt* (2.Chr 22,11) sowie *jôkœbœd* (Ex 6,20; Num 26,59). Was die suffigierten Namen betrifft, haben wir ausser *ᶜᵃtăljā/hû* auch die früher erwähnte *ṣᵉrûjā*, Joabs Mutter, sowie ferner *ʾᵃbîjā* (2.Chr 29.1), *jᵉkåljahû* (2.Kön 15,2), *mîkajahû*

---

[145a] Auch nach Levin, Der Sturz der Königin Atalja, 1982, S.24 gehört V.20b einer redaktionellen Schicht an. Levin betont, dass kein Gegensatz zwischen V.16 und V.20b vorliege. I V.16 wird der Tod der Königin erzählt, V.20b dagegen bezieht sich auf das Ereignis zurück. Levins Aufteilung des Textes in vier Schichten sowie einige spätere Zutaten hat mich andererseits nicht überzeugt. Seine detaillierte literarkritische Analyse ist zwar möglich, aber kaum zwingend.
[146] VT Suppl. 16/1967 S.309.

(2.Chr 13,2) sowie *ṣibjā* (2.Kön 12,2; 2.Chr 24,1). Der letztere Name, der "Gazelle" bedeutet, ist nicht theophor.[147] Die restlichen drei Namen finden wir einmal in einer deuteronomistischen Notiz (2.Kön 15,2) und zum anderen in chronistischem Material. Einschliesslich der präfigierten Namen lassen sich nur zwei, *jᵉhôšœbaʿ* und *ᶜᵃtăljā*, der vordeuteronomistischen Königszeit zuweisen. Daher liegt die Annahme nahe, dass *ᶜᵃtăljā* nicht theophor ist, sondern vielmehr eine feminine Nisbe-Bildung vom Stamm *ᶜtl*.[148] Der Name *jᵉhôšœbaᶜ* könnte sehr wohl der redaktionellen Schicht der Erzählung angehören.

\* \* \*

Falls der Name *ᶜᵃtăljā* nicht theophor ist, haben wir eine Erklärung dafür gefunden, dass wir in einem Kontext, in dem wir zunächst die lange Form erwartet hätten, die kurze antreffen. Später hat man dann den Namen doch als theophor aufgefasst und ihm an einigen bereits von uns erwähnten deuteronomistischen Stellen die lange Form gegeben.

In 2.Kön 12 finden wir den oben angeführten Frauennamen *ṣibjā*, von dem wir sagten, er sei nicht theophor. Ferner haben wir hier König *ʾᵃḥăzjahû* (V.19) sowie den früher nicht genannten *ʾᵃmăṣjā* (V.22). An der letzteren Stelle steht in einigen Handschriften die lange Form, aber sie hat eine zu schwache Stütze, als dass wir uns zu einer Änderung des Textes veranlasst sähen.[149]

Das Kapitel besteht aus einem älteren Kern, V.5—19, den redaktionelle Notizen einleiten und abschliessen.[150] Dass die einleitenden Verse, V.1—4, deuteronomistisch sind, steht ausserhalb jeden Zweifels. Was aber den Schluss des Kapitels betrifft, sind sich die Kommentatoren nicht ganz einig.

Eine Analyse, die von den Namensformen ausgeht zeigt, dass die Verse 20ff markant von dem übrigen Kapitel abweichen, in dem die langen Formen vorherrschen. Es handelt sich in 2.Kön 12 zumeist um präfigierte Namen, aber auch *ʾᵃḥăzjahû* gehört in diesen Zusammenhang hinein. In V.20ff erscheinen dagegen für alle Namen ausser *jᵉhôzabad* (V.22) die kurzen Formen. In diesem Schlussabschnitt kommt auch der Name *ʾᵃmăṣjā* vor, der zwar auch an einigen anderen Stellen in der kurzen Form geschrieben wird, der aber noch häufiger die lange Form hat. Es erstaunt nun, eine Ansammlung von Namen in ihrer kurzen Form

---

[147] Stamm, VT Supp. 16/1967, S.329. Noth, Die israelitischen Personennamen..., S.230. Der Name kommt auch in der Form *ṣibja'* vor (1.Chr 8,9).

[148] Sowohl Noth, Die Israelitischen..., S.191, wie Stamm, VT suppl. 16, S.335, leiten den Namen von dem akkadischen *etēlu* = gross sein ab. Jedoch meinen beide, es sei ein theophorer Name. Unter allen Umständen muss der Name in nachexilischer Zeit für theophor gehalten worden sei, denn dort kommt er auch als Männername vor (1.Chr 8,26. In Esra 8,7 lässt sich das Geschlecht nicht feststellen).

[149] Lange Form in MSS 225 und 226 sowie in MSS 94 (*w* ausradiert) und 174 aus dem Jahre 1285 bzw 1346. Der Text der BH findet eine Stütze in den Geniza-Fragmenten T-S A 9,4; 9,6; 39,10; NS 48,44 r:o sowie NS 50B:1 r:o.

[150] Kittel, HkzAT I:5, S.252ff. Burney, Notes..., S.312ff. Gray, I&II Kings, S.526.

110

in einem Stück zu finden, das oft als deuteronomistisch betrachtet wird. Sonst hat der deuteronomistische Redaktor eine starke Vorliebe für die langen Formen an den Tag gelegt.[151] Daher wollen wir uns nicht ohne weiteres der Auffassung anschliessen, dass die Schlussbemerkung des Kapitels deuteronomistisch ist. Die hier vorkommenden Namen müssen vor dem Hintergrund der Umstände in Kap.13 gesehen werden, in dem Angaben über das Nordreich den natürlichen Zusammenhang zwischen Kap.12,22 und Kap.14,1 unterbrechen.

In 2.Kön 13 haben wir zwei deutlich deuteronomistische Einführungsnotizen vor uns, V.1f und V.10f.[152] In ihnen dominieren lange Formen, wennschon wir in V.10 auch *jô'aš* von Juda antreffen. In V.12—13 finden wir dann eine Schlussbemerkung über König Joas von Israel, die an die deuteronomistischen Schlussbemerkungen erinnert, aber ein Vergleich mit Kap.14,15f zeigt, dass es die spätere Notiz ist, die von dem deuteronomistischen Redaktor herrührt. In diesem Fall ist, wie mehrere Forscher gezeigt haben, Kap.13,12f ein späterer Zusatz.[153] Ansonsten besteht das Kapitel zum einen aus Chronikmaterial aus dem Nordreich (V.3.7.22—25) und zum anderen aus sekundärem Material. Die Elisa-Erzählung, Kap.13.14ff wurde, wie Schmitt klar gezeigt hat, erst sekundär in das deuteronomistische Geschichtswerk eingefügt.[154] Als eine wahrscheinliche Konsequenz davon ergibt sich, dass das ganze Kapitel 13 eine sekundäre Komposition sein dürfte, welche die Elisa-Erzählung so gut wie möglich in den Zusammenhang einfügen sollte. Diese Erzählung schliesst die deuteronomistische Schilderung von Joahas, V.1—9, mit der Einführung in die Regierungszeit von Joas, V.10—12, ein , danach aber wird die Erzählung abgerundet, um nun zu einer Schilderung Elisas überzugehen.

Was nun die beiden Namen *'ăḥăzjahû* (V.1) und *'ămăṣjā* (V.12) betrifft, bemerken wir, dass der erstere Name mit seiner langen Form in dem deuteronomistischen Material vorkommt, während die sekundäre Notiz den in der Kurzform geschriebenen letzteren Namen enthält.[155]

Wir kehren nun zu Kap. 12,20ff zurück. Wenn Kap.13,1—13 als Ganzes eine postdeuteronomistische Komposition ist, ist das Nächstliegende, dass auch der Schluss von Kap.12 von demselben Redaktor stammt. Das könnte dann erklären, warum wir hier die Kurzform nicht nur von *'ămăṣjā*, sondern auch von mehreren

---

[151] Kurzformen in Bemerkungen des Typs: "*jœtœr dibrê..*" finden wir sonst nur an folgenden Stellen: 2.Kön 8,23 *(jôram)*; 13,12 *(jô'aš)*; 15,11 *(zᶜkărjā)*; 15,26 *(pᶜqăhjā)*; 15,36 *(jôtam)*.
[152] Kittel, HkzAT I:5, S.257ff. Gray, I&II Kings, S.535.
[153] Kittel, HkzAT I:5, S.258. Montgomery, The Book of Kings, S.434. Gray, I&II Kings, S.540. In den LXX-Handschriften borc₂e₂ stehen 13,12f nach V.25 und zwar mit der Aussage über den sein Amt antretenden König Jerobeam am Ende des Verses gemäss dem üblichen Schema für Bemerkungen dieser Art. Diese Manuskripte lassen Kap.14,15 aus.
[154] Schmitt, Elisa, S.131ff.
[155] MS 1 *prima ms*, MSS 201, Cambr. T-S A 9,4 sowie einige spätmittelalterliche Handschriften lesen *'ămăṣjahû* in V.12, aber die Stütze für diese Lesart ist allzu schwach.

der präfigierten Namen finden. Die Einführung von *'ᵃmăṣjā* in Kap.12,22 bildet den Hintergrund zu der Erzählung derselben Person in Kap.13,12f, wo der Krieg zwischen Joas und dem König von Juda erwähnt wird.

Die Kapitel 2.Kön 14—15 bestehen aus kleineren annalistischen Stücken, die aus recht viel deueronomistischem Material zusammengefügt sind. Hier finden wir eine Menge Personennamen. Dieser Abschnitt beschriebt die Geschichte von der Jahrhundertwende um 800 bis zu der Zeit kurz vor dem Syro-Ephraimitischen Krieg. König *'ᵃḥăzjahû,* auf dessen Namen wir früher hauptsächlich in der langen Form gestossen sind, wird wie erwartet auch in 2.Kön 14,13 so geschrieben. Was jedoch seinen Enkel *'ᵃmăṣjā* betrifft, haben wir bereits in 2.Kön 12,22 und 13,12 die Kurzform gefunden. Kap.14—15 enthalten den Namen dieses Königs in beiden Formen. Wir erwarten die lange Form in einem hauptsächlich deuteronomistischen Material und finden sie auch sehr richtig zehnmal in Kap.14 sowie ferner in Kap.15,3. Die beiden Stellen mit der kurzen Form sind Kap.14,8 und 15,1.

Nun dürfte hinter Kap. 14,8—14 eine nordisraelitische Quelle stehen.[156] Dafür spricht die sympatische Schilderung von König Joas sowie der Ausdruck "Beth-Schemesch, das in Juda liegt" (V.11). Dadurch liesse sich die Kurzform in Kap.14,8 erklären. Das epigraphische Material zeigt nämlich, dass das theophore Suffix im Norden lieber *-jw* als *-jhw* geschrieben wurde und wir sehr wohl annehmen können, dass ein Suffix *-jō* auch *-jh* geschrieben worden sein kann. Das textkritische Vergleichsmaterial stütz die Lesart *'ᵃmăṣjā* auch in V.9.[157] Zudem gibt es eine gewisse Stütze für die stärker authentische Kurzform *jô'aš* anstatt *jᵉhô'aš* in V.8.9.13.[158] Es hat den Anschein, als habe der deuteronomistische Redaktor die Namen in dem späteren Teil dieses Einschubs stärker geprägt. So haben wir vier *'ᵃmăṣjahû* in V.11—13, während der einleitende Vers ziemlich unverändert stehen blieb.[159] Es ist ganz natürlich, dass ein Redaktor, je länger er eine Quelle zitiert umso mehr geneigt ist, den Text seinen eigenen Sprachgewohnheiten anzupassen. Die zweite *'ᵃmăṣjā*-Stelle in Kap.15,1 steht in unmittelbarem Zusammenhang mit *ᶜăzărjā*, und die Kurzform für den Namen des ersteren dürfte auf Analogie zu der Schreibung des letzteren im selben Vers beruhen.[160]

Die Namensform *ᶜăzărjā* mit sechs Belegstellen in 2.Kön 14—15 dominiert

---

[156] Kittel, HkzAT I:5, S.260. Gray, I&II Kings, S.549.

[157] MSS 154.225.226 + vier spätere MSS sowie Cambr. T-S Or 1080 A 9,2:1 r:o *prima manus.*

[158] In V.8 finden wir die Kurzform in MSS 154,180,201,226, in MS 1 *prima ms* sowie in weiteren sieben MSS. Die Stütze für diese Lesart in den Quellen kommt also derjenigen für die lange Form völlig gleich. Bedeutend schwächer, aber doch vorhanden, ist die Stütze für die kurze Form in V.9 (MS 154 + 3 spätere MSS), V.13ᴵ (MSS 30.154 + 2 spätere MSS) und V.13ᴵᴵ (MS 30).

[159] Cambr. T.S Or 1080 A 9,2:1 r:o liest *'mṣjh* in V.13ᴵ.

[160] MS 226 + 5 spätere MSS lesen hier *'ᵃmăṣjahû.* Die Stütze für diese Lesart ist zwar zu schwach, als dass wir sie als ursprünglich betrachten möchten, zeigt aber, dass die Schreiber die Form in die erheblich üblichere lange Form "korrigiert" haben.

stark über die entsprechende lange Form $^{ca}z\breve{a}rjah\hat{u}$, die wir nur in 2.Kön 15,6.8 finden. Denselben König treffen wir sowohl in 2.Chr 26—27 wie in den Prophetenbüchern unter dem Namen $^cuzzij\bar{a}/h\hat{u}$. Die lange Form des letzteren Namens, die in Chr, Jes 1,1; 6,1; 7,1 vorliegt, kommt ausserdem in 2.Kön 15,32.34 vor. Die Kurzform $^cuzz\hat{\imath}j\bar{a}$ lesen wir in Hos 1,1; Am 1,1; Sach 14,5 sowie in 2.Kön 15,13.30, aber die beiden letzteren Stellen haben wir aus guten textkritischen Gründen zu ändern. Somit müssen wir in 2.Kön 15,13 $^{ca}z\breve{a}rj\bar{a}$ lesen, gestützt auf LXX, Vulgata, Targumen sowie die Mehrzahl von Kennicotts älteren Manuskripten.[161] In 2.Kön 15,30 liegen starke Gründe dafür vor, die Langform $^cuzz\hat{\imath}jah\hat{u}$ vorauszusetzen.[162] Vielleicht müssten wir, mit dem sog. lukianischen Text, die letzten Wörter dieses Verses streichen, wordurch dieser Name ganz wegfallen würde.

Nach den vorgeschlagenen Änderungen lesen wir also $^{ca}z\breve{a}rj\bar{a}$ in 2.Kön 14,21; 15,1.7.13.17.23.27, $^{ca}z\breve{a}rjah\hat{u}$ aber nur in Kap. 15,6.8. Bei dem Chronisten ist der Name recht häufig, doch wird er ausserhalb von 2.Kön 14—15; 1.Chr 3,12 niemals für den König von Juda gebraucht.[163] Den Namen $^cuzz\hat{\imath}jah\hat{u}$ lesen wir in 2.Kön 15,30.32.34.[164]

In welchem Verhältnis stehen nun die beiden Namen $^cuzz\hat{\imath}jah\hat{u}$ und $^{ca}z\breve{a}rj\bar{a}/h\hat{u}$ für diesen König von Juda zueinander? Man hat häufig angenommen, dass der letztere Name der persönliche sei und der erstere sein Thronname.[165] Dieser Ansicht widersprachen jedoch neuere Forscher mit dem Hinweis, dass auch $^{ca}z\breve{a}rj\bar{a}/h\hat{u}$ für den regierenden König gebraucht wird.[166]

Nun kommt es zwar auch bei anderen Königen im Alten Testament vor, dass sie zwei verschiedene Namen tragen, aber in diesen Fällen ist der Namenwechsel durch das Eingreifen einer fremden Macht erfolgt, was dann auch ausdrücklich im Text mitgeteilt wird.[167] So verhält es sich bei diesem König nicht; er stellt mit seinen beiden Namen einen ausgesprochenen Einzelfall dar. Dagegen ist es nicht ganz ungewöhnlich, dass theologisch unpassende Personennamen kleinen deuteronomistischen Änderungen unterworfen wurden.[168] Nachdem wir nun konstatiert haben, dass $^cuzz\hat{\imath}j\bar{a}/h\hat{u}$ die allgemein verbreitete Form des Namens ist und $^{ca}z\breve{a}rj\bar{a}/h\hat{u}$ sich fast völlig auf deuteronomistische Notizen beschränkt, wa-

---

[161] MSS 154.180.201.224.226.602 sowie 25 MSS aus der Zeit nach 1200. Ausserdem lesen MS 1 (+ 3 spätere MSS) $^czrjhw$. BH hat eine Stütze in den Geniza-Manuskripten Cambr. T-S A 9,13; NS 47,3:2 r:o.

[162] MSS 1.4.30.154.201.225.226.602 + 15 spätere MSS. BH hat eine Stütze in den Geniza-Manuskripten T-S A 9,13; NS 47,3:2 v:o.

[163] NB die Kurzform in 1.Chr 3,12. Dieses ist der einzige König aus dem Geschlecht David in dieser Liste, dessen Name in der kurzen Form geschrieben wird. Lange Form in MS 30 + 20 MSS.

[164] Es liegt kein Grund vor, wie Gray (I&II Kings S.567ff) mit gewissen LXX-Manuskripten auch an diesen Stellen $^{ca}z\breve{a}rj\bar{a}/h\hat{u}$ zu lesen.

[165] Siehe beispielsweise MacLean, IDB Vol.4, S.742. Montgomery, The Book of Kings, S.446.

[166] Siehe z.B. Rudolph, HAT 21, S.283. Gray, I&II Kings, S.569 Anm.b.

[167] 2.Kön 23,34; 24,17.

[168] 2.Sam 2,8; 4,4. Siehe auch Mettinger, Solomonic..., S.133.

gen wir anzunehmen, dass der letztere Name auf den Redaktor zurückgeht. Durch den eingeschobenen Buchstaben *r* wurde die Bedeutung des Namens etwas gemildert.[169] Der Redaktor hatte ein Interesse daran, die Traditionen um diesen König zu unterdrücken. Trotz seiner langen Regierungszeit wird von ihm nichts anderes berichtet, als dass die Opferhöhen nicht abgeschafft wurden und dass ihn gegen Ende seiner Regierungszeit Aussatz befiel. 2.Chr 26 bringt hier eine bedeutend ausführlichere Darstellung, von der man anzunehmen pflegt, dass sie auf geschichtlich zuverlässiger Grundlage steht. Der Chronist scheint seine Darstellung auf annalistisches Material zu stützen.[170]

Der Hauptteil von 2.Kön 15 besteht aus deuteronomistischen Einführungs- und Schlussbemerkungen, die alle ausser V.6—9 und V.30ff die Namensform *ᶜazǎrjā* benutzen. In V.6—9, der Schlussbemerkung über den König, hat der Redaktor die lange Form *ᶜazǎrjahû* angewendet, aber sonst weist alles deuteronomistische Material, ebenso wie die Liste in 1.Chr 3, die Kurzform *ᶜazǎrjā* auf. Nicht zuletzt die eben genannte Stelle zeigt, dass von diesem Namen die Kurzform als die richtige angesehen wurde. Alle übrigen Könige aus Davids Geschlecht in der Liste in 1.Chr 3 (ausser *ʾabîjā*, der immer in der Kurzform vorkommt) werden in der langen Form geschrieben.

Der wahrscheinlichste Grund für die Namensform *ᶜuzzîjahû* in V.30.32.34 dürfte sein, dass hier der Sohn *jôtam bæn ᶜuzzîjahû* in den Mittelpunkt des Interesses gerückt ist (V.30.32). Dadurch bildet *ᶜuzzîjahû* einen Teil von dessen Namen, der also vom Redaktor nicht geändert wurde. In Konsequenz damit muss der Redaktor auch in V.34 *ᶜuzzîjahû ʾabîw* schreiben.

Es dürfte somit klar sein, dass der historisch richtige Name des Königs *ᶜuzzîjahû* gewesen ist, und zwar dem normalen Brauch des 8.Jahrhunderts entsprechend in der langen Form. So lesen wir bei dem Propheten Jesaja ebenso wie in 2.Kön 15,30ff und in 2.Chr 26—27. In nachexilischer Zeit wurde dann für diesen Namen die Kurzform üblich, sie liegt in Hos 1,1; Am 1,1 und Sach 14,5 wie auch

---

[169] Probleme bereitet hier der *Az-ri-ja-a-u* von *Ja-u-da-a-a,* der vermeintlich in den Annalen von Tiglat Pileser III. erwähnt sein soll (siehe Pritchard, ANET, S.282f), denn falls hier *ᶜazǎrja/hû* von Juda gemeint ist, müsste dieser Name authentisch sein. Viele Forscher haben behauptet, dass es sich so verhalte. Siehe Luckenbill, AJSLL 41/1925, S.217ff. Noth, Die Israelitischen Personennamen... 1928, S.109f. Thiele, JNES 3/1944, S.156. Albright, BASOR 100/1945, S.18 sowie unter neueren Forschern Bright, A History of Israel, 1972, S.268 und Saggs, Peoples of Old Testament Times, 1973, S.160. Die Identität der Personen bezweifeln Montgomery, The Book of Kings, S.447 und Gray, I&II Kings, S.567, Anm.c. Das Problem wurde jedoch auf eine etwas unerwartete Weise gelöst durch den Hinweis von Navad Naʾaman (BASOR 214/1974, S.25ff), dass sich die Verknüpfung mit dem judäischen König auf eine falsche Lesung des stückweise fragmentarischen Textes stütze, der aus mehreren Gründen vielmehr mit dem Zug König Hiskias und Sanheribs gegen Jerusalem im Jahre 701 zu verbinden sei. Naʾamans Schlussfolgerung wird weiter ausgeführt von H.Donner in Israelite and Judaean History, S.424.

[170] Vgl. S.185.

in der späten aramäischen Grabinschrift des Königs vor.[171] In dem Namen
$^{ca}z\breve{a}rj\bar{a}$ sehen wir eine deuteronomistische Spezialform, die ausserhalb des deuteronomistischen Geschichtswerkes lediglich in 1.Chr 3,12 auftaucht.

In 2.Kön 8—16 sind nun noch die sechs Namen $z^e\breve{k}\breve{a}rj\bar{a}/h\hat{u}$ (14,29: 15,11/15,8),
$p^eq\bar{a}hj\bar{a}$ (15,22f.26), $j^e\mathring{k}\mathring{a}ljah\hat{u}$ (15,2), $r^em\mathring{a}ljah\hat{u}$ (15,25.27.30.32.37; 16,1.5),
$'\hat{u}r\hat{i}j\bar{a}$ (16,10f) sowie $hizq\hat{i}jah\hat{u}$ (16,20) übrig. Hier werden die beiden letzten der
drei Könige des Nordreichs genannt, die Namen mit dem Suffix -jh/-jhw tragen.
Den ersten von ihnen, $'^ah\breve{a}zj\bar{a}/h\hat{u}$ (2.Kön 1,2/1.Kön 22; 2.Kön 1,18), haben wir
bereits kommentiert. Dabei stellten wir fest, dass die Stelle mit der Kurzform die
ursprüngliche Form vertritt, die den in nordisraelitischem epigraphischem Material belegten -jw-Formen zu vergleichen ist.[172] Daher überrascht es nicht sonder-
lich, dass wir hier die Kurzformen $z^e\breve{k}\breve{a}rj\bar{a}$ und $p^eq\bar{a}hj\bar{a}$ finden. Der erstere der
beiden hat jedoch in der deuteronomistischen Notiz 15,6—9 die redaktionell be-
dingte lange Form erhalten; dort wurde, wie wir früher konstatieren konnten,
auch $^{ca}z\breve{a}rj\bar{a}$ die lange Form $^{ca}z\breve{a}rjah\hat{u}$ zuerteilt.

Auch der Frauenname $j^e\mathring{k}\mathring{a}ljah\hat{u}$ dürfte, wie bereits erwähnt, redaktionell bedingt sein, da es kaum möglich ist, irgendwelche anderen theophoren Frauenna-
men in vordeuteronomistischer Zeit zu belegen.[173] Hinsichtlich $r^em\mathring{a}ljah\hat{u}$ müssen wir feststellen, dass er vermutlich ganz einfach so geheissen hat. Mehrere der
Belegstellen stammen von dem annalistischen Material des Kapitels (15,25.30.37;
16,5), und der Redaktor, der selbst gern die lange Form benutzt, sah keinen
Grund, an den übrigen Stellen etwas anderes zu schreiben.

Der Priester $'\hat{u}r\hat{i}j\bar{a}$ wird auch in Jes 6,2 in der kurzen Form geschrieben. Da das
Jesajabuch sonst niemals Kurzformen verwendet, sehen wir darin eine Stütze für
unsere Auffassung, dass dieser Name, auf den wir früher zur Zeit König Davids
gestossen sind, sich nicht unter die theophoren Namen einordnen lässt. Von dem
Priester $'\hat{u}r\hat{i}j\bar{a}$ hören wir, dass er bei der Einführung von König Ahas' assyri-
schem Altar im Tempel von Jerusalem mitwirkt. Der letztere Umstand könnte
auch dazu beigetragen haben, dass niemand die Bedeutung des Suffixes unterstreichen wollte, falls der Name doch anfänglich theophor gewesen sein sollte.

### 2.Kön 18—20. Die Zeit König Hiskias

| | | |
|---|---|---|
| $hizq\hat{i}j\bar{a}$ | König in Juda | 2.Kön 18,1.10—16. |
| -jah$\hat{u}$ | König in Juda | (2.Kön 16,20) 2.Kön 18,9.17ff; |
| | | 2.Kön 19—20 mehrere Stellen |
| | | + 2.Kön 21,3 |

---

[171] Siehe Albright, BASOR 44/1931, S.8ff.
[172] Siehe S.98.
[173] Siehe s.108. Der Paralleltext in 2.Chr 26,3 liest *jkljh, jkwljh* oder *jkjljh* in verschiedenen MSS, aber
niemals die lange Form. Es ist offensichtlich, dass 2.Chr, die sonst eine starke Neigung zeigt, für
alle Namen die lange Form zu verwenden, nicht nur davon wusste, dass der richtige Name des Königs $^cuzz\hat{i}jah\hat{u}$ war, sondern auch, dass der Name seiner Mutter nicht theophor war und deshalb
niemals in der langen Form geschrieben werden konnte.

| | | |
|---|---|---|
| $j^e$ḥizqîjahû | König in Juda | 2.Kön 20,10 |
| $z^e$kărjā | Hiskias Grossvater | 2.Kön 18,2 |
| ḥilqîjā | Eljakims Vater | 2.Kön 18,37 |
| -jahu | Eljakims Vater | 2.Kön 18,18.26 |
| $j^e$šă$^c$jahû | Schriftprophet | 2.Kön 19—20 |

Zu diesem Abschnitt hat der Chronist, der sich vornehmlich für Hiskia als Kultreformator interessiert, keinen direkten Paralleltext, sondern nur einen recht freien Bericht über den Ablauf der Ereignisse in 2.Chr 32.

Hingegen finden wir den grössten Teil des Inhalts von 2.Kön 18—20 in Jes 36—39 wieder. 2.Kön 18,13.17—37; 19,1—37; 20,1—3.12—19 entsprechen Jes 36—38,3; 39,1—8. Das bedeutet, dass von dem Material in 2.Kön nur der einleitende Abschnitt (Kap.18,1—12), Hiskias Tribut an Sanherib (18,14—16) sowie die abschliessende Bemerkung, Kap.20,20f nicht bei Jesaja vorkommen. Ausserdem ist der Abschnitt über Hiskias Krankheit und den Schatten auf der Sonnenuhr von König Ahas in 2.Kön 20,4—11 anders ausgestaltet als in Jes 38,4—22. In den letzteren Abschnitt ist Hiskias Gebet, V.10—20, eingefügt.

Der Abschnitt bei Jesaja enthält durchweg die langen Formen ḥizqîjahû, ḥilqîjahû und $j^e$šă$^c$jahû. Die Manuskripte weisen keine Variante von Bedeutung zu dem Jesajatext auf. Zu dem Text in 2.Kön gibt es dagegen einige Varianten, die wir berücksichtigen müssen. Doch veranlassen uns die Varianten, die in Kap.18,1 und 18,9 vorliegen, nicht zu irgendwelchen Massnahmen.[174]

Die interessanteste Stelle ist Kap.18,13, wo die Biblia Hebraica mit dem Codex Leningradiensis u.a. MSS die Kurzform liest, während der Hauptteil des übrigen Textmaterials, einschliesslich des sehr alten MS Kenn. 1 sowie acht von Kennicotts neun MSS aus dem 12.Jh, die Langform als ursprüngliche Lesart aufweist.[175] Nun stellt 2.Kön 18,13 einen Paralleltext zu Jes 36,1 dar, während 18,14—16 im Jesajatext fehlen. Es ist somit klar, dass alle die Verse in 2.Kön 18, die auch bei Jesaja zu finden sind, anfänglich die lange Form aufgewiesen haben, dass diese aber in V.13 durch Einwirkung der Kurzformen des Nahkontextes in einer Reihe von Manuskripten, von denen der Codex Leningradiensis offenbar eines ist, geändert wurde.[176] Vermutlich ist auch ḥilqîjā in V.37 im Einklang mit einer starken Manuskripttradition in die lange Form zu ändern.[177] Zu 2.Kön 19—20 verfügen wir beinahe nur über späte und schwach belegte Varianten.[178]

---

[174] In Kap.18,1 liest MS 201 die lange Form im Einklang mit der üblichen Schreibweise für den Namen des Königs. In 18,9 hat dagegen die grosse Menge der Kurzformen im Kontext den Schreiber von MS 180 dazu verleitet, die Form ḥzqjh zu verwenden.

[175] Siehe S.83.

[176] Siehe auch Norin, VT 32/1982, S.337f.

[177] Langform in Cambr. T-S Misc 2,14; NS 283,6 v:o; MSS Kenn. 30.154.201. 224—226 + 23 späteren MSS. Dagegen lesen wir die Kurzform in dem Geniza-MS T-S NS 80,8:1 r:o. Die lange Form ḥizqîjahû in V.15 MS 154 prima manus veranlasst uns zu keiner Massnahme.

[178] Die Form ḥizqîjā (Kap.20,21 MS 201) ist die einzige Varianten-Form in den älteren Handschriften.

Zu dem Verhältnis des Textes von Jes zu dem von 2.Kön 18—20 vertraten die meisten Forscher den Standpunkt, der Redaktor des Jesajabuches habe sein Material aus 2.Kön bezogen.[179] Die Verteilung der Namensformen zeigt uns jedoch jetzt, dass es sich nicht so verhalten haben kann. Da alles Material in 2.Kön 18—20, das mit Jes 36—39 übereinstimmt, lange Formen aufweist, welche im Buch Jesaja die üblichen sind, muss der Text von 2.Kön aus Jes stammen. Dafür spricht auch die Tatsache, dass die Ausgestaltung des Jesajatextes als die bessere anerkannt ist.[180] Die Version des Jesajabuches bringt auch an vielen Stellen kürzere Formulierungen, an denen der Text in 2.Kön sekundär ausgeschmückt erscheint.

Der Umstand, dass in dem einleitenden Stück von 2.Kön 18,1—12. 14—16 die kurzen Namensformen dominieren, deutet darauf hin, dass wir es hier nicht mit dem Redaktor zu tun haben, der uns früher begegnet ist. Zudem haben wir hier eine Parallelerzählung zu der Schilderung vom Fall des Nordreichs in Kap.17 vor uns, und das erweckt den Anschein als sei der ganze Abschnitt 2.Kön 18—20 spät in das deuteronomistische Geschichtswerk hineinkomponiert worden, und zwar von einer Person, die zum einen die schriftlich abgefasste Jesajalegende mit den langen Namensformen heranzog, und zum anderen mit mündlichem Traditionsmaterial über Hiskias religiöse Reform, den Fall des Nordreichs und Hiskias Tribut an Sanherib ergänzte; diese letztere Schilderung hat grosse Ähnlichkeit mit den Angaben auf dem Taylor-Zylinder über Sanheribs dritten Feldzug. Da der Chronist es völlig unterlässt, etwas aus diesem Teil von 2.Kön zu zitieren, liegt die Annahme nahe, dass ihm 2.Kön 18—20 nicht bekannt war. Vermutlich fand der Text erst einen Platz in 2.Kön, nachdem 2.Chr bereits fertig vorlag. Ein so später Abschluss von 2.Kön 18—20 stimmt gut damit überein, dass der Redaktor hier die kurzen Namensformen benutzt. Die Form mit präfigiertem *je-* in Kap.20,10 weist auch auf eine sehr späte Schlussredaktion hin.[181] Diese in 2.Chr 28—33 häufigste Form finden wir in dem Abschnitt 2.Kön 20,9—11, der des Redaktors eigene Umgestaltung von Jes Kap.38,7—8 darstellt.

Der Abschnitt über Hiskia, Kap.18—20, bildet einen Übergang zwischen dem Teil des deuteronomistischen Geschichtswerkes, der das geteilte Reich mit starker Betonung des Nordreichs schildert, dessen endgültigem Schicksal ein länge-

---

[179] Kittel, HkzAT I:5, S.280. Burney, Notes,... S.339. Gray, I&II Kings, S.601. R Deutsch, Die Hiskiaerzählungen, S.6. Eichrodt, Der Herr der Geschichte, S.225, Leupold, Exposition of Isaiah, Vol.1, S.546, Kaiser, ATD 18, S.291. Wildberger, ThZ 35/1979, S.35. Kaiser ZAW 81/1969, S.314. Die entgegengesetzte Ansicht vertritt nur Jepsen, Nabi, S.86 und Die Quellen..., S.77. Hölscher verweist in Fs H.Gunkel 1923, S.187, darauf, dass die Jesaja-Legende kein ursprünglicher Teil des deuteronomistischen Geschichtswerkes ist, zu dem nur 18,1—11.13—16; 20,20—21 gehört haben. Noth (Ueberlieferungsgeschichtliche..., S.[79]) erwähnt flüchtig, Dtr habe einen vorliegenden Jesaja-Zyklus benutzt.

[180] Kittel, HkzAT I:5, S.280.

[181] Ohne Präfix in MSS 30.201.580 (12.Jh). 584(12.Jh) sowie in 23 späteren MSS.

rer Kommentar in 2.Kön 17 gewidmet wird, und den abschliessenden Kapitel des Buches, der letzten Zeit von Juda.

Aus der oben erwähnten assyrischen Quelle ergibt es sich klar, dass der authentische Name des Königs der langen Form *ḥizqîjahû* entsprochen haben muss, eben der Form, die in der Jesajalegende begegnet.[182] Diese Form finden wir auch in Kap.16,20, das zu dem deuteronomistischen Epilog über König Ahas gehört.[183] Dieselbe Form in 18,9 ist dann entweder ein Rest aus einer älteren Hiskia-Erzählung oder sie ist dem Zufall zu verdanken. In Kap.20,20f.; 21,3 finden wir diese Form aufs neue in einem deuteronomistischen Abschnitt,[184] vermutlich in Analogie zu der Schreibung in dem eingefügten Jesajatext. Können wir die Annahme wagen, dass 2.Kön anfänglich eine erheblich kürzere Schilderung der Zeit Hiskias bot, damit der Idealkönig Josia um so heller leuchten konnte, und dass man 2.Kön 18—20 in einer späteren Zeit einfügte, als Hiskia höher geschätzt wurde?

## 2.Kön (21)22—25. *Reformzeit und Endzeit*

| | | |
|---|---|---|
| *jo'šîjahû* | König in Juda | 2.Kön 21,24.26; 22,1.3; 23,16.23f. 28—30.34. |
| ᶜᵃ*dajā* | Josias Grossvater | 2.Kön 22,1. |
| *'ᵃṣaljahû* | Vater von *šapan hassoper* | 2.Kön 22,3. |
| *ḥilqîjā* | Hoherpriester | 2.Kön 22,8.10.12. |
| *-jahu* | | 2.Kön 22,4.8.14; 23,4.24. |
| ᶜᵃ*śajā* | ᶜ*œbœd hammœlœk* | 2.Kön 22,12.14. |
| *mîkajā* | Achbors Vater | 2.Kön 22,12. |
| *jirmᵉjahû* | Joahas und Zedekias Grossvater | 1.Kön 23,31; 24,18. |
| *pᵉdajā* | Josias Grossvater | 2.Kön 23,36. |
| *măttănjā* | König in Juda | 2.Kön 24,17. |
| *ṣidqîjahû* | Dieselbe Person wie der Vorhergehende | 2.Kön 24,17f.20; 25,2.7. |
| *śᵉrajā* | Hoherpriester | 2.Kön 25,18.23. |
| *ṣᵉpănjahû* | *kohen mišnœ̄* | 2.Kön 25,18 |
| *gᵉdăljahû* | Statthalter | 2.Kön 25,22—25. |
| *jă'ᵃzănjahû* | Offizier | 2.Kön 25,23. |
| *nᵉtănjā* | Ismaels Vater | 2.Kön 25,23.25. |

---

[182] *Ha-za-qi-(i)a-ú*. Siehe ANET, S.287.
[183] Kittel, HkzAT I:5, S.272. Gray, I&II Kings, S.579.
[184] Kittel, HkzAT I:5, S.294. Burney, Notes..., S.352. Gray, I&II Kings, S.641ff. Dietrich: Prophetie, S.33.

Weder Kennicotts Varianten-Lesarten noch die Geniza-Manuskripte geben uns einen Anlass, hier andere Namensformen zu lesen als BH.[185]

Dass der Königsname *jo'šîjahû* immer in der langen Form vorkommt, haben wir bereits früher erwähnt; allem Anschein nach ist diese Schreibweise theologisch bedingt. Von den anderen Namen haben hier viele die kurze Form. Das gilt insbesondere von dem Abschnitt über die Reaktion des Königs auf den Fund des Gesetzbuches im Tempel in Kap.22 sowie von der Nachschrift über den Aufstand gegen Gedalja in Kap.25,22—26.

In Kap.22 sind *jo'šîjahû,* *'ăṣăljahû* und an ein paar Stellen *ḥilqîjahû* die einzigen Namen in der langen Form. Obschon das jetzt Berichtete sich der eigenen Zeit des deuteronomistischen Redaktors nähert ist anzunehmen, dass viel von dem Material in 2.Kön 22 sekundär ist. Die Schilderung von der Instandsetzung des Tempels wirkt in vielfacher Hinsicht wie eine Kopie von 2.Kön 12,9ff, und Mayes hat in jüngster Zeit energisch behauptet, dass auch die Erzählung von dem wiedergefundenen Gesetzbuch eine späte Fiktion sei. Wie es sich mit den beiden Aussagen der Prophetin Hulda am Ende des Kapitels verhält, darüber sind die Meinungen geteilt.[186] Unter allen Umständen scheint die endgültige Redaktion von 2.Kön 22 so spät stattgefunden zu haben, dass die kurzen nachexilischen Namensformen auf -*jā* sich nun im Text durchsetzen, und zwar nicht nur bei peripheren Personen wie *ᶜadajā*, *ᶜaṣajā* und *mîkajā*, sondern auch an mehreren Stellen bei *ḥilqîjā*. Den Idealkönig *jo'šîjahû* anders als mit dem theophoren Suffix in seiner vollständigen Form zu schreiben, ist jedoch unmöglich.

Nun bleibt noch Kap.23—24 mit vermischtem annalistischem und redaktionellem Material. Ausser den bereits erwähnten *jo'šîjahû* und *ḥilqîjahû* wird hier *jirmᵉjahû* (23,31) genannt, dessen Name in Analogie zu dem gleichnamigen grossen Propheten geschrieben wird.[187] Zwei früher nicht genannte Personen, *pᵉdajā* und *mattănjā* erscheinen dagegen in der Kurzform, die der Redaktor, der hier am Werk war, für neu gebildete Namen vorzuziehen scheint.

Von Kap. 24,18 bis zum Ende des Buches stimmt das Material mit dem Buch Jeremia überein, auf das wir in Kap.IV näher eingehen werden. 2.Kön 24,18—21; 25,1—21.27—30 bieten einen fast wörtlichen Paralleltext zu Jer 52,1—27.31—34. Den meisten Kommentatoren zufolge hat das Buch Jeremia den Text aus 2.Kön

---

[185] Eine gewisse, aber kaum hinlängliche Stütze für die lange Form *ḥilqîjahû* an beiden Stellen in Kap.22,8 gibt es, jedoch spricht die lectio difficilior für den Text von BH, der auch in mehreren Geniza-Manuskripten eine Stütze findet. Einige MSS sprechen für die lange Form auch in Kap.22,10.12, aber die Stütze ist zu schwach, um eine Textänderung zu veranlassen.

[186] Siehe Mayes, Hermathena, 1978, S.37ff. sowie Gray, I&II Kings, S.649 ff. Gray meint, zumindest 22,8—15 baue auf historischem Material, während Mayes das für eine reine Fiktion hält. Andererseits zeigt Mayes eine grössere Bereitschaft, wenigstens die letzte von Huldas Prophezeiungen, V.18—20, als authentisch anzusehen (Mayes, Hermathena, S.41).

[187] Nur Kurzform in Esra 1,1; Jer 27—29 sowie Dan 9,2.

bezogen.[188] Zudem ist der Text in 2.Kön um Kap.25,22—26 über die Tötung von Gedalja erweitert. Der letztere Abschnitt ist wahrscheinlich Jer 40,7—9; 41,1—3 entnommen.[189] Anstatt dieses Einschubs finden wir in Jer 52,28ff Angaben über die Anzahl der Deportierten. Diese Angaben fehlen in LXX, was darauf hinweisen dürfte, dass sie einen späten Zusatz zum Text darstellen.[190] Ausserdem fehlen in LXX die beiden Personennamen aus Jer 52,24, aber es dürfte übereilt sein, mit Janzen auch diese als sekundäre Einschübe im masoretischen Text des Jeremiabuches zu erklären.[191] In diesem Fall müssten, wie es Janzen auch selbst vorschlägt, die entsprechenden Namen in 2.Kön 25,18 sekundär aus dem Jeremiatext in den von 2.Kön übernommen worden sein. Dem widerspricht jedoch, dass wir in 2.Kön die lange Form *ṣᵉpănjahû* finden, während in Jer die entsprechende Kurzform steht. Von einem späteren Zusatz in der Absicht, eine Analogie zwischen den Texten herzustellen, dürfte man erwarten, dass er für 2.Kön die Namensform aus Jer nicht abgeändert hätte.

Die älteste Gestalt von 2.Kön 24,18—25.30 muss ein Text gewesen sein, dem sowohl der Einschub in Kap.25,22—26 wie die beiden Namen in Kap.25,18 fehlten. Dieser Text war vermutlich mit den geschilderten Ereignissen annähernd zeitgleich, da weder Sidkias noch Jojakims Tod in 2.Kön 25,7.30 erwähnt werden. Diese Angaben sind dagegen im Jeremiatext hinzugefügt. Die Namensformen *jirmᵉjahû* und *ṣidqijahû* sind sicherlich authentische Namen aus der Zeit kurz vor dem Exil.

Schon früh dürften die beiden Namen *ṣᵉpănjahû* und *śᵉrajā* oder noch eher *śᵉrajahû* aus einer authentischen Quelle eingefügt worden sein. Die Namensformen *ṣᵉpănjahû* und *śᵉrajahû* sind epigraphisch aus der fraglichen Zeit belegt.

In 2.Kön 25 wurden schliesslich die Verse 22—26 aus Jer 40,7—9; 41,1—3 eingefügt. In Jer 40,8 wird eine andere Person *śᵉrajā* erwähnt, und wir können uns leicht vorstellen, dass die hier vorliegende Schreibweise diejenige desselben Namens in 2.Kön 25,18 beeinflusst hat. Was die übrigen Personen in dem eingeschobenen Abschnitt betrifft, d.h. *gᵉdăljahû, jăʾăzănjahû* und *nᵉtanjā*, verwendet der Redaktor die Namensformen, die in der Vorlage Jer 40,7—9; 41,1—3 stehen. Die abweichenden Formen *gᵉdăljā* und *nᵉtănjahû* in Jer 40,8 sind in 2.Kön 25,23 normalisiert.

### d) Zusammenfassung

Nach unserer Durchsicht sämtlicher relevanter Abschnitte in 1.—2.Kön wollen

---

[188] Gray, I&II Kings, S.686. Duhm, Das Buch Jeremia, S.377. Giesebrecht, HkzAT III:2,1, S.261. Weiser, ATD 21, S.451.487. Rudolph, HAT 12, S.295. Thompson, The Book of Jeremiah, S.773.
[189] Vgl. Kittel, HkzAT I:5, S.310. Noth, Ueberlieferungsgeschichtliche Studien, S.(87). Gray, I&II Kings, S.702.
[190] Giesebrecht, HkzAT III:2,1, S.259. Janzen, Studies in the Text..., S.122.
[191] Janzen, Studies in the Text..., S.71.

wir nun versuchen, unsere Ergebnisse Abschnitt für Abschnitt kurz zusammen-
zufassen.

### 1.Kön 1—2

Die Kurzform *ṣᵉrûjā* und die Langform *bᵉnajahû* lassen sich als eine Anknüpfung an die Schreibweise der Samuelbücher erklären. Der erstere Name war vermutlich nicht von Anfang an theophor. Wegen seiner Seltenheit wurde er auch
nicht der theophoren Schreibweise angeglichen. Der zweite Name ist wiederum
desto üblicher. Der Wechsel in der Schreibweise des Namens *'ᵃdonîjā/hû* beruht
wahrscheinlich darauf, dass die Stellen mit der langen Form einer späteren Er-
zählschicht angehören.

### 1.Kön 4

Die langen Formen *ᶜᵃzărjahû* und *bᵉnajahû* dürften von einem Schreiber aus der
Zeit herrühren, nachdem das Schluss-*w* als *mater lectionis* eingeführt worden
war. Die Kurzform *'ᵃḥîjā* knüpft an die vermutlich authentische Schreibweise
der beiden *'ᵃḥîjā* in 1.Sam 14,3.18 an.

### 1.Kön 11—15

Die Kurzform *'ᵃḥîjā* gehört der älteren Schicht an, während die lange Form in
14,4b—5 von einer späteren Hand stammt. Die langen Formen in Kap. 14,6.18
dürften auf Harmonisierung mit V.4b—5 beruhen. Einige Manuskripte haben
an diesen Stellen Kurzformen.

Der Name *šᵉmăᶜjā* gehört wahrscheinlich einem vordeuteronomistischen Zusatz zum Ahiasagenkreis mit Wurzeln in einer alten Quelle an. König *jo'šîjahû*
wird auf dieselbe Weise geschrieben wie auch sonst immer.

Die Namen *'ᵃbîjā* und *'ûrîjā* spiegeln vermutlich authentische alte Schreibweisen, die immer für diese Personen üblich waren.

### 1.Kön 17 — 2.Kön 3

In diesen Kapiteln, die hauptsächlich Ereignisse aus dem Nordreich des 9.Jahr-
hunderts behandeln, entstammen sämtliche langen Formen entweder einem Material, das ein Jahrhundert später mündlich im Südreich tradiert worden war
oder rein deuteronomistisch ist. Epigraphisches Vergleichsmaterial zeigt, dass
die langen Formen im 8.—7. Jahrhundert gebräuchlich waren.

Die Kurzformen *elîjā* und *'ᵃḥăzjā* am Anfang von 2.Kön 1 sind Reminiszen-
zen an nördliche Formen auf -*jh* (jō). Dasselbe gilt für die Kurzform *ṣidqîjā(ō)*
in 1.Kön 22,11. Baesas Vater *'ᵃḥîjā* behält seine Schreibweise von Kap.15,27. Hinsichtlich *mîkajhû* verweise ich auf die frühere Darstellung.

### 2.Kön 8—16

2.Kön 8 führt uns in die zweite Hälfte des 9.Jahrhunderts und damit in einen
Zeitabschnitt, in dem man begann, die Endvokale mit *matres lectionis* zu mar-

kieren. Damit brauchen nun die -*jhw*-Formen nicht mehr unbedingt sekundär zu sein. Es kann sich bei ihnen auch um authentische Namensformen handeln, vor allem bei Personen, die im Südreich gelebt haben.

Dies gilt beispielsweise für die meisten Stellen, an denen wir in 2.Kön 8—14 auf *'ᵃḥazjahû* stossen. Die entsprechende Kurzform in Kap.9,16.27.29 gehört dagegen einer postdeuteronomistischen Bearbeitungsschicht an. Die Kurzform in Kap.9,23 lässt sich schwieriger erklären, dürfte aber mit dem vokativischen Satz zu tun haben. Die kurze Form in Kap.11,2 ist vermutlich sekundär aufgrund einer Fehllesung von *'ᵃḥîha* "ihr Bruder" entstanden, was dem Text entspricht, der uns in LXX vorliegt.

Der Name *ᶜᵃtăljā* ist, wie wir festgestellt haben, nicht theophor. Trotzdem finden wir die lange Form des Namens in Kap.8,26; 11,2.20. Die lange Form in Kap.11,2 ist wahrscheinlich durch Ditographie entstanden. Die beiden übrigen Belegstellen dürften darauf beruhen, dass der Redaktor den Namen in Analogie zu anderen Namen auf -*jhw* im Kontext schrieb.

Ebenso wie an früheren Belegstellen wird *'ᵃḥîjā* auch in 2.Kön 9,9 in der kurzen Form geschrieben. Dagegen hat *'elîjahû* sowohl in Kap.9,36 wie an vielen anderen Stellen die deuteronomistisch bedingte lange Form.

Genau wie *'ᵃḥăzjahû* ist auch *'ᵃmăṣjahû* in Kap.14—15 die authentische Form, aber sie liegt ausserdem in dem deuteronomistischen Material vor. Was die vier Kurzformen betrifft, so sind diejenigen, welche wir in 12,22 und 13,12 finden, vermutlich auf einen späten Redaktor zurückzuführen. Dagegen dürfte die Kurzform i 14,8 einer nordisraelitischen Quelle entstammen, die in 15,1 aber aufgrund der Einwirkung des Namens *ᶜᵃzărjā* im selben Vers entstanden sein.

Der Name *ṣibjā* in Kap. 12,2 ist nicht theophor. Dagegen wirft der König mit dem Doppelnamen *ᶜᵃzărjā /hû* — *ᶜuzzîjā /hû* spezielle Probleme auf. Die Stellen mit der Kurzform *ᶜuzzîjā* haben wir aus textkritischen Gründen eliminiert. Der authentische Name des Königs war *ᶜuzzîjahû*, wie wir ihn in Kap.15 lesen. Der Name *ᶜᵃzărjā /hû* stellt eine redaktionelle Änderung jenes Namens dar. Der Redaktor hat hier die kurze Form vorgezogen, vielleicht um doch auf eine etwas geheimnisvolle Weise zu zeigen, dass dieser Name niemals authentisch war. Ein paar lange Formen haben sich aber doch in Kap.15,6.8 eingeschlichen.

In dem letzteren Vers finden wir auch die redaktionell bedingte lange Form *zᶜkărjahû* für den König des Nordreiches, der wohl eher *zᶜkărjō* o.ä. geheissen haben dürfte. Die kurzen Formen für die Namen der Könige des Nordreiches entsprechen unseren Erwartungen, daher brauchen wir nicht an der Authentizität des Namens *peqăḥjā* zu zweifeln, obschon der Endvokal eigentlich hätte ein -*ō* sein müssen.

Von den restlichen Namen hier sind *rᶜmăljahû* und *ḥizqîjahû* authentisch, während *jᶜkăljahû* zwar auch authentisch sein könnte, aber eher als deuteronomistisch zu betrachten ist. Der Name *'ûrîjā* schliesslich ist schwerlich theophor.

### 2.Kön 18—20

In diesem Abschnitt finden wir lange Formen in sämtlichem Material, das mit Jes 36—39 übereinstimmt. Hingegen rühren die Kurzformen *ḥizqîjā* und *zᵉkărjā* am Anfang des Kapitels ebenso wie die verlängerte Form *jᵉḥizqîjahû* in Kap.20 von dem nachexilischen Redaktor des Abschnittes her. Die Kurzform *ḥilqîjā* in Kap.18,37 ist aus textkritischen Gründen in die lange Form zu ändern.

### 2.Kön 21—25

In den abschliessenden Kapiteln von 2.Kön erlangen die Kurzformen plötzlich die Vorherrschaft. Das Wahrscheinlichste ist, dass diese Kapitel so spät niedergeschrieben wurden, dass die Kurzform nun die übliche war. In 2.Kön 22 erscheinen nur die Namen der Hauptpersonen *jo'šîjahû* und *ḥilqîjahû* sowie aus unbekanntem Anlass *ᵃṣăljahû* in der langen Form. In Kap.23—24,17 besteht dieselbe Tendenz. Von den neu hinzugetretenen Namen wird *jirmᵉjahû* in der langen Form geschrieben, vielleicht weil es einen bekannten Propheten desselben Namens gibt. Die ganz neuen Namen *pᵉdajā* und *mắttănjā* erhalten dagegen die kurze Form.

Die Namen *ṣiqîjahû* und *ṣᵉpănjahû* sind vermutlich authentische Namen aus einer zeitgenössischen Quelle. Die Namen schliesslich, die Jer 40,7—9; 41,1—2 entnommen sind, zeigen die für sie im Jeremiabuch übliche Schreibweise, d.h. *gᵉdăljahû* und *jă'ᵃzănjahû*, aber *nᵉtănjā* und *ṣᵉrajā*.

# C. Synthese

Unsere Überprüfung der Namen auf *-jh/jhw* in dem deuteronomistischen Geschichtswerk hat gezeigt, dass die jeweils gewählte Namensform sowohl davon abhängt, wann und wo die fragliche Person gelebt hat, als auch wann die Traditionen aufgezeichnet wurden. In einem zunächst disparat erscheinenden Material liessen sich schliesslich einige Linien erkennen.

Redaktionelle Umstände in den verschiedenen Teilen der Königsbücher spielen erwartungsgemäss eine grosse Rolle. Auch war damit zu rechnen, dass einige Namen — jedoch nicht allzu viele — aus dem Rahmen fallen und eine Schreibweise zeigen würden, die anscheinend am ehesten dem Zufall zu verdanken ist. Einige Namen fallen andererseits fort, weil sie bei näherem Hinsehen als nicht theophor erkannt werden.

Was die klar theophoren Namen angeht, können wir in den Königsbüchern drei Zeitabschnitte unterscheiden. In der Zeit bis zum Beginn des 9.Jahrhunderts — etwa dem ersten Buch entsprechend — kommen nicht sonderlich viele theophore Namen vor. Die Kurzformen sind hier konservierte Defektivschreibungen, während Material, das erst etwa ein Jahrhundert später aufgezeichnet wurde, die Langform aufweist.

In der Zeit von der Mitte des 9.Jahrhunderts bis zum 7.Jahrhundert waren die plene geschriebenen langen Formen die normalen und auch die in den Texten üblichsten. Hier besteht also kein Unterschied zwischen deuteronomistischem und vordeuteronomistischem Material, aber wir fanden eine Reihe von nachexilischen Zusätzen, in denen Kurzformen auftauchen.

In bezug auf Personen aus dem Nordreich verhält es sich teilweise anders. Hier können die kurzen Formen auf -jh authentisch sein und einer Aussprache -jō entsprechen, während Material, das eine Zeitlang mündlich in Juda tradiert worden war, die kurzen Formen oft in lange geändert hat.

Die oben vorgelegte Beschreibung stimmt gut bis 2.Kön 16, aber danach trifft eine so markante Veränderung ein, dass man den Verdacht schöpft, das deuteronomistische Geschichtswerk habe in seiner ursprünglichen Form mit dem langen Epilog in 2.Kön 17 geendet.

Der Redaktor, der in 2.Kön 18—25 die Zeit vom Ende des 8.Jahrhunderts bis zum Fall Jerusalems geschildert hat, muss in nachexilischer Zeit gewirkt haben. Er entnimmt seinen Stoff vornehmlich schriftlich fixierten Jesaja- und Jeremiatraditionen, fügt aber auch anderes Material ein. Der Stoff, der mit unseren Jesaja- und Jeremiabüchern übereinstimmt, hält sich in der Schreibweise der Namen an die Vorlagen. In dem eigenen Material werden dagegen fast ausschliesslich die in nachexilischer Zeit üblichen Kurzformen verwendet. Eine Ausnahme bilden hier nur einige Schlüsselpersonen, unter denen wir ḥilqîjahû und jo'šîjahû nennen wollen.

Eine solche Anhäufung von Kurzformen von 2.Kön 18 an wäre nicht denkbar falls, wie oft behauptet wurde, der Hauptteil dieses Materials vor oder während des Exils entstanden wäre. Wir erkennen hier einen klaren Unterschied zwischen dem deuteronomistischen Material mit seinen langen Formen in den früheren Teilen der Königsbücher und diesen abschliessenden Kapiteln, in denen sich eine solche Tendenz nicht findet.

Redaktionsgeschichtlich bedeutet dies, dass wir von Noths Theorie Abstand nehmen müssen, die das deuteronomistische Geschichtswerk als ein einheitliches Verfasserprodukt ansah. Das Ergebnis unserer Untersuchung schliesst sich am ehesten an die Forscher an, nach deren Meinung ein vorexilisches Königsbuch später bearbeitet und erweitert wurde. Unter diesen Forschern dürfte H.Weippert derjenige sein, der den Resultaten, die unsere Untersuchung ergab, am nächsten steht.[192] Weippert behauptete, wie wir einleitend erwähnten, dass eine erste Redaktion ($R^I$) die Zeit bis einschliesslich zum Fall des Nordreiches umfasst habe, und dass eine dritte und letzte Redaktion ($R^{III}$) das Werk während des Exils vollendete. Die abschliessende Redaktion dürfte jedoch eher für die nachexilische Zeit anzusetzen sein, da sie kurze Namensformen auf -jh bevorzugt. Sie muss zudem den gesamten Zeitabschnitt nach dem Fall des Nordreiches umfasst haben und nicht nur die vier letzten Könige, wie Weippert meinte. Für eine von Weippert angenommene zweite Redaktion ($R^{II}$) kurz vor dem Exil finden wir in unserer Untersuchung keine Stütze. Die Redaktion $R^{II}$ ist andererseits auch diejenige, die zu definieren Weippert am schwersten fällt.

[192] Siehe S.76ff.

KAPITEL IV

# Jeremia

## a) Einleitung

Auch das Buch Jeremia enthält sowohl kurze wie lange Namensformen in erheblicher Menge. Wir finden darin 29 verschiedene Namen mit der Endung -*jh/jhw*. Sie verteilen sich auf 294 Belegstellen. Andererseits stossen wir an einer ganzen Reihe von diesen Stellen auf den eigenen Namen des Propheten.

Wie bei den Königsbüchern müssen wir auch im Hinblick auf das Buch Jeremia mit einem komplizierten Entstehungsprozess rechnen, in welchem auch eine deuteronomistische Redaktionsarbeit eine Rolle gespielt hat.

Für den grössten Teil der Jeremiaforschung war der Kommentar von Duhm richtungweisend.[1] Duhm teilte das Buch Jeremia auf in Prophetische Gedichte (hauptsächlich Kap. 1—25), Das Buch Baruch (die Prosaerzählungen in Kap.26—44) sowie Ergänzungen (die Prosapredigten in Kap.1—45, die Zukunftsworte in Kap.30f), Heidenorakel (Kap.46—51) und die historische Zufügung in Kap.52.

Mowinckel baute weiter auf Duhms Arbeit mit seiner nunmehr klassischen Einteilung des Jeremiabuches in die A,B,C und D-Quelle + die Weissagungen gegen die Fremdvölker.[2] Mowinckel meint, das Buch habe seine endgültige Gestalt in später nachexilischer Zeit erhalten.[3]

Mowinckels Arbeit wurde zum Ausgangspunkt für die Mehrzahl späterer Jeremia-Arbeiten. Sie wurde dabei häufig nur geringfügig modifiziert. J.Ph. Hyatt hat eine stärkere deuteronomistische Editionsarbeit am Buch Jeremia angenommen als Mowinckel, rechnet aber andererseits damit, dass der deuteronomistische Herausgeber bereits während des Exils in Babel tätig war. Hyatt findet auch eine Anzahl von postdeuteronomistischen Ergänzungen in dem Buch.[4]

---

[1] Berhard Duhm, Das Buch Jeremia, Tübingen 1901.
[2] Sigmund Mowinckel, Zur Komposition des Buches Jeremia, Kristiania 1914. Mowinckels A-Quelle umfasst das poetische Material in Kap.1—25, das zwischen 580 und 480 in der ägyptischen Diaspora entstanden ist (S.55f). Ungefähr gleichzeitig wurde die B-Quelle geschrieben, die Prosaerzählungen in Kap.26—44, während die Prosareden, die Mowinckel die C-Quelle nennt, erst nach dem Jahre 400 entstanden (S.57). Spät sind auch die D-Quelle, Kap.30—31, sowie die Verheissungen gegen die Fremdvölker. Die C-Quelle ist von der deuteronomistischen Theologie geprägt. Mowinckels streng literarkritische Methode in dieser Arbeit erfuhr eine Modifikation in traditionsgeschichtlicher Richtung in "Prophecy and Tradition" 1946, die jedoch nichts Wesentliches an den Ergebnissen der vorhergehenden Arbeit änderte.
[3] Mowinckel, Zur Komposition..., S.57.
[4] Hyatt, "The Deuteronomic Edition of Jeremiah", VSH 1/1951, S.91.

Zu ähnlichen Schlussfolgerungen wie Hyatt kam auch Nicholson in seiner Arbeit über das Prosa-Material im Buch Jeremia.[5] Nicholson möchte zeigen, dass die Prosaerzählungen, Mowinckels B-Quelle, einen didaktischen Zweck verfolgen und der deuteronomistischen Literatur nahestehen. Er nimmt für sie denselben Verfasser an, wie für die Prosapredigten, und verweist diesen in die zweite Hälfte der Exilzeit.[6]

Eine starke deuteronomistische Hand im ganzen Jeremiabuch versuchen auch Thiel und Carroll nachzuweisen, während die seit Mowinckels Arbeit traditionellen Standpunkte in jüngster Zeit von Forschern wie Wanke, Weippert und Rietzschl stark kritisiert wurden.[7]

Thompson andererseits leugnet nicht gänzlich, dass das Buch Jeremia in seiner endgültigen Form unter deuteronomistischem Einfluss zustande kam, will aber doch den historischen Angaben des Buches einen ziemlich hohen Quellenwert beimessen. Thompson meint, ein Teil des Materials im Buch Jeremia sei bereits zur Zeit des Propheten aufgezeichnet worden, während anderes mündlich überliefert und den Forderungen einer jeden neuen historischen Situation entsprechend sukzessive bearbeitet wurde. Hinsichtlich der endgültigen schriftlichen Abfassung des Buches schliesst sich Thompson allem Anschein nach vorsichtig Nicholsons oben erwähnter Auffassung an.[8]

Unter neueren Jeremia-Forschern ist hier auch K.F.Pohlmann zu nennen, der behauptet hat, das Buch Jeremia habe erst im 4.Jahrhundert fertig vorgelegen.[9] Pohlmann greift die Vorstellung auf, das Reich Juda sei während der Zeit des Exils fast menschenleer gewesen und die Fortsetzung des alten Israel sei über Babel und von dort zurück nach Palästina verlaufen. Diese Vorstellung spiegeln viele Jeremiatexte, die daher in ihrer heutigen Gestalt nicht in der Exilzeit verfasst worden sein könnten. Damals müssten die wirklichen Verhältnisse — dass nur ein kleiner Teil der Bevölkerung nach Babylonien verschleppt worden war — einem jeden klar gewesen sein.

---

[5] Nicholson, Preaching to the Exiles, 1970.

[6] Nicholson, Preaching... S.16f.30f.136.

[7] Thiel, Die deuteronomistische Redaktion von Jeremia 1—25, 1973. *Idem* Die deuteronomistische Redaktion von Jeremia 26—45, 1981. Carroll, From Chaos to Covenant, 1981. Während sich Wanke in Untersuchungen zur sogenannten Baruchschrift mit Mowinckels B-Quelle befasst und gefunden hat, dass sie aus drei Teilen unterschiedlichen Ursprungs besteht, widmete Helga Weippert (Die Prosareden des Jeremiabuches, 1973) ihr Interesse der C-Quelle und behauptete, die deuteronomistischen Züge seien stark übertrieben worden und die Prosapredigten stünden in enger Beziehung zu Jeremias eigener Verkündigung. Rietzschl hat in Das Problem der Urrolle, 1966, Mowinckels Einteilung des Buches ganz aufgegeben und rechnet vielmehr damit, dass es aus einer Anzahl in sich geschlossener Überlieferungsblöcke zusammengefügt sei, die in der Exilzeit und dem darauffolgenden Jahrhundert fertiggestellt und erst danach zu dem gesamten Jeremiabuch zusammengefügt worden seien.

[8] Thompson, The Book of Jeremiah, 1980.

[9] Pohlmann, Studien zum Jeremiabuch, 1978, S.191.

Wir haben hier ganz kurz die Tendenzen der heutigen Jeremia-Forschung skizziert. Es fragt sich nun, wie diese uns dazu verhelfen kann, den Wechsel zwischen -*jh* und -*jhw* als theophorem Suffix von Personennamen im Jeremiabuch zu verstehen.

In den Büchern der Könige fanden wir, dass redaktionelle Umstände eine entscheidende Rolle für das Verständnis dieser Variationen spielen. Zugleich ist uns klar, dass die Geschichte des Buches Jeremia wenig Ähnlichkeit mit der des deuteronomistischen Geschichtswerkes aufweist, vor allem insofern als der zeitliche Rahmen, mit dem wir es zu tun haben, weit enger ist und nicht so grosse sprachliche Veränderungen eingeschlossen haben kann.

Wie junges Material das Jeremiabuch enthält, darüber sind die Meinungen geteilt, aber die meisten Forscher sind sich anscheinend darüber einig, dass das Buch seine endgültige Gestalt hauptsächlich in nachexilischer Zeit erhielt. Sich zeitlich noch weiter vorzuwagen als Pohlmann es vorgeschlagen hat, dürfte wohl im Hinblick auf die fest etablierte Stellung des Buches im zweiten Teil des hebräischen Kanons, *n^ebi'îm*, kaum ratsam sein.

Unter diesen Umständen ergibt es sich klar, dass die Diskussion über deuteronomistische Züge in dem Buch schwerlich Relevanz für das Verständnis des Wechsels zwischen den Namensformen auf -*jh* und -*jhw* besitzt. Die Zeit des deuteronomistischen Redaktors unterschied sich nicht nennenswert von derjenigen, in welcher der Prophet selbst lebte. Wir haben daher keinen Grund zu der Annahme, dass der deuteronomistische Redaktor aus rein sprachgeschichtlichen Gründen anders geschrieben haben sollte als ein Schreiber in der unmittelbaren Nähe des Propheten.

Wie das epigraphische Material zeigt, waren -*jhw*-Namen in der Zeit kurz vor dem Exil noch üblich, aber zugleich stehen wir damals an der Schwelle der Zeit, in der die Kurzformen auf -*jh* sich durchzusetzen beginnen. Dieser Übergang geschah natürlich nicht von einem Tag zum anderen. Wir müssen eine längere Übergangszeit voraussetzen, vielleicht ein Jahrhundert oder mehr.

Wichtig für unsere Untersuchung ist daher nicht die Distinktion jeremianisch — deuteronomistisch, sondern die Frage, ob wir deutlich sehr späte Ergänzungen von jeremianisch-deuteronomistischem Material trennen können. In dem letzteren dürfte die lange Form das Normale sein, während die Ergänzungen die kurze Form aufweisen müssten.

Die Arbeit am Buch Jeremia wird dadurch kompliziert, dass LXX einen Text bietet, der sich stark von MT unterscheidet. In LXX folgen die Weissagungen gegen die Fremdvölker direkt auf Kap.25 und zudem in einer anderen Reihenfolge. Zwar hat die Reihenfolge der Kapitel wenig Bedeutung für unsere Untersuchung, doch ist es umso wichtiger, dass LXX an vielen Stellen eine kürzere Textform aufweist, in der viele Personennamen weggelassen sind.

An 77 Stellen, d.h. etwa 1/4 der Gesamtanzahl an Belegstellen, lässt LXX Namen auf -*jh/jhw* aus. Davon sind 22 solche, in denen der Name in einem längeren

Kontext steht, der in LXX völlig fehlt. Janzen kam in einer Untersuchung über sog. *zero-variants* in LXX zu dem Ergebnis, dass LXX eine ältere und bessere Textform bietet als MT. Janzen zufolge ist MT ein expansiver Text, der u.a. viele Personennamen eingefügt hat, die für das Verständnis des Textes eigentlich nicht notwendig sind. Das gilt besonders für die 20 Stellen, an denen der Einschub aus "Vatersnamen" besteht, *bœn jo'šîjahû* (4×), *bœn nerîja/hû* (3×), *bœn nᵉtănjā* (10×), *bœn qôlîjā* (29,21), *bœn mă^{ca}śejā* (29,21) und *bœn mălkîjā* (38,1).[10]

Von besonderem Interesse ist Janzens Untersuchung der Textstellen, die einen Paralleltext in den Königsbüchern haben. Hier zeigt es sich, dass LXX in Jer eine Vorlage benutzt hat, die dem Text der Königsbücher näher gestanden hat. In dieser Vorlage fehlen u.a. eine Reihe von Personennamen, die im Jeremiabuch vorkommen.

Ein Vergleich mit dem sehr fragmentarischen Material aus Qumran zeigt zudem, dass das Qumranfragment 4QJer^b mit LXX darin übereinstimmt, dass die "Vatersnamen" *bn qrh* an zwei Stellen in Jer 43,3—9 fehlen.[11]

Obschon Janzen gezeigt haben dürfte, dass das Buch Jeremia von etwa dem 4.Jahrhundert v.Chr. an in verschiedenen Versionen vorgelegen hat, und dass der Text, der LXX als Vorlage diente, in vieler Hinsicht ursprünglicher gewesen zu sein scheint als MT, ist er ebenso wie wir an den meisten der Stellen, an denen LXX Personennamen fortlässt, auf eine subjektive Beurteilung angewiesen. In der weiteren Darstellung müssen wir überall, wo LXX-Lesarten unser Ergebnis beeinflussen könne, zu jedem einzelnen Fall für sich Stellung nehmen.

Hinzu kommt, dass "Vatersnamen", die auf semitischem Sprachgebiet sogar in mehreren Gliedern *(...bœn...bœn...)* natürlich klingen können, auf griechisch vermutlich schwerfällig wirken, besonders wenn die Namen im selben Kontext mehrfach vorkommen. Daher erstaunt es nicht, dass LXX die Vatersnamen nicht dauernd wiederholt, nachdem eine Person einmal vorgestellt wurde. Dasselbe gilt für andere, in LXX häufig ausgelassene Bestimmungen wie *mlk jhwdh* oder *hnbj'*.[12]

## b) Textkritische Bemerkungen

Zu Jer liegt uns ein etwas besseres Textmaterial vor als zu 1.—2.Kön. Ausser Kennicotts Material steht uns zu Jer auch der sog. Petersburger Prophetencodex aus dem Jahre 916 zur Verfügung.[13] Etwa ebenso alt wie der Codex Leningradiensis sind die beiden Karaitischen Manuskripte im British Museum, Orient 2543 und Orien 2549, die grosse Teile des hebräischen Textes des Jeremiabuches in arabi-

---

[10] Janzen, Studies in the text of Jeremiah, 1973, S.69ff. 141ff.
[11] *Ibm*, S.182. Dieses Qumranfragment ist nur hier publiziert.
[12] Siehe *ibm*, Appendix A, S.139ff. *ḥnnjh hnbj* S.148, *gdljhw bn 'ḥjqm* S.149, *jwḥnn bn qrh* S.150, *jšm^c'l bn ntnjh* S.151.
[13] Codex Babylonicus Petropolitanus, ed. Strack, 1876.

scher Transkription umfassen.[14] Material aus Qumran, Grotte IV, hat Janzen in seiner oben erwähnten Arbeit publiziert, aber die beiden schlecht erhaltenen Texte IVQJer[a] und IVQJer[b] decken zusammen nur zwei Stellen, an denen -*jh/jhw*-Namen vorkommen. An diesen Stellen besteht keine Abweichung von der Biblia Hebraica.[15]

Aus der Bodleian Library in Oxford und der Gosudarstvennaja Publitschnaja Biblioteka in Leningrad habe ich Kopien von einer Reihe von Jeremia-Manuskripten der Kairo-Geniza erhalten. Ein sehr umfangreiches Geniza-Material besitzt ferner die Cambridge university Library: es wurde ebenso wie zu den Königsbüchern an einer Anzahl von Stellen, an denen der Text zweifelhaft ist, kollationiert.

Die folgende Zusammenstellung zeigt, welche Textstellen im Geniza-Material kollationiert wurden. Die Manuskripte aus Oxford werden als Oxc 1, Oxd 26 usw angeführt, die Leningrader als Ant 339, 816 und 908, und die aus Cambridge schliesslich erhalten ihre jeweiligen Katalogbezeichnungen.[16] Namen auf -*jh/ jhw* mit einer von BH abweichenden Lesart werden in () angegeben.

| Jer 15,4 | T-S A 14,4; NS 58,28. |
|---|---|
| 18,18 | Ant 980,3. |
| 21,1—3 | Oxc 1,19. |
| 21,7 | Oxc 1,19. T-S A 14,4. |
| 22,11.18 | Oxc 1,20. |

[14] Beschrieben in Hoerning, Six Karaite Manuscripts, 1889. Zu diesen beiden Manuskripten hatte ich Zugang in Mikrofilmen und habe sie an den Stellen kollationiert, an denen Kennicotts MSS aus der Zeit bis zum Jahre 1200 Abweichungen aufwiesen. Or 2543 umfasst Jer 23,22—25,10; 25,32—36,27; 36,32—38,24; 39,7—49,37 und enthält damit viele für uns interessante Stellen. Or 2549 umfasst Jer 2,17—38,5 mit arabischer Übersetzung und Kommentar. Der Text hat jedoch umfassenden Lücken, weshalb die einzigen für uns interessanten Teile Jer 34,2—36,31 und 37,1—38,5 sind.
[15] Janzen, Studies in the Text..., Appendix D. IVQJer[a] umfasst vereinzelte Teile von Jer 7,29—22,16, einen Abschnitt, in dem nicht sehr viele Namen vorkommen, IVQJer[b] umfasst Jer 9,22—10,18; 43,3—9; 50,4—6.
[16] Das Material aus Oxford umfasst:
MS  c1,19—24   Jer 20,16—26,6 umfassend.
   d26,11—12   Jer 49,3—50,9 umfassend.
   d49,15   Jer 28,1—29,8 umfassend.
   16   Jer 36,4—27 umfassend.
   d64,8   Jer 22,22—23,9 umfassend.
   9   Jer 36,27—37,13 umfassend
   10   Jer 38,13—27 umfassend.
   11   Jer 41,2—42,4 umfassend.
   12   Jer 43,2—44,1 umfassend.
Aus  Leningrad  wurden erhalten:
MS   Antonin 908 Jer 18,13—19,11; 27,3—28,1 umfassend.
   Antonin 339 Jer 35,11—37,15 umfassend.
   Antonin 816 Jer 42,20—44,12 umfassend.

| | |
|---|---|
| 22,24—28 | Oxc 1,20.21. Oxd 64,8. |
| 24,1 | Oxc 1,22. T-S Misc 2,88. |
| 24,3 | Oxc 1,22. |
| 24,8 | Oxc 1,23. T-S NS 58,1. |
| 25,1—3.13 | Oxc 1,23. |
| 26,18 | T-S NS 58,63 *(mjkh)*. |
| 26,19; 27,1.6. | T-S NS 279,101. |
| 27,3 | NS 60,11. |
| 27,12 | NS 60,11. Ant 908,1. |
| 27,20 | Ant 908,2. |
| 28,1 | Oxd 49,15. T-S A 14,6; Misc 2,88 (teilweise unleserlich); NS 58,56. |
| 28,4—29,3 | Oxd 49,15 (Jer 28,11.12$^{I}$: *jrmjhw*). |
| 28,5.10.12.15; 29,1 | T-S Misc 2,88 (Jer 28,12 undeutlich). |
| 28,10.12.13.15 | NS 58,46 (Jer 28,12 teilweise schadhaft). |
| 29,21.24 | Misc 2,88; 26,58. |
| 29,29—32 | Misc 26,58. |
| 29,30—31 | Misc 58,63. |
| 35,3 | A 14,2; NS 250,20. |
| 35,12—27,14 | Ant 339 (Jer 37,3: *ṣpnjh*). |
| 36,4—26 | Oxd 49,16. |
| 36,27—37,4 | Oxd 64,9. |
| 37,3 | T-S Misc 3,59. |
| 37,13 | Oxd 64,9. T-S A 14,4; B 16,21. |
| 38,1 | B 16,21. |
| 38,13—27 | Oxd 64,10. |
| 40,5—8 | NS 58,30 (teilweise schadhaft). |
| 40,13 | NS 58,12. |
| 40,14 | NS 58,11. |
| 41,3—42,1 | Oxd 64,11. |
| 41,6.7.10—42,1 | Wm Bibl 5,32 (Jer 41,16.18 teilweise schadhaft). |
| 41,7.9.10 | T-S 319,77 (*tnjh, gdlh* liederlich geschriebenes Manuskript). |
| 41,9—42,1 | Misc 26,58. |
| 42,1 | NS 174,75. |
| 43,1 | Ant 816. |
| 43,2.3.6.8; 44,1 | Ant 816. Oxd 64,12 (V.8 unleserlich). |
| 49,34—50,1 | Oxd 26,11—12. |

Ebenso wie in den Königsbüchern weicht auch hier der Text der Geniza-Manuskripte nur an vereinzelten Stellen von BH ab.

Kennicott hat 69 Jeremia-Manuskripte *per totum* kollationiert. Von diesen datiert er 13 auf die Zeit bis zum Jahre 1200. Es sind dies die in Kap.II erwähnten Mss 1,4,30,84,154,180,191,196,201 sowie 224—226. Ebenso wie in 1.—2.Kön enthalten sie Abweichungen vom textus receptus. Wir notieren die folgenden Zahlen:

    0— 5  Abweichungen48 Mss[17]
    6—10  Abweichungen15 Mss
    11—15  Abweichungen 3 Mss
    16—20  Abweichungen 3 Mss

Das Manuskript, das in 1.—2.Kön die meisten Abweichungen aufwies, MS 150, steht auch hier an der Spitze mit 19 Stellen, die sich von der Biblia Hebraica unterscheiden. Ebenso wie in Kön zeigt das älteste Manuskript, MS 1, auch hier 7 Abweichungen. Verteilen wir die Abweichungen nach dem Alter der Manuskripte, erhalten wir folgende Zahlen:

|  | *bis 1200* | *13.Jahrhundert* | *14.—15.Jahrhundert* |
|---|---|---|---|
| 0— 5 Abw. | 62% | 76% | 68% |
| 6—10 Abw. | 23% | 20% | 23% |
| mehr als 10 Abw. | 15% | 4% | 9% |

In Kön stellten wir eine wachsende Einheitlichkeit in der Texttradition gegen Ende des Mittelalters fest, aber es fällt schwer, etwas Ähnliches den oben angeführten Zahlen zu entnehmen. Der Unteschied zwichen dem 13.Jahrhundert und den späteren Jahrhunderten erscheint gering. Die ältesten Manuskripte liefern zu wenig Material, als dass Prozentzahlen sinnvoll wären. Der scheinbar grosse Unterschied gegenüber den Zahlen der Königsbücher berucht hier darauf, dass für Jer drei Manuskripte, MSS 84, 191 und 196 mit sehr wenigen Abweichungen hinzugekommen sind. Ferner weisen MSS 225 und 226 in Jer etwas weniger Abweichungen auf als in Kön. Wir müssen jedoch bemerken, dass von den drei Manuskripten mit 16 oder mehr Abweichungen zwei, MSS 30 und 154, der ältesten Gruppe angehören, während das dritte, MS 150, aus dem 13.Jahrhundert stammt. In der jüngsten Gruppe finden sich in keinem Manuskript mehr als 12 Abweichungen.

Wir stellen nun die Frage, ob die Tendenz in Richtung auf Kurz-bzw Langform in Manuskripten aus verschiedenen Zeitabschnitten in Jer dieselbe ist wie in Kön.

| *Tendenz* | *bis 1200* | *13.Jahrh.* | *14.—15.Jahrh.* |
|---|---|---|---|
| -*jh* | 2 MSS | 9 MSS | 6 MSS |
| -*jhw* | 7 MSS | 7 MSS | 9 MSS |
| ohne Tendenz | 4 MSS | 9 MSS | 16 MSS |

Wir sehen, dass die Haupttendenz, die wir für 1.—2.Kön feststellten, auch hier besteht. D.h. die älteren Handschriften bevorzugen gern die langen Formen,

---

[17] In dreien von diesen, MSS 191, 196 und 237 fehlen erhebliche Teile des Textes, aber dadurch scheint sich das Gesamtbild nicht zu ändern.

während es im späteren Mittelalter etwa gleich viele Varianten von jeder Sorte gibt.

In 1.—2.Kön haben wir schliesslich auch untersucht, wie sich die abweichenden Lesarten innerhalb des Textes in seiner Gesamtheit verteilten. Für Jer erhalten wir hier folgende Zahlen:

Anzahl der Belegstellen mit mehr als 20 abweichenden MSS —  3

16—20 abweichenden MSS —  1

11—15 abweichenden MSS —  4

6—10 abweichenden MSS —  6

1— 5 abweichenden MSS — 69

Insgesamt:   83

Das bedeutet, dass wir über mehr als 200 Belegstellen mit einer ganz einheitlichen Texttradition verfügen. Von den übrigen weist nur eine geringe Anzahl eine abweichende Lesart in mehr als einer Handvoll Manuskripten auf.

Abweichungen vom Text der Biblia Hebraica in Manuskripten, die von Kennicott auf vor 1200 datiert werden, finden wir in der folgenden Zusammenstellung. Hier wird auch angegeben, ob die Abweichungen eine Bestätigung in dem Petersburger Prophetencodex (P), einem der Manuskripte im British Museum (Or 2543 und 2549) oder in einem Geniza-Manuskript finden. In Klammern wird die Anzahl späterer Manuskripte mit der fraglichen Lesart mitgeteilt.[18]

| Jer | 15,4 | *ḥzqjhw* | (ohne *j*-Präfix) Kenn 154 (+5 MSS). |
|---|---|---|---|
| | 21,7 | *ṣdqjh* | Kenn 30 (+1 MS). |
| | 24,1 | *jknjh* | Kenn 1.30 (+14 MSS). |
| | 26,18 | *mjkh* | Kenn 1.4.39.154.201.225.226. *nunc* 180. Or 2543 Fol 10. Cambr. T-S NS 58, 63:1 v:o (+26 MSS). |
| | | *ḥzqjh* | Kenn 154 (+4 MSS). |
| | 27,1 | *jrmjhw* | Kenn 4.30.154.201.224.225. *pr ms* 1.P. Or 2543 Fol 11 (+36 MSS). |
| | 27,12 | *ṣdqjhw* | Kenn 30, *pr.ms.* 154. (+16 MSS). |
| | 28,1 | *ṣdqjhw* | Kenn 30.366 (Paris 84, 12.Jh) (+18 MSS). |
| | 28,5 | *jrmjhw* | Kenn 4. Or 2543 Fol 16 (+2 MSS). |
| | 28,10 | *jrmjhw* | Kenn 224. Or 2543 Fol 17 (+3 MSS). |
| | 28,11 | *jrmjhw* | Or 2543 Fol 17. Oxd 49,15. |
| | 28,12[I] | *jrmjh* | BH + Kenn 84.154.210.224.226.602.P (+42 MSS). *-jhw*: Kenn 1.4.30.180.201.225 Or 2543 Fol 17 (+29 MSS).[19] Oxd 49,15. |

[18] Abkürzungen: *nunc:* ein "korrigierter" Text.
  *pr ms:* der ursprüngliche Text.
  *f: forte,* undeutlich.
[19] Die Zahlen für die *-jhw*-Form bezeichnen hier MSS *"per totum collati".* Hierzu kommt eine unbekannte Anzahl *"in locis selectis".*

| 28,15 | *jrmjhw* | Kenn 602. *pr ms* 1. *nunc* 30. Or 2543 Fol 17 (+3 MSS). |
|---|---|---|
| 29,1 | *jrmjhw* | Kenn 226 (+1 MS). |
| 29,21 | *ṣdqjh* | Kenn 30.201 (+6 MSS). |
| | *mᶜśjhw* | *nunc* Kenn 154. |
| 29,24 | *šmᶜjh* | Kenn 224. |
| 29,31 | *šmᶜjhw* | Kenn 1 (+2 MSS). |
| 35,3 | *j'znjhw* | Kenn 30.201 (+1 MS). |
| 37,3 | *šlmjhw* | Kenn 1.30.201.224.225. *pr ms* 154. P. Or 2543 Fol 56 (+14 MSS). |
| | *ṣpnjh* | Kenn 154. Or 2543 Fol 56 (ergänzt jedoch *hw* über der Zeile) (+1 MS). Ant. 339. |
| | *mᶜśjhw* | Kenn 30.201 (+7 MSS). |
| 37,13 | *šlmjhw* | Kenn 30. *f* 154 (+1 MS). |
| | *ḥnnjhw* | Kenn 30. |
| 38,1 | *šptjhw* | Kenn 224. *pr ms* 154 (+3 MSS). |
| 38,6 | *mlkjh* | Kenn 154, 201, 224 (+2 MSS). |
| 40,5 | *gdljhw* | Kenn 30. *f* 154 (+10 MSS). |
| 40,6 | *gdljhw* | Kenn 224. pr.ms. 154. Or 2543 Fol 66 (undeutlich) (+10 MSS). |
| 40,8 | *gdljhw* | Kenn 30.154.224. P. *pr ms* 201 (+ 5 MSS). |
| | *ntnjh* | Kenn 154 (+2 MSS). |
| | *jznjh* | Kenn 30. P (+4 MSS). |
| | | *j'znjhw nunc* Kenn 224 (+1 MS). |
| | | *j'znjh* Kenn 154 (+2 MSS). |
| 40,14 | *gdljh* | Kenn 201. (+1 MS). |
| 41,7 | *ntnjhw* | Kenn 84. |
| 41,9 | *ntnjh* | Kenn 201 (+6 MSS). |
| 41,10 | *ntnjhw* | Kenn 201. |
| 41,15 | *ntnjhw* | Kenn 30 (+1 MS). |
| 41,16 | *gdljhw* | Kenn 180 (+2 MSS). |
| 42,1 | *jznjhw* | Kenn 4 (+1 MS). |
| | | *j'znjhw* (1 MS). |

Zusammenfassend können wir feststellen, dass die Schlüsse, die wir in bezug auf die Textunterlage für 1.—2.Kön gezogen haben, in allem Wesentlichen auch für das Buch Jeremia gelten. Abweichungen von dem Text, der uns in der Biblia Hebraica vorliegt, finden wir an etwas weniger als einem Drittel sämtlicher Belegstellen für Namen auf *-jh/jhw*. Von diesen Abweichungen erscheinen weniger als die Hälfte in Manuskripten aus der Zeit bis zum Jahre 1200, aber in der Regel sind sie nur in vereinzelten Manuskripten belegt. Keine Jeremiastelle ist in der Biblia Hebraica mit Sicherheit falsch, doch sind an 5—6 Stellen Varianten-Lesarten so gut belegt, dass man sie bei der Behandlung des Jeremiamaterials ernsthaft in Erwägung ziehen muss.

Eine so systematische Durchsicht des Quellenmaterials, wie wir sie im Hinblick auf 1.—2.Kön und Jer vorgenommen haben, wird in dieser Arbeit für die übrigen Bücher der Bibel nicht durchgeführt. Unabhängig von dem Wert unserer Namenstudien als solchen hat die textkritische Arbeit uns von der Notwendigkeit überzeugt, bei einer exegetischen Arbeit, bei der auch kleinere Varianten-Lesarten von Bedeutung sind, zu versuchen, über den Text der Biblia Hebraica hinauszugreifen. Obschon die Zahl der Varianten-Lesarten sehr gering ist, kommt doch hie und da eine Stelle vor, an der ein anderer Text erwogen werden muss.

## c) Durchsicht der Texte

**Jer 1—20    Weissagungen aus Jeremias früher Wirksamkeit**

| | | |
|---|---|---|
| *ḥilqîjahû* | Jeremias Vater | 1,1. Nur hier erwähnt. |
| *jirmᵉjahû* | Der Prophet selbst | 1,1.11; 7,1; 11,1; 14,1; 18,1.18; 19,14; 20,1—3. |
| *joʼšîjahû* | König in Juda | 1,2.3; 3,6. |
| *ṣidqîjahû* | König in Juda | 1,3. |
| *jᵉḥizqîjahû* | König in Juda | 15,4. |

In den ersten zwanzig Kapiteln des Jeremiabuchs kommen nur sehr wenige relevante Namen vor. Von den fünf dort genannten Personen gehören drei zu den im Buch Jeremia am allerhäufigsten vorkommenden. *jirmᵉjahû* (118 Belegstellen), *ṣidqîjahû* (48 Belegstellen) und *joʼšîjahû* (16 Belegstellen) bilden zusammen über die Hälfte der Gesamtanzahl von Belegstellen für Namen auf *-jh/jhw* im Jeremiabuch. Diese drei Namen begegnen uns fast immer in ihrer langen Form. Wir haben früher erwähnt, dass der Name des Königs *joʼšîjahû* im ganzen Alten Testament in der langen Form geschrieben wird. Was den Propheten *jirmᵉjahû* selbst betrifft, so kommt die Kurzform lediglich in dem Abschnitt Jer 27—29 sowie in Dan 9,2 und Esra 1,1 vor. König *ṣidqîjahû* wird im ganzen Alten Testament in der langen Form geschrieben ausser in Jer 27—29 sowie in Jer 49,34. Bereits jetzt können wir also konstatieren, dass der Redaktor, der für den Hauptteil des Jeremiabuches verantwortlich zeichnet, sich bemüht hat, die Namen dieser drei Personen, die wir sehr wohl die Hauptpersonen des Jeremiabuches nennen können, in der langen Form zu schreiben. Da das epigraphische Material zeigt, dass die langen Formen zumindest in der Schriftsprache zur Zeit Jeremias üblich waren, können wir diese Formen authentisch nennen. In der weiteren Darstellung werden wir diese drei Namen erwähnen, wenn sie vorkommen, halten aber fernere Kommentare für unnötig, soweit die langen Formen benutzt werden.

Wir stellen ferner fest, dass Jeremias Vater, der nur in Jer 1,1 genannt wird, ebenfalls die lange Form erhält. Ein besonderes Interesse erweckt weiter der Name *jᵉḥizqîjahû* (Jer 15,4) für den König, der normalerweise ohne das Präfix *jᵉ*-

geschrieben wird. Wir haben bereits oben, als uns dieselbe Form in 2.Kön 20,10 begegnete, darauf hingewiesen, dass es sich dabei um eine späte Umbildung des Namens dieses Königs handelt.[20] Nun gehört Jer 15,3—4 zu dem Material im Buch Jeremia, das häufig als typisch deuteronomistisch betrachtet wird.[21] Wir finden hier die Vorstellung, die auch in 2.Kön 21,11 und 24,3 zum Ausdruck kommt, dass nämlich König Manasses Sünde die Deportation nach Babylon verursacht habe. Zudem begegnet der Ausdruck $z\breve{a}^{ca}w\bar{a}$ $l^ekol$ $m\breve{a}ml^ek\hat{o}t$ $ha'ar\alpha s$ sowohl in Jer 15,4 wie in Deut 28,25.

König Hiskia wird im Buch Jeremia auch in Kap.26,18f erwähnt, in dem Abschnitt über den Propheten Micha, der keine greifbaren deuteronomistischen Züge aufweist. Hier erscheint der Name in der Form $hizq\hat{\imath}jah\hat{u}$, die auch in Jer 36—39 und 2.Kön 16,20; 18—20; 21,3 gebraucht wird.

Wir haben früher Gründe für die Annahme einer späteren Redaktion von 2.Kön 18—25 als für den übrigen Teil der Königsbücher angeführt. Diese Redaktion zieht Kurzformen für Namen vor, ist aber wahrscheinlich auch für die Form $j^ehizq\hat{\imath}jah\hat{u}$ in 2.Kön 20,10 verantwortlich. Auch ist es diese späte Redaktion, die Manasse die Schuld an der Wegführung des Volkes Israel in die Gefangenschaft zuschreibt. Es liegt daher nahe, Jer 15,4 derselben redaktionellen Hand zuzuweisen, der wir den Schluss des deuteronomistischen Geschichtswerkes verdanken.[22]

## Jer 21—25 Spätere Weissagungen Jeremias

| | | |
|---|---|---|
| *jirm^ejahû* | | 21,1.3; 24,3; 25,1.2.13. |
| *ṣidqîjahû* | | 21,1.3.7; 24,8. |
| *mălkîjā* | Paschhurs Vater | 21,1. |
| *ṣ^epănjā* | Priester | 21,1. |
| *mă^caśejā* | Vater des Vorhergehenden | 21,1. |
| *jo'šîjahû* | | 22,11.18; 25,1.3. |
| *kånjahû* | König in Juda | 22,24.28. |
| *j^ekånjahû* | =Vorhergehender | 24,1. |

[20] Siehe S.116. Die Form findet sich auch in 1.Chr 4,41; 2.Chr 28—33 sowie in Jes 1,1.

[21] Hyatt, VSH 1/1951, S.81 Rudolph, HAT 12, S.95. Thiel, Die deuteronomistische... 1973, S.191. Nicholson, Jeremiah, Ch.1—25, S.135. Thompson, The Book of Jeremiah, S.388.

[22] Mowinckel, Zur Komposition... S.49 erklärt 15,3f als "eine schriftgelehrte Erklärung des vorhergehenden Verses, von Kg abhängig:" Der späteren chronistischen Auffassung zufolge haftet jedoch keine derartige Schuld an Manasse, der sich, nachdem er in Babel gefangen gewesen war, demütigte und besserte (2.Chr 33). Daher möchte ich Jer 15,4 lieber im Lichte der grösseren deuteronomistischen Redaktionsarbeit verstehen, die dem Jeremiabuch auch an anderen Stellen ihren Stempel aufgedrückt hat.

Jer 21,1 stellt eine Einleitungsformel dar, deren Muster wir im Buch Jeremia elfmal finden.[23] Aus dem Verhältnis der Einleitungsformel zum Kontext geht ihr redaktioneller Charakter klar hervor.[24] Die beiden Sendboten von Zedekia an Jeremia werden auch weiter unten im Jeremiabuch genannt. Paschhur, den Sohn Malkias, finden wir in Jer 38,1[25] unter den Männern, die den Propheten töten wollen und Zephanja, den Sohn Maasejas, in Jer 29,25; 37,3 und 52,24. Allem Anschein nach ist der letztere ein Bruder des falschen Propheten Zedekia, des Sohnes von Maaseja, in Jer 29,21.[26]

Von den fünf Namen in Jer 21,1 werden die der beiden Hauptpersonen, denen wir schon im vorigen Abschnitt begegnet sind, in der langen Form geschrieben, während die drei neu auftauchenden Namen die kurze Form haben.

In unserem Textabschnitt wird auch König Jojachin in zwei von den fünf verschiedenen Schreibweisen angeführt, die für diesen König von Juda vorkommen[27]. Am üblichsten ist im Jeremiabuch die Form *kånjahû,* die ausser in Jer 22 auch in Jer 37,1 begegnet. Die Form *j<sup>e</sup>kånjahû* ist dagegen ein *Hapaxlegomenon* in Jer 24,1, wo der Name in der datierenden Parenthese steht, welche die Schilderung der Vision mit den beiden Feigenkörben einleitet.

Die Meinungen über die Echtheit von Jer 24 sind geteilt, aber auf diese Debatte wollen wir hier nicht näher eingehen. Ganz gleich ob man wie Duhm und Pohlmann meint, das ganze Kap.24 sei sekundär, oder mit den meisten anderen nur die Zeitangabe in 24,1 als Ergänzung ansieht, die aus 2.Kön 24,14ff übernommen wurde, gelangt man zu dem Resultat, dass die präfigierte Namensform in 24,1 einem späten Stadium der Redaktionsgeschichte angehört.[28] Falls die Datierung aus einer redaktionellen Bearbeitung stammt, die von dem Schluss von 2.Kön ausgeht, liegt uns hier eine interessante Parallele zu dem früher erwähnten *j<sup>e</sup>*-präfigierten Namen *j<sup>e</sup>ḥizqîjahû* in Jer 15,4 vor. Auch in bezug auf diesen Vers fanden wir, dass er einer dem Schluss von 2.Kön nahestehenden Redaktion angehört.

[23] Jer 7,1; 11,1; 18,1; 21,1; 25,1; 30,1; 32,1; 34,1.8; 35,1; 40,1. Siehe Weippert, Die Prosareden..., S.73f.

[24] Siehe Wildberger, Jahwewort..., S.22f.

[25] Der Name fehlt in LXX. Nach Janzen, Studies in the Text..., S.119, ist eine Haplographie wahrscheinlich.

[26] Die Wörter *bæn mă<sup>ca</sup>śejā* fehlen in LXX, aber hier liegen zufolge Janzen (Studies in the Text..., S.71f) Gründe vor, den ganzen Namen beizubehalten.

[27] Über die beiden hier vorliegenden Schreibungen hinaus finden wir: *j<sup>e</sup>hôjakîn* in Jer 52,31, vermutlich übernommen aus 2.Kön 24—25 (auch in 2.Chr 36,8f.). *j<sup>e</sup>kônjā* in Jer 27—29; Esther 2,6; 1.Chr 3,16.17. Ferner finden wir *jôjakîn* in Hes 1,2.

[28] Duhm, Das Buch Jeremia, S.196f. Pohlmann, Studien zum Jeremiabuch, S.29. Vgl. Weiser, ATD 20, S.219. Rudolph, HAT 12, S.144. Bright, Jeremiah, S.193.

## Jer 26. Anschlag auf Jeremias Leben

| | | |
|---|---|---|
| jo'šîjahû | | V.1 |
| jirmᵉjahû | | V.7—9.12.20.24. |
| mîkajā | Schriftprophet | V.18.[29] |
| ḥizqîjahû | König | V.18f. |
| 'ûrîjahû | Prophet | V.20f.23.[30] |
| šᵉmᵃᶜjahû | Vater des Vorhergehenden | V.20. |

Dem Namen *mîkā* mit seinen Varianten haben wir schon in früheren Kapiteln recht grosses Interesse gewidmet. Von den sechs Schreibweisen, die für diesen Namen vorkommen, haben wir bereits die Form *mîkahû* in 2.Chr 18,8 als korrupt erklärt. Die Form *mîka'* gehört der jüngsten Schicht des Alten Testaments an, aber auch die Form *mîkajahû,* eine Analogiebildung zu anderen Namen auf -*jhw*, ist genau wie *mîkajā* eine späte Form. Am ältesten sind die beiden Formen *mîkā* und *mîkajhû*.[31] Es fragt sich nun, ob wir *mîkajā* mit der *kᵉtîb*-Form der BH lesen sollen, oder die *qᵉre'*-Form *mîkā* wählen, die zudem allem Anschein nach die bessere Stütze in älteren Handschriften hat.[32] Für *kᵉtîb* spricht, dass dies die *lectio difficilior* ist, da dieselbe Person in Mi 1,1 die Form *mîkā* aufweist. Falls die Form *mîkajā* die Frucht der Änderung eines Schreibers in Analogie zu den übrigen Namen in dem Abschnitt ist, fragen wir uns, warum dieser Schreiber nicht in vollem Umfang in -*jhw*-Namen geändert hat. Für *kᵉtîb* spricht zunächst auch LXX, die Μιχαιας liest, aber wenn wir sehen, dass LXX diese Form auch in Mi 1,1 verwendet, wo der hebräische Text keinerlei Varianten aufweist, finden wir, dass die LXX-Form ebenso gut auf innergriechischer Harmonisierung beruhen kann.

Für die Ursprünglichkeit der Form *mikā* spricht in erster Linie das Quellenmaterial, das deutlich auf die Authentizität dieser Form hinweist wie auch darauf, dass eine mit der Zeit wachsende Tendenz bei den Schreibern vorliegt, dem Namen eine Endung auf -*ajā* zu geben. Unser früheres Studium der Varianten-Formen dieses Namens spricht ferner dafür, dass der Mann aller Wahrscheinlichkeit nach *mîkā* geheissen hat, und dass die -*ajā*-Form nur glaubwürdig wäre, wenn wir es hier mit einer späten nachexilischen Ergänzung zu dem Text zu tun hätten. Es liegt kein Grund vor, hier dergleichen anzunehmen. Wir vertreten daher die Ansicht, dass die *qᵉre'*-Form *mîkā* hier die ursprüngliche ist.

---

[29] *Qᵉre': mîkā*. So auch in 7 der 12 älteren von Kennicotts MSS sowie in Or 2543 und dem Geniza-Manuskript T-S NS 58,63:1 v:o. MSS 84, 191 und 225 sowie der Petersburger Prophetencodex stützen *kᵉtîb*. MS 180 liest *mîkā* nach Korrektur. Betr. Kennicotts MSS aus dem späteren Mittelalter finden wir, dass die Schreiber in immer grösserem Umfang die Form *mîkajā* bevorzugen.

[30] Nicht in LXX, die in V.23 einen kürzeren Text aufweist. Ob der Name hier vorkommt oder nicht, dürfte für unsere Untersuchung keine Bedeutung haben.

[31] Siehe S.68.

[32] Siehe Anm 29.

Die übrigen Namen in Jer 26 haben alle die lange Form. Der Name König His-kias hat hier sicherlich die authentische Form, die wir aus Jes 36—39 und 2.Kön 16—21 kennen. Ferner begegnet uns hier ein sonst unbekannter Prophet *'ûrîjahû bæn š<sup>e</sup>mă<sup>c</sup>jahû*. Den Namen *'ûrîjā* haben wir in der Kurzform früher angetrof-fen und damals den Verdacht geäussert, dass es kein theophorer Name sei. Falls es sich so verhält, ist der Name hier sekundär dem theophoren Muster angegli-chen worden, wie wir das u.a. oben in Falle *<sup>ca</sup>tăljā/hû* voraussetzten.[33]

## Jer 27—29 Über falsche Propheten

| | | |
|---|---|---|
| *jo'šîjahû* | | 27,1.[34] |
| *jirm<sup>e</sup>jā* | | 27,1;[35] 28,5.6.10.11.12 (2×).[36] |
| | | 15;[37] 29,1. |
| *-jahû* | | 29,27.29.30. |
| *șidqîjā* | | 27,12; 28,1; 29,3. |
| *-jahû* | | 27,3. |
| *-jahû* II | Falscher Prophet | 29,21.22. |
| *j<sup>e</sup>kônjā* | König in Juda | 27,20; 28,4; 29,2. |
| *h<sup>a</sup>nănjā* | Falscher Prophet | 28,1.5.10—13.15 (×2).17.[38] |
| *g<sup>e</sup>mărjā* | Bote | 29,3. |
| *hilqîjā* | Vater des Vorher-gehenden | 29,3. |
| *qôljā* | Vater des fal-schen Propheten Ahab | 29,21.[39] |
| *mă<sup>ca</sup>šejā* | Vater von *șidqîjahû* II oben und *ș<sup>e</sup>pănjā* unten. 29,21.25. | |
| *š<sup>e</sup>mă<sup>c</sup>jā* | Falscher Prophet | 29,31.32. |
| *-jahû* | | 29,24. |
| *ș<sup>e</sup>pănjā* | Priester | 29,25.29. |

Jer 27—29 wird häufig als eine Einheit für sich betrachtet.[40] Dabei verweist man u.a. auf die hier ungewöhnlich reichlich vorkommenden Namensformen

---

[33] Siehe S.109.
[34] Jer 27,1 fehlt in LXX. Vgl. Anm.45.
[35] Langform im Grossteil älterer MSS. Siehe S.131 sowie Anm.34.
[36] Sowohl die lange wie die kurze Form kommen in älteren MSS vor. Siehe S.131.
[37] Langform in einigen MSS, Siehe S.132.
[38] LXX lässt den Namen an der zweiten Stelle in V.15 sowie in V.17 fort.
[39] Der Name fehlt in LXX, kann aber doch ursprünglich sein. Siehe Janzen, Studies in the Text..., S.71.
[40] Giesebrecht, HkzAT III:2,1,S.146. Weiser, ATD 21, S.244. Rudolph, HAT 12, S.157. Thompson, The Book of Jeremiah, S.528. Thompson sieht in Kap.27—28 eine Einheit, fügt aber hinzu, dass Kap. 29 vermutlich aus derselben Zeit stammt.

auf -*jh*. Was den eigenen Namen des Propheten betrifft, so steht die Kurzform nur hier im Jeremiabuch. Ebenso verhält es sich im Hinblick auf König Zedekia, der ausser hier nur in Jer 49,34 in der Kurzform auftritt. Wir bemerken auch, dass Jeremia hier öfter als sonst den Titel *hănnabî'* trägt. Ausserdem wird der Name des babylonischen Königs hier in der späten Form *nbwkdn'ṣr* anstatt *nbwkdr'ṣr* geschrieben, welch letzteres die richtige Transkription des babylonischen Namens darstellt, die sonst überall im Jeremiabuch verwendet wird.[41]

Bereits Mowinckel hielt es jedoch für notwendig, Kap.27, das er der C-Quelle zuwies, von Kap.26 und 28 zu trennen, die seiner Ansicht nach aus dem B-Material stammten.[42] Die Forscher stimmen weitgehend darin überein, dass die Einheitlichkeit, welche die drei Kapitel aufweisen nicht bedeutet, dass wir es mit einer ursprünglich einheitlichen Komposition zu tun hätten. Es dürfte sich vielmehr so verhalten, dass Jer 27; 28 und zumindest Teile von Jer 29 anfänglich verschiedener Herkunft waren, aber im Verlauf des redaktionshistorischen Prozesses eine Zeitlang eine selbständige Einheit gebildet haben, die dann später einen Platz im Buch Jeremia fand.[43] LXX weist in Jer 27—29 einen Text auf, der sich teilweise von MT unterscheidet. U.a. fehlt in LXX der Name Nebukadn/rezar an sämtlichen neun Stellen. Auch einige Teile des Textes fehlen in LXX, u.a. 29,16—20. Man braucht deshalb jedoch nicht den masoretischen Text auf die Zeit nach der Entstehung der LXX zu datieren. Ebenso gut kann der hebräische Text in zwei verschiedenen Versionen vorgelegen haben. Der masoretische Text hätte in diesem Fall eine jüngere Textform benutzt als LXX.[44]

Wenn wir nun die Personennamen auf -*jh/jhw* betrachten, finden wir in Jer 27,1 die lange Form *jo'šîjahû*, was nicht erstaunt, da der Name dieser Person niemals anders geschrieben wird. Jer 27,1 fehlt in LXX, passt hinsichtlich des Namens Jojakim nicht zum Inhalt und wird oft als Kopie von Jer 26,1 angesehen.[45] Der zweite Name, der uns hier angeht, *jirmᵉjā*, steht in der Kurzform, wie das auch an vielen anderen Stellen in diesem Kapitel der Fall ist, jedoch nirgends sonst im Buch Jeremia. Falls der Vers in Jer 27,1 sekundär ist, haben wir eine gute

---

[41] Form mit -*n*- in Jer 27,6.8.20; 28,3.11.14; 29,1.3. Dagegen -*r*-Form in 29,21. Siehe Rudolph, HAT 12, S.157. Weiser, ATD 21, S.244f. Die Form *nbwkdn'ṣr* wird sonst nur in 2.Chr 36; Dan, Esth 2,6; 2.Kön 24f. sowie in Esra und Neh. verwendet. Auf den späten Charakter des Endes von 2.Kön haben wir oben hingewiesen. (Siehe S.123).

[42] Mowinckel, Zur Komposition..., S.52. Vgl. Rudolph, HAT 12, S.xv.158f, der im Anschluss an Mowinckels Quellenbezeichnungen Kap.27 A und 28.29 B zuweist.

[43] Nach Duhm, S.217.228, ist Kap.27 jünger als Kap.28, das von Baruch stammt. Auch Kap.29 liegt das Baruchbuch zugrunde.

[44] Von insgesamt 36 Stellen mit Nebukadn/resar weist LXX nur 12 auf. Keine dieser Auslassungen in LXX dürfte einen Einfluss auf die hier vorliegende Arbeit haben.

[45] Rudolph, HAT 12,S.158.160. Bright, Jeremiah, S.195. Thiel, Die deuteronomistische... 1981, S.6. Janzen, Studies in the text..., S.45.

Erklärung dafür, dass starke textkritische Gründe hier für die lange Form spre-chen.[46]

In Jer 27 kommen drei weitere Stellen mit Namen auf -*jh/jhw* vor. König Zede-kia wird in V.3 in der langen Form erwähnt, in V.12 dagegen in der kurzen. Eben-falls die kurze Form weist *jᵉkônjā* in V.20 auf. An all diesen Stellen erscheint die Texttradition sicher. Hinsichtlich des letztgenannten Namens können wir kurz feststellen, dass dieselbe Schreibung in Jer 28,4; 29,2 sowie in Esther 2,6 und 1.Chr 3,16.17 vorliegt. Das Vorkommen der Schreibweise in Esther und 1.Chr deutet an, dass wir es hier mit einer ziemlich späten Schreibweise des Namens zu tun haben. Was die beiden Schreibweisen für den Namen Zedekias betrifft, ha-ben wir bereits erwähnt, dass die Kurzform lediglich in Jer 27—29 und Jer 49,34 vorliegt. In Jer 27 können wir bemerken, dass die lange Form in V.3 einen inte-grierten Teil der ersten Rede bildet, die Kurzform in V.12 dagegen der redaktio-nellen Einleitung zur nächsten Rede angehört.

Schon Duhm behauptete, dass die Verse 2—11 älter seien als V.12—22.[47] Wei-ser macht darauf aufmerksam, dass die Einleitung in V.12 nicht die Fortsetzung der vorhergehenden Rede bilden könne.[48] Sowohl Wanke wie Thiel haben kürz-lich gezeigt, dass Jer 27,2f der ursprünglichsten Schicht in Jer 27—29 angehö-re.[49] Vieles spricht dafür, dass die Namensform *ṣidqîjahû* in V.3 darauf beruht, dass der Redaktor hier die Schreibung übernommen hat, die in diesem Jeremia-wort vorlag, bevor es Jer 27—29 einverleibt wurde. Die kurze Form in V.12 stammt dagegen von der eigenen Hand des Redaktors, der auch für die Form Ne-bukadnezar (mit -n-) verantwortlich zeichnet.

Zwar erhebt auch der Name *jᵉkônjā* in V.20 den Anspruch, einen Teil eines Jeremia-Wortes zu bilden, aber hier ist die Geschichte des Textes kompliziert und eine redaktionelle Beeinflussung der Namensform daher leicht erklärlich.[50] Die-ser Name ist zudem keineswegs so üblich wie der Name Zedekia und liegt, wie wir bereits erwähnten, in mehreren verschiedenen Schreibweisen vor.

In Jer 28 liest BH durchweg die Kurzformen *jirmᵉjā*, *ṣidqîjā*, *jᵉkônjā* und *ḥᵃnănjā*. Das Kapitel besteht aus einem Dialog zwischen dem wahren und dem falschen Propheten. Die vier fraglichen Namen stehen hauptsächlich in dem Ma-terial, das die einzelnen Prophetenworte verbindet, finden sich aber auch in Di-rektzitaten in V.4 und V.15.

Textkritisch interessant ist die Varianten-Lesart, die zu dem ersten *jirmᵉjā* in V.12 vorliegt, wo die lange Form eine starke Stütze in den Quellen besitzt.[51] Hier

[46] Siehe S.131.
[47] Duhm, Das Buch Jeremia, S.217.
[48] Weiser, ATD 21, S.249.
[49] Wanke, Untersuchungen... 1971, S.27. Thiel, Die deuteronomistische... 1981, S.6.
[50] V.17—22 werden in LXX durch einen viel kürzeren Text ersetzt.
[51] Siehe S.131.

begegnet die Formel *wăjhî dᵉbăr Jhwh 'œl jirmᵉjahû,* die an mehreren anderen Stellen im Jeremiabuch vorkommt und zwar immer in der langen Form. Es ist daher natürlich, dass auch hier die Langform steht. Im Hinblick auf alle umgebenden Kurzformen in diesem Kontext ist anzunehmen, dass der Redaktor die Formel unverändert übernommen hat, die dann spätere Schreiber mit dem Kontext harmonisierten. Nichts steht der vielfach vertretenen Ansicht im Wege, dass dieses Kapitel ursprünglich auf Baruch zurückgehe.[52] Doch muss es, genau wie das vorhergehende Kapitel, seine heutige Gestalt in einer Periode erhalten haben, in welcher die Kurzform die üblichste war, d.h. in nachexilischer Zeit.

Am Anfang von Jer 29 stehen drei Verse, die den Brief Jeremias einleiten. In diesen drei Versen haben sämtliche Namen die kurze Form. Sodann folgt der Brief selbst, der in mehreren Etappen entstanden sein dürfte. Der Brief als solcher erstreckt sich vielen Forschern zufolge bis zu V.23.[53] Andere meinen, der Brief sei ursprünglich erheblich kürzer gewesen. Während viele Kommentare V.21ff zu dem ursprünglichen Brief rechnen, hat die neuere Forschung hier klar gezeigt, dass es sich nicht so verhalten kann.[54]

Auf Jer 29.4—20, die keine -*jh/jhw*-Namen enthalten, folgt in V.21—32 eine grosse Ansammlung, jedoch nicht in der einheitlichen -*jh*-Schreibung, die uns sonst fast ausnahmslos in Jer 27—29 vorliegt. Von V.21 an wird auch der Name des babylonischen Königs wieder auf die ältere Art, Nebukadrezar, buchstabiert. Daher ist anzunehmen, dass nicht das ganze Kap.29 zu dem Komplex gehörte, der unabhängig von dem übrigen Jeremiabuch zirkulierte. Wenn ein solcher Komplex existiert hat, der später als das sonstige Buch aufgezeichnet wurde und Personennamen in einer jüngeren Schreibweise wiedergab, müsste er Jer 27,2—22 umfasst haben mit V.2—3(—4) als ältestem schriftlich fixierten Teil. Ferner dürften Jer 28 sowie Jer 29,1—20 dazu gehört haben.

In dem abschliessenden Komplex, V.21—32, begegnen uns zunächst zwei falsche Propheten, *'ăḥ'ab bœn qôlajā* (V.21) und *ṣidqîjahû* (V.21ff) *bœn măᶜaśejā* (V.21). Der Name *qôlajā* findet sich nur hier. Dagegen ist, wie wir wissen, der Na-

[52] Duhm, Das Buch Jeremia, S.217. Weiser, ATD 21, S.252. Rudolph, HAT 12, S.158. Thompson, The Book of Jeremiah, S.538: "Someone like Baruch".

[53] Duhm, Das Buch Jeremia, S.228. Weiser, ATD 21, S.259. Rudolph, HAT 12, S.166, Bright, Jeremiah, S.211. Thomspon, The Book of Jeremiah, S. 544.

[54] Zufolge Seidl, Formen..., S.277, endet der eigentliche Brief mit V.7. So auch nach Wanke, Untersuchungen, S.57. Nach Thiel, 1981, S.13 sind V.1—7,24—32 ein "kritisch sicheres Minimum an ursprünglichem Text". Nach Thiel, *ibm* S.17f schliessen V.16—19 gut an V.10—14 an, wenn V.15 vor V.8 gestellt wird, aber seiner Ansicht nach sind V.10-14 redaktionell, so dass lediglich V.5—7 zu dem eigentlichen Brief gehören (Thiel *ibm,* S.11f). Vgl auch Janzen, Studies..., S.118, der jedoch V.15 nach V.20 stellt. V.16—20, die in dem LXX-Text fehlen, sind vermutlich sekundär. Siehe Nicholson, Jeremiah, S.56. Weiser, ATD 21, S.263. Rudolph, HAT 1:12, S.170. Bright, Jeremiah, S.209. Wanke, Untersuchungen..., S.51. Nicholson, Preaching..., S.99 weist darauf hin, dass V.21ff den Eindruck erwecken, *ex eventu* geschrieben zu sein und daher nicht dem ursprünglichen Brief angehören können.

me ṣidqîjahû häufig, besonders im Buch Jeremia, aber die Person, um die es hier geht, wird nur an dieser Stelle genannt. Die kurze Form dieses Namens kommt in Jer nur an den oben angeführten Stellen 27,12;28,1;29,3;49,34 vor und zwar immer nur für den Königsnamen. Es wäre sehr erstaunlich, wenn V.29,21f mit der langen Form für einen falschen Propheten derselben Quelle angehörten wie ein Text, in dem der Name des Königs die Kurzform aufweist. Die Vermutung liegt näher, dass eine Hand, die daran gewöhnt war, ṣidqîjahû zu schreiben, dieser Gewohnheit auch hier treu blieb.

Den Namen $mă^{ca}śejā$/hû finden wir vielerorts im chronistischen Geschichtswerk sowie an fünf Stellen in Jer. Der hier genannte $mă^{ca}śejā$ scheint derselbe zu sein, der in 21,1 und 37,3 als Vater des Priesters ṣ^epănjā erwähnt wird.

Der falsche Prophet, der Nehelamit š^emă^cjā/hû wird bei seiner ersten Erwähnung in V.24 in der langen Form geschrieben, danach aber in der kurzen an den beiden übrigen Stellen in V.31f.

Schliesslich bleibt noch jirm^ejahû, der Prophet selbst (V.27,29.30). Er wird, wie im Jeremiabuch üblich, in der langen Form geschrieben. Auch das spricht dafür, dass der Schluss von Jer 29 mit dem Hauptteil von Jer 27—29 keine Einheit bildet.

Im Unterschied zu dem Hauptteil von Jer 27—29 weist der Schluss von Jer 29 die Namen ṣidqîjahû und jirm^ejahû nach der Hauptregel des Jeremiabuches in der langen Form auf. Man hat zudem den Eindruck, dass alle diejenigen, welche hier in V.21—32 in der kurzen Form geschrieben werden, Jeremias Widersacher sind wie š^emă^cjā (ausser in V.24), oder die Väter von Widersachern, wie qôlajā und $mă^{ca}śejā$. Der Priester ṣ^epănjā (V.25.29) wird zwar nicht als ein direkter Gegner Jeremias beschrieben, aber er ist immerhin der Sohn von $mă^{ca}śejā$.

### Jer 30—33. Heilsweissagungen

| jirm^ejahû | | 30,1; 32,1f.6.26;[55] 33,1.19.23.[56] |
|---|---|---|
| ṣidqîjahû | | 32,1.3—5. |
| măḥsejā | Baruchs Grossvater | 32,12. |
| nerîjā | Baruchs Vater | 32,12.16. |

In diesem Abschnitt brauchen wir nur ganz kurz Kap.32 zu betrachten. Am Ende der Erzählung von Jeremias Ackerkauf (V.6—15), der die meisten Kommentatoren einen hohen Grad von Authentizität zuschreiben, stossen wir auf barûk bœn nerîjā bœn măḥsejā.[57] Das bedeutet, dass die uns interessierenden Personen Baruchs Vater und Grossvater sind. Der letztere wird nur hier und in Jer

[55] LXX liest με anstatt jirm^ejahu.
[56] Jer 33,14—26 fehlt in LXX.
[57] Duhm, Das Buch Jeremia, S.260; Weiser, ATD 21, S.300; Rudolph HAT 12, S.189; Bright, Jeremiah, S.239 sowie Thiel, 1981, S.31. Nach Jer 32,15 folgt eine deuteronomistische Ergänzung.

51,59 genannt. Beide Stellen verwenden die Kurzform, die auch für den Namen von Baruchs Vater am häufigsten vorkommt. Jedoch finden wir *nerîjahû* in Jer 36,14.32 und 43.6.

### Jer 34 Über Zedekia

| | |
|---|---|
| *jirmᵉjahû* | V.1.6.8.12. |
| *ṣidqîjahû* | V.2.4.6.8.21. |

### Jer 35 Die Rechabiter

| | | |
|---|---|---|
| *joʾšîjahû* | | V.1.[58] |
| *jirmᵉjahû* | | V.1.3.12.18.[59] |
| *jăᶜᵃzănjā* | Rechabit | V.3. |
| *ḥᵃbăṣṣinjā* | Rechabit | V.3. |
| *jiqdăljahû* | | V.4. |
| *măᶜᵃśejahû* | | V.4. |

Über den Ursprung dieses Textes gehen die Ansichten auseinander. Während Duhm, Mowinckel und Rudolph Jer 35 einer bearbeiteten Schicht des Jeremiabuches zuweisen, rechnet Thiel damit, dass V.2—11 einen ursprünglichen Selbstbericht darstellen, der in V.13—17 durch eine deuteronomistische Predigt erweitert wurde.[60]

Die interessantesten Personen sind hier die beiden Rechabiter sowie *jiqdăljahû*, der Vater des Gottesmannes Hanan. Der Name *jiqdăljahû* kommt nur hier vor. Ebenso verhält es sich mit *ḥᵃbăṣṣinjā*, dessen Name zu Recht als undurchsichtig charakterisiert wurde.[61] LXX liest diesen Namen ohne das Suffix *-jā*, aber sowohl der Targumtext wie die Peschitta stimmen mit MT überein, daher halten wir uns trotz allem an die Namensform des hebräischen Textes.[62]

Die Rechabiter waren eine streng konservative Gruppe, deren Ideal ein nomadisierendes Leben war. Sie wohnten in Zelten und lehnten die für das Kulturland kennzeichnenden Erzeugnisse Getreide und Wein ab. Das Alte Testament berichtet recht wenig über sie, aber aus 1.Chr 2,55 dürfte hervorgehen, dass sie dem Nomadenstamm der Kiniter angehörten.[63] Von ihnen hatte sich ein Teil an den nördlichen Rändern des Kulturlandes niedergelassen.[64]

---

[58] Nicht in LXX.

[59] LXX fehlt der Name in V.12 und V.18.

[60] Duhm, Das Buch Jeremia, S.284. Rudolph, HAT 12, S.207. Mowinckel, Zur Komposition..., S.52 (Quelle C). Thiel, 1981, S.45ff. Thompson, The Book of Jeremiah, S.616 schreibt dem Kapitel höchste Authentizität zu.

[61] Noth, Die israelitischen Personennamen..., S.242. Auch Giesebrecht, HkzAT III:2,1,S.194 und Rudolph, HAT 12, S.208 verweist auf die merkwürdige Form dieses Namens.

[62] LXX: χαβακιν. Dagegen wird *jă ᵃzănjā* durch Ιεζονιαν oder Ιεχονιαν wiedergegeben. Siehe auch Vetus Testamentum Syriace sowie *mqr'wt gdwlwt h*.

[63] Nyström, Beduinentum und Jahwismus, S.61.

[64] So nach Pope in 'Rechab', IDB:4, S.15.

Als die Babylonier nach dem Fall des Assyrerreiches diese Provinzen einnahmen, flohen die Rechabiter nach Jerusalem. Allem Anschein nach war ihre Zahl zu Jeremias Zeit sehr gering, da sie in einer einzigen Halle des Tempels Platz fanden.

Es liegen gute Gründe dafür vor, dass die Namen der beiden Rechabiter in der zu Jeremias Zeit unerwarteten Kurzform geschrieben werden. Schon allein deren allgemeine konservative Einstellung konnte dazu führen, dass sie sich an eine altertümlichere Orthographie hielten, als sie sonst im 7.Jahrhundert üblich war. Wir könnten es also mit Defektivformen derselben Art zu tun haben, für die wir früher Beispiele aus älterer Zeit in Israel gefunden haben. Zugleich können wir auch feststellen, dass die Kurzformen dieser Namen von derselben Art sein können wir die Kurzformen von Namen von Personen aus dem Nordreich, die uns in den Königsbüchern begegneten.[65]

Der in Kap.35,4 erwähnte *mǎ^ca^śejahû* scheint ein anderer zu sein als der *mǎ^ca^śejā*, der in Kap.21,1;29,21.25;37,3 begegnet, aber das lässt sich nicht mit Sicherheit entscheiden.

Der Name *jigdǎljahû* zeigt die für Jeremias Zeit übliche Form auf *-jahû*. Der Name ist im Alten Testament jedoch einmalig. Dagegen erscheint der entsprechende Name ohne das *ji*-Präfix an mehreren Stellen sowohl in der kurzen wie der langen Form.

## *Jer 36 Die Schriftrolle*

| | | |
|---|---|---|
| *jo'šîjahû* | | V.1.2.9.[66] |
| *jirm^e^jahû* | | Mehrere Stellen. |
| *nerîjā* | | V.4.8.[67] |
| *-jahû* | | V.14.[68]32. |
| *g^e^mǎrjahû* | | V.10—12.25. |
| *mikajhû* | Sohn des Vorhergehenden | V.11. |
| *d^e^lajahû* | | V.12.25 |
| *š^e^mǎ^c^jahû* | Vater des Vorhergehenden | V.12. |
| *ṣidqîjahû* | | V.12. |
| *ḥ^a^nǎnjahû* | Vater des Vorhergehenden | V.12. |
| *n^e^tǎnjahû* | | V.14. |
| *šælœmjahû* | Kuschis Sohn, Vater des Vorhergehenden | V.14. |
| | Abdeels Sohn | V.26.[69] |
| *š^e^rajahû* | | V.26. |

Baruchs Vater *nerîjā* ist uns schon in Jer 32 begegnet. Dort konstatierten wir, dass dieser Name ebenso wie in V.4 und V.8 in Jer 36 in der Kurzform geschrieben

---

[65] Siehe s.123.
[66]—[69] Nicht in LXX.

144

wurde. Hier haben wir indes in V.14 und 32 auch zwei Beispiele für die lange Form. Diese beiden langen Formen fehlen zwar in LXX, aber da dasselbe für die kurze Form in V.8 gilt, halten wir es für das Wahrscheinlichste, dass der kürzere Text der LXX wohl am ehesten daher rührt, dass der griechische Übersetzer die dreimalige Wiederholung des "Vatersnamens" unnötig fand.

Jer 36 ist ein Schlüsselabschnitt des Jeremiabuches und wird von den meisten Kommentatoren für ein authentisches Verfasserprodukt von Baruch gehalten.[70] Mowinckel wies das Kapitel der B-Quelle, den erzählenden Texten, zu. Es lässt sich aber wohl schwerlich übersehen, dass viele Verfechter der Einheitlichkeit und Authentizität von Jer 36 ihre Auffassung darauf stützen, dass sie den Baruchrollen eine zentrale Bedeutung für das Zustandekommen das ganzen Jeremiabuches beimessen.

Nicholson, wie auch in gewissem Umfang Carroll und Thiel, haben deuteronomistisches Material in Jer 36 nachgewiesen. Der letztere erkennt deuteronomistischen Einfluss jedoch nur in V.3.7 und 31,[71] aber Nicholson hat überzeugend aufgezeigt, dass der Schwerpunkt in Jer 36 weder ein biographischer Bericht ist noch eine Schilderung der Entstehung des Jeramiabuches. Vielmehr handelt es sich darum, dass Israel das wort Gottes verwirft. Nicholson zeigt nicht nur, dass besonders V.9ff, aber auch V.1—8 auf eine deuteronomistische Verfasserschaft hindeuten. Er weist auch nach, dass diese Erzählung an wesentlichen Punkten mit der Vorlesung des Gesetzbuches in 2.Kön 22 übereinstimmt.[72] Nicholson zufolge ist das ganze Kapitel Jer 36 somit ein deuteronomistisches Produkt.

Carroll, der das ganze Jeremiabuch als ein Erzeugnis deuteronomistischer Theologen sieht behauptet, die Barucherzählung verfolge den Zweck, die Rolle des Schreibers bei der Entstehung des Buches zu legitimieren.[73] Indem sie den Schreiber Baruch introduzieren, schafften die Trandenten sich eine Person im Jeremiabuch, die ihre eigene Rolle beim Zustandekommen des Buches repräsentiert.

Nun wird das Bild durch eine Reihe von Umständen kompliziert, die in den Kommentaren oft jeder für sich erwähnt werden, die aber zusammengenommen zu bislang unbeachteten Schlussfolgerungen führen. Es handelt sich dabei um V.4—8. Diese Verse enthalten nichts, was an und für sich zu der Erzählung als solcher beiträgt, sie wiederholen vielmehr nur, was in den Versen unmittelbar vor und nach ihnen steht. V.7 ist eine fast wörtliche Wiedergabe von V.3 und V.6 greift V.9 vor. V.8 bildet im Hinblick auf die Fortsetzung in V.9 einen unmotivierten Abschluss.

---

[70] Siehe beispielsweise Rudolph, HAT 12, S.210ff. Thompson, The Book of Jeremiah, S.621.

[71] Thiel, 1981, S.49f.

[72] Nicholson, Preaching..., S.42. Der Bericht bildet Nicholson zufolge ein Pendant zu 2.Kön 22.

[73] Carroll, From Chaos to Covenant, S.15.151.

In V.4—8 erhalten wir den Eindruck, dass die Schriftrolle unmittelbar nachdem sie geschrieben worden vorgelesen wurde, aber die Angaben in V.1 und V.9 deuten darauf hin, dass diese Vorlesung erst im neunten Monat des folgenden Jahres stattfand. Möglicherweise liegt auch ein Widerspruch zwischen V.6, in dem die Vorlesung $b^e{}'\mathring{a}zn\hat{e}\ ha^cam$ geschehen soll, und V.10, wo sie in der Halle Gemarjas stattfindet, vor.[74]

Das Wort $^ca\d{s}\hat{u}r$ in V.5 deuten die Kommentare zuweilen als einen Hinweis darauf, dass der Prophet aufgrund kultischer Unreinheit verhindert war, selbst zum Tempel zu gehen. Andere meinen, dass ihm wegen seiner Verkündigung dort der Zutritt untersagt war.[75] Nun verhält es sich so, dass das Wort $^ca\d{s}\hat{u}r$ an anderen Stellen des Jeremiabuches (33,1; 39,15) sich auf Jeremias Gefangenschaft bezieht, aber das kann zufolge Jer 36,19.26 nicht der Fall sein, da der Prophet um diese Zeit nicht gefangen war.

Wenn wir dagegen V.4—8 aus dem übrigen Kapitel aussondern, lösen sich nicht nur die hier skizzierten Probleme. Wir erhalten dann auch eine Erklärung dafür, dass Baruchs Vater hier $ner\hat{i}j\bar{a}$ heisst, in V.14 und V.32 jedoch $ner\hat{i}jah\hat{u}$. Jer 36,4—8 wäre dann eine selbständige Paralleltradition zu dem im übrigen deuteronomistischen Jer 36. Diese Paralleltradition, in der $ner\hat{i}j\bar{a}$ auf dieselbe Weise geschrieben wird wie in der Erzählung vom Ackerkauf in Jer 32, könnte dann zusammen mit der letzteren Schilderung zu einem anfänglich freistehenden Komplex von Barucherzählungen gehört haben.

Wie in Jer 32 wurde auch in Jer 36 eine ursprüngliche Barucherzählung durch einen deuteronomistischen Bearbeiter erweitert. In Jer 32,16 treffen wir zwar die Kurzform $ner\hat{i}j\bar{a}$ an, aber das dürfte daher kommen, dass es sich dabei um die Einleitung der deuteronomistischen Ergänzung handelt.

In Jer 36 steht in dem deuteronomistischen Material die lange Form des Namens.

Die übrigen Personen in Jer 36 werden alle in der für das Buch Jeremia und das 7.Jahrhundert üblichen langen Form geschrieben. Über $mikjah\hat{u}\ b\alpha n\ g^em\breve{a}rjah\hat{u}$ (V.11), $d^elajah\hat{u}\ b\alpha n\ \check{s}^em\breve{a}^cjah\hat{u}$ und $\d{s}idq\hat{i}jah\hat{u}\ b\alpha n\ \d{h}^an\breve{a}njah\hat{u}$ (V.12) wissen wir nicht viel mehr, als dass sie $\acute{s}ar\hat{i}m$ am Hofe König Jojakims waren. Die erwähnten $g^em\breve{a}rjah\hat{u}$ und $d^elajah\hat{u}$ versuchten auch, das Verbrennen der Schriftrolle zu verhindern (V.25). Am Hofe befand sich ferner der sonst unbekannte $j^eh\hat{u}d\hat{i}\ b\alpha n\ n^et\breve{a}njah\hat{u}\ b\alpha n\ \check{s}\alpha l\alpha mjah\hat{u}\ b\alpha n\ k\hat{u}\check{s}\hat{i}$ (V.14), der anscheinend eine Person von geringerem Rang als die vorhergehenden war.

---

[74] Die Kommentatoren nehmen häufig an, dass die Halle Gemarjas ein Fenster zum Hof hatte, so dass Baruch gut zu hören war, aber doch vor dem Volk geschützt stand. Siehe Weiser, ATD 21, S.334; Rudolph, HAT 12, S.215; Thompson, the Book of Jeremia, S.625.

[75] Nicholson, Jeremia 26—52, S.106. Bright, Jeremiah, S.179. Weiser, ATD 21, S.332. Thompson, The Book of Jeremiah, S.623.

Die lange Form wird auch für die Namen der beiden Personen verwendet, denen in V.26 befohlen wird, Baruch zu ergreifen, *s^erajahû* und *šælœmjahû bæn ^c ăbd^e'el*. Der Name *s^erajahû* kommt sonst niemals im Alten Testament in der langen Form vor. Der Grund für die lange Form dürften hier die vielen langen Formen im Kontext sein.

### Jer 37—38 Jeremia im Gefängnis

| | | |
|---|---|---|
| *ṣidqîjahû* | | Mehrere Stellen. |
| *jo'šîjahû* | | 37,1. |
| *kånjahû* | | 37,1.[76] |
| *jirm^ejahû* | | Mehrere Stellen. |
| *šælœmjā* | | 37,3.[77]13. |
| *-jahû* | | 38,1. |
| *ṣ^epănjahû* | Zedekias Sendbote zu Jeremia | 37,3.[78] |
| *mă^cašejā* | Vater des Vorhergehenden | 37,3. |
| *jir'îjā* | Sohn von *šælœmjā*, ergriff Jeremia | 37,13f. |
| *h^anănjā* | Vater von *šælœmjā*. | 37,13. |
| *š^epăṭjā* | | 38,1. |
| *g^edăljahû* | | 38,1. |
| *mălkîjā* | | 38,1.[79] |
| *-jahû* | Königssohn | 38,6.[80] |

In Jer 37,1 finden wir den Namen *kånjahû* in derselben Schreibweise, auf die wir oben in Jer 22 stiessen. Der Name ist in der LXX ausgelassen, vermutlich weil Jojakims zentrale Rolle im vorhergehenden Kapitel den Schreiber die kurze Regierungszeit seines Nachfolgers überspringen liess.[81]

Der Name *šælœmjā /hû* tritt hier in beiden Formen auf. Die lange Form fanden wir früher auch in Jer 36,14.26 für die Namen zweier verschiedener Personen. Der *šælœmjā bæn h^anănjā*, der in Jer 37,13 als Vater von *jir'îjā*, der Jeremia gefangennahm, erwähnt wird, ist eine dritte Person desselben Namens. Schliesslich scheint es noch einen vierten *šælœmjā /hû* in 37,3 und 38,1 zu geben, doch könnte dieser möglicherweise mit einem der drei früheren identisch sein. In Jer 37,3 liegen textkritische Gründe dafür vor, die lange Form zu lesen und dadurch eine Übereinstimmung mit 38,1 zu erzielen. Die kurze Form könnte dann

---

[76] Nicht in LXX.

[77] Langform: MSS 1.30.201.224.225. Ausserdem P, Or 2543 u.a. Kurzform: MSS 4.84.154.180.210.226. Ferner Cod. Leningradiensis (nach BH) sowie Or 2549, Ant 339 u.a.

[78] Kurzform: MSS 154. Or 2543 (vgl. S.132) sowie das Genizafragment Ant. 339.

[79] Siehe Anm.25.

[80] Kurzform: MSS 154.201.224.

[81] So nach Janzen, Studies..., S.107. Es ist kaum möglich, den kürzeren Text für primär zu halten, da das Jeremiabuch im übrigen mit den historischen Verhältnissen wohlvertraut zu sein scheint.

darauf beruhen, dass der Schreiber auf eine Identität mit *šœlœmjā* in 37,13 hinweisen wollte, wodurch auch eine Kongruenz mit dem anderen Vatersnamen in 37,3, *mă<sup>ca</sup>śejā*, hergestellt würde.

Dieser *mă<sup>ca</sup>séjā*, der Vater des Priesters *ṣ<sup>e</sup>pănjahû*, wird ferner in 21,1 und 29,25 erwähnt, wo auch der Name des Sohnes in der Kurzform geschrieben wird. In 29,21 ist vermutlich ebenfalls von diesem *mă<sup>ca</sup>śejā* die Rede als dem Vater von *ṣidqîjahû*, dem falschen Propheten.

Den Priester *ṣ<sup>e</sup>pănjā/hû* treffen wir ausserdem in Jer 29,29 und 52,24, aber überall ausser hier und in 2.Kön 25,18 erscheint sein Name in der Kurzform. Er war anscheinend der Bruder des falschen Propheten *ṣidqîjā/hû* (37,3; 38,1) und gehörte zu derselben Gruppe von *śarîm* wie *păšḥûr bœn mălkîjā* (21,1) und *j(<sup>e</sup>h)ûkăl bœn šœlœmjā*, wird aber in 38,1 nicht unter denjenigen genannt, die Jeremia aus dem Wege zu räumen versuchten. Nach dem Fall Jerusalems wurde er zu der Schar der Hingerichteten gezählt (2.Kön 25,18; Jer 52,24). Es verwundert ein wenig, dass der Name gerade hier in der langen Form geschrieben wird. Da viele MSS auch für den vorhergehenden Namen in 37,3 die lange Form verwenden, besteht die Möglichkeit, dass die Form *ṣ<sup>e</sup>pănjahû* als Analogiebildung zu den vorausgehenden Namen *ṣidqîjahû* und *šœlœmjahû* entstanden ist. Die Form *ṣ<sup>e</sup>pănjā* in V.37,3 finden wir in MS 154, wo auch *šœlœmjā* die kurze Form aufweist. Ferner steht *ṣ<sup>e</sup>pănjā* in dem Geniza-Manuskript Ant.339 sowie als *prima manus*-Form in MS Orient 2543.

Die Annahme ist also begründet, dass die Kurzform *ṣ<sup>e</sup>pănjā*, die zu einer Übereinstimmung mit der Schreibung des Namens an den übrigen Stellen führt, primär ist. Wie Wanke gezeigt hat, bilden die Verse Jer 37,3—10 einen späten Abschnitt des Jeremiabuches — einen Abschnitt, dessen Gestaltung von Jer 21,1—7 und 37,11—43,7 ausgeht.[82] Dass Jer 37,3 von der Hand eines Bearbeiters herrührt, ergibt auch ein Vergleich mit Jer 38,1. So ist der Name *jûkăl* in Jer 37,3 zu *j<sup>e</sup>hûkăl* erweitert, was damit im Zusammenhang stehen kann, dass der Redaktor den Träger in ein einigermassen vorteilhaftes Licht rücken möchte, da er ja doch mit dem Wunsch um Fürbitte zu dem Propheten kam.

In Jer 38,1 werden vier Personen aufgezählt, die zusammen den Tod Jeremias wünschten. Es waren *š<sup>e</sup>pătjā bœn măttan* und *g<sup>e</sup>dăljahû bœn păšḥur,* die beide nur hier genannt werden, ferner der oben erwähnte *jûkăl bœn šœlœmjahû* sowie schliesslich *păšḥûr bœn mălkîjā*, der in derselben Namensform auch in Jer 21,1 und 1.Chr 9,12 vorkommt. Der letztere Name wird in LXX in Jer ausgelassen, möglicherweise auf Grund von Haplographie.[83] Uns liegen also in dieser Liste zwei lange und zwei kurze Formen vor. Wir sehen keinen Anlass, aus textkritischen Gründen irgendeinen von diesen Namen zu ändern.

---

[82] Wanke, Untersuchungen... S.102. Siehe auch Nicholson, Jeremiah 26—52, S.114 sowie Duhm, Das Buch Jeremia, S.296.

[83] Janzen, Studies... S.119.

Die eine der Personen, *jûkăl bœn šœlœmjahû*, wird zuvor in Jer 37,3 genannt, jedoch dort mit dem erweiterten Namen *jᵉhûkăl*, während der Vatersname gleichzeitig die Kurzform aufweist. Die zweite Langform ist *gᵉdăljahû bœn păš-ḥûr*. Eine in Jer häufiger vorkommende Person desselben Namens ist *gᵉdăljā /hû bœn 'ᵃḥîqam*, der nach dem Fall Jerusalems Statthalter wurde. Der Name des letzteren wird oft in der langen Form geschrieben, und offenbar wird dieselbe Schreibweise für *gᵉdăljahû* in 38,1 angewendet.

Aus irgendeinem Grund wurden die beiden restlichen Namen *mălkîjā* und *šᵉpătjā* in der kurzen Form geschrieben. Es ist nicht leicht verständlich warum das geschah, da beide Namen epigraphisch aus einer Zeit nahe der Jeremias in der langen Form belegt sind.[84] Im Alten Testament sind diese Namen andererseits nicht häufig. Der Name *šᵉpătjā* kommt ausser hier nur einmal ausserhalb des chronistischen Geschichtswerkes vor, und zwar als Name eines der Söhne Davids in 2.Sam 3,4. Der Name *mălkîjā /hû* steht in Jer 21,1; 38,1 und 38,6, aber sonst nur bei dem Chronisten. Doch sind die Namen *gᵉdăljahû* und *šœlœmjahû* im AT insgesamt noch ungewöhnlicher, da sie lediglich sporadisch beim Chronisten vorkommen.[85] Eine Lösung des Problems könnte daher darin bestehen, dass die beiden Namen, die in dem chronistischen Geschichtswerk oft in der kurzen Form erwähnt werden, in nachexilischer Zeit üblich waren und daher in Jer 38,1 ihre Form erhielten; allerdings setzt das voraus, dass dieser Vers seine endgültige Gestaltung in dieser Periode erhielt. Die beiden anderen Namen dürften dann als ungewöhnlicher und altertümlicher aufgefasst worden sein und daher lange Formen erhalten haben.

Hinsichtlich *mălkîjahû* in Jer 38,6 können wir konstatieren, dass wir hier die einzige lange Form dieses Namens im Alten Testament vor uns haben. Nun sprechen zwar drei alte Mss hier für die Kurzform, aber das dürfte auf den Einfluss von Jer 38,1 zurückzuführen sein.

### *Jer 39—41 Die Einnahme von Jerusalem und die Zeit Gedaljas*
*ṣidqîjahû*       39,1.2.4—7.[86]
*jirmejahû*       39,11.[87]14.15; 40.1.2.[88].6.[89]
*gedăljā*         40,5.6.[90].8;[91] 41,16.[92]

---

[84] Siehe S.33.38.218.
[85] Siehe S.60.63.
[86] Jer 39,4—13 fehlt in LXX.
[87] Siehe Anm.86.
[88] Nicht in LXX. Vermutlich eine Glosse in MT.
[89] Nicht in LXX.
[90] Langform: MSS 224.154 *prima manus*. Or 2543.
[91] Langform: MSS 30.154.224.P. MS 201 *prima manus*. Kurzform: BH sowie MSS 1.4.84.180.191.210.225.226.
[92] Langform: MS 180. Der ganze Temporalsatz fehlt in LXX. Vermutlich ein später Zusatz in MT. Siehe Anm.113.

| | |
|---|---|
| *-jahû* | 39,14; 40,7.9.11—16; 41,1—4.[93]6.9.[94]10.18. |
| *n<sup>e</sup>tănjā* | 40,14f;[95] 41 mehrere Stellen.[96] |
| *-jahû* | 40,8; 41,9.[97] |
| *s<sup>e</sup>rajā* | 40,8. |
| *j<sup>e</sup>zănjahû* | 40,8. |

Nach der Einnahme Jerusalems durch die babylonischen Truppen im Jahre 587 wurde Jeremia aus der Gefangenschaft befreit. Die Befreiung des Propheten schildert das Buch Jeremia in zwei Versionen in Jer 39,14 und in Jer 40,1—6.

Die Forscher stimmen weitgehend darin überein, dass Jer 39,4—10 einen Zusatz im Text darstellt, der Jer 52,7—16 entnommen ist, sowie dass Jer 39,11f, wo Nebusaradan genannt wird, eng mit Jer 40,1—6 zusammengehören.[98] In diesem Fall wäre Jer 39,13 sekundär als Überleitung zwischen Kap.39,11f und Kap.39,14 eingefügt worden. Das bedeutet, dass Jer 39,3.14 Jeremias Befreiung schildern, dass aber ausserdem eine längere Schilderung, Jer 39,11f; 40,1—6 vorliegt, die Nebusaradans persönliches Interesse an Jeremia beschreibt.[99] Die letztere Darstellung, die auch eine "Predigt" des babylonischen Obersten der Leibwache enthält, ist einigen Forschern zufolge eine sekundäre, legendenhafte Schilderung desselben Geschehens, das in Jer 39,3.14 beschrieben wird.[100] Carroll bezeichnet diese Schilderung als einen deuteronomistischen Unterricht darin, wie ein Prophet des Herrn von Rechts wegen zu behandeln ist.[101]

Andere Forscher meinen, Jeremia sei wirklich zweimal befreit worden. Nachdem er zuerst bei der Einnahme der Stadt die Freiheit erhalten habe, sich unbehindert in Jerusalem zu bewegen, sei Jeremia dann, mehr oder minder irrtümlich, von babylonischen Soldaten verhaftet und einer Gruppe zugeteilt worden, die nach Babylon deportiert werden sollte. Diese Gruppe habe sich in Rama befunden, wo Jeremia von dem babylonischen Obersten abgeholt und somit zum zweiten Mal befreit worden sei.[102]

Der Wahrheit am nächsten dürfte jedoch Pohlmann kommen, der Jer 39—40 von einer Gesamtschau des Jeremiabuches ausgehend analysiert hat, von dem er

---

[93] In LXX fehlt der Name in V.3.

[94] LXX: $\varphi\varrho\epsilon\alpha\varrho \ \mu\epsilon\gamma\alpha$ = *bôr gadôl*.

[95] Nicht in LXX.

[96] LXX lässt den Vatersnamen *bæn n<sup>e</sup>tănjā /hû* an sämtlichen Stellen in Jer 41 fort ausser in V.1.

[97] Siehe Anm.96.

[98] Duhm, Das Buch Jeremia, S.309ff. Weiser, ATD 21, S.355. Nicholson, Jeremiah 26—52, S.126. Rudolph, HAT 12, S.226f. Bright, Jeremiah, S.245. Wanke, Untersuchungen..., S.107f. Pohlmann, Studien..., S.96ff.

[99] Nach Thompson, The Book of Jeremiah, S.646 bilden jedoch Jer 39,11—14 "a self contained unit".

[100] Duhm, Das Buch Jeremia, S.313. Siehe auch Wanke, Untersuchungen..., S.109, der jedoch andeutet, dass ein historisches Ereignis dahinterstehen könnte.

[101] Carroll, From Chaos..., S.229f.

[102] Giesebrecht, HkzAT III:2,1, S.211. Rudolph, HAT 12, S.227. Weiser, ATD 21, S.357. Thompson, The Book of Jeremiah, S.646, Bright, Jeremiah, S.246.

meint, es sei in nachexilischer Zeit von einer Gola-orientierten Redaktion abschliessend redigiert worden. Pohlmann zufolge ist es klar, dass das ursprüngliche Material in diesem Kapitel aus 39,3.14 sowie 40,11—16 besteht.[103] Alles übrige gehe auf den Gola-orientierten Redaktor zurück und spiegele, wie Pohlmanns nähere Analyse gezeigt hat, durchweg die Auffassung, dass Juda in der Zeit des Exils im grossen ganzen entvölkert war. Jer 40.2—6 hätte dann die Funktion zu erklären, warum nicht auch Jeremia in die Gefangenschaft geführt wurde.[104]

In dem Abschnitt Jer 39—40 zeigt es sich, dass Jer 39,14 in der älteren Schilderung $g^e d\check{a}ljah\hat{u}$ liest, während wir in 40,5—6 die entsprechende Kurzform finden. In Jer 40,7—9 sind beide Formen belegt.

Jer 40,7—9 stimmt beinahe wörtlich mit 2.Kön 25,22—24 überein. Ein Vergleich zwischen 2.Kön 25 und dessen Paralleltext in Jer 52 zeigt, dass der Text in 2.Kön vermutlich durch Material aus Jer 39—40 ergänzt wurde.[105]

Pohlmann zufolge ist Jer 40,7—9 speziell für seinen Platz in Jer 40 geschrieben. Pohlmann erklärt zu Recht, die Funktion des Stückes bestehe darin, ein Korrektiv zu 39,14 und 40,11ff zu bilden, die sonst den Eindruck erwecken könnten, dass es in Palästina während des Exils eine recht zahlreiche jüdische Bevölkerung gegeben hätte.[106] Zudem lässt die Erwähnung von Ismael bereits in 40,8 dessen spätere Untat als umso schlimmer erscheinen.[107]

Ein Problem ist nun, dass 40,7.9 genau wie der ganze Paralleltext in 2.Kön 25 $g^e d\check{a}ljah\hat{u}$ liest, während wir in 40,8 in Widerspruch zu 2.Kön 25,23 die Kurzform finden.[108] Es fällt schwer, diese Kurzform einleuchtend zu erklären. Wenngleich fünf ältere MSS die lange Form aufweisen, hat die kurze in der Texttradition ein erhebliches Übergewicht. Das wäre kaum möglich, wenn nicht ein starkes Bewusstsein von der Richtigkeit der Kurzform bestanden hätte. Ausserdem ist es nicht leicht im Text irgendetwas ausfindig zu machen, was eine sekundäre Entstehung der Kurzform erklären könnte.

Könnte es dem Schreiber vielleicht schwer gefallen sein, zwischen einer historischen Schreibung mit -jhw und der kurzen Form seiner eigenen Zeit zu wählen, so dass er deshalb in V.8 die kurze, aber in V.7 und V.9 die lange Form schrieb?

Um zu betonen, dass auch Gedaljas Mörder, $ji\check{s}ma^c e'l\ b\alpha n\ n^e t\check{a}njah\hat{u}$ bei der Begegnung in Mizpa dabei war, hat der Redaktor dem Namen seines Vaters hier,

---

[103] Pohlmann, Studien..., S.105ff.
[104] *Ibm,* S.107.
[105] Siehe S.119.
[106] Pohlmann, Studien... S.112.114.
[107] *Ibm,* S.122.
[108] Die lange Form findet eine Stütze in etwa 1/3 der älteren Handschriften. Die *lectio difficilior* spricht für die Lesart der Majorität. Vgl. Anm.91.

wo er zum ersten mal erwähnt wird, die lange Form gegeben. An allen übrigen Stellen, an denen diese Person vorkommt, steht der Name in der kurzen Form, ausser in Jer 41,9; wie aber ein Vergleich mit LXX zeigt, stützt sich MT hier auf einen recht unsicheren Text.[109]

Zwei andere Namen in Jer 40,8 sind interessant: $s^e$rajā und $j^e$zănjahû. Dass der erstere Name die kurze Form hat, stimmt ganz mit der üblichen Schreibung des Namens sowohl in 2.Sam 8,17 wie in chronistischem Material überein.[110] Der zweite Name hier gehört zu den weniger häufigen im AT. An den sechs Stellen, an denen er vorkommt, finden wir drei kurze und drei lange Formen. An vier Stellen steht hinter dem $j$ ein 'alæf. Wir konzentrieren uns hier indessen auf das Suffix und gehen nicht auf das 'alæf-Problem ein.[111]

Der Name steht im Jeremiabuch an drei Stellen. Die erste, Jer 35,3, haben wir bereits erörtert. Dort ist es der Rechabiter, der den Namen in der kurzen Form trägt. Ausser der langen Form in 40,8 finden wir die kurze des Namens in 42,1. Wahrscheinlich handelt es sich an den beiden letzteren Stellen um dieselbe Person, falls der Name in 42,1 nicht eine Fehlschreibung für $^{ca}$zărjā darstellt, wie vielfach angenommen wird. In Jer 40,8 hat es fast den Anschein, als hätten die anderen langen Formen des Kontextes die Namensform bestimmt.

Als dieser Vers in 2.Kön 25,23 übernommen wurde, normalisierte man den Namen so, dass Gedalja hier wie an den meisten sonstigen Stellen die lange Form erhielt. Auch bei dem ungewöhnlichen Namen $j^e$/ja'azănjahû erhielt sich die lange Form, während $n^e$tănjahû in Analogie zu Jer 41,1 in die Kurzform geändert wurde.

Jer 41 bietet weniger Probleme. Hauptsächlich werden die beiden Formen $g^e$dăljahû und $n^e$tănjā gebraucht. Ausnahmen sind $n^e$tănjahû in V.9, vermutlich aufgrund eines schlechten Textes,[112] und $g^e$dăljā in V.16. An der letzteren Stelle fehlt in LXX der gesamte eingeschobene Temporalsatz. Den meisten Kommentaren zufolge handelt es sich bei diesem um einen späten Zusatz.[113]

---

[109] Wichtiger als das völlige Fehlen des Namens in LXX ist, dass aus dem sicherlich ursprünglichen *bôr gadôl* das *b^ejăd g^edăljahû* von MT haben werden können, das inhaltlich unmöglich ist. Der Grund dafür, dass Jer 40—41 in dem Ausdruck *bæn n^etănjā/hû* so viele Kurzformen aufweisen könnte jedoch sein, dass diese Vatersnamen, die in LXX überall ausser in Jer 40,8; 41,1 fehlen, späte Zusätze zum hebräischen Text sind (Janzen, Studies in the Text..., S.69).

[110] Die einzige lange Form des AT steht in Jer 36,26.

[111] Einen ähnlichen Fortfall von 'alæp finden wir auch bei anderen Wörtern im AT. Beispiele sind *tom^erû* (2.Sam 19,14), *măkkolæt* (1.Kön 5,25), *rêm* (Job 39,9f.). Siehe Pedersen, Hebaeisk Grammatik, S.130.

[112] Vgl. Anm.109.

[113] Duhm, Das Buch Jeremia, S.319. Giesebrecht, HkzAT III:2,1, S.113. Bright, Jeremiah, S.250. Janzen, Studies..., S.23.54.

## Jer 42—44 Die Auswanderung nach Ägypten

| | | |
|---|---|---|
| *j<sup>e</sup>zănjā* | Offizier | 42,1.[114] |
| *hôšă<sup>c</sup>jā* | Vater des Vorhergehenden, sowie des | |
| | *<sup>ca</sup>zărjā* unten | 42,1; 43,2. |
| *jirm<sup>e</sup>jahû* | | 42,2.4f; 43,1f.6.8; |
| | | 44,1.15.20.24 |
| *<sup>ca</sup>zărjā* | | 43,2. |
| *nerîjā* | Baruchs Vater | 43,3. |
| *-jahû* | Baruchs Vater | 43,6. |
| *g<sup>e</sup>dăljahû* | | 43,6. |
| *ṣidqîjahû* | | 44,30. |

In diesem Abschnitt, der nach Mowinckel grösstenteils der B-Quelle entstammt, erscheinen die Namen der drei im Buch Jeremia häufig genannten Personen *jirm<sup>e</sup>jahû*, *g<sup>e</sup>dăljahû* und *ṣidqîjahû* in der langen Form, während *hôšă<sup>c</sup>jā* und seine beiden Söhne *j<sup>e</sup>zănjā* und *<sup>ca</sup>zărjā* die kurze Namensform haben. Zumindest der letztere gehört zu den Widersachern Jeremias, die nach Ägypten fliehen wollten. Baruchs Vater *nerîjā* ist uns schon in Kap. 32 und 36 begegnet. Wir stellten dort fest, dass dieser Name häufig in der kurzen Form geschrieben wird, dass aber der deuteronomistische Abschnitt von Kap.36 die lange Form bevorzugt.

In Jer 43 steht die Kurzform in V.3 und die lange in V.6, ohne dass es hier möglich wäre, auf verschiedene Quellen oder andere redaktionsgeschichtliche Umstände zu verweisen. Der entscheidende Faktor kann nichts anderes gewesen sein als der Kontext.

Die Form in V.3 passt somit gut zu den Kurzformen im voraufgehenden Vers, während die langen Formen *g<sup>e</sup>dăljahû* und *jirm<sup>e</sup>jahû* in V.6 zu der langen Form *nerîjahû* am Ende desselben Verses geführt haben dürften. Eine beitragende Ursache könnte dann gewesen sein, dass ein folgendes Wort mit *w* anfängt, so dass es sich um eine Dittographie handeln könnte.

Einige Kommentatoren stellen aus inhaltlichen Gründen 43,1—3 vor 42,19, was den Abstand im Text zwischen *nerîjā* und *nerîjahû* vergrössern und leichter unterschiedliche Schreibweisen des Namens entstehen lassen würde, aber es fällt

---

[114] Langform: MS 4 und MS 270 (13 Jh). *j'znjhw:* MS 145 (13 Jh). Die Mehrzahl der Kommentatoren liest hier mit LXX *<sup>ca</sup>zarjā*, was eine Uebereinstimmung mit Jer 43,2 ergibt. Siehe Duhm, Das Buch Jeremia, S.320; Giesebrecht, HkzAT III:2,1, S.217; Weiser ATD 21, S.366; Rudolph, HAT 12, S.234; Nicholson, Jeremiah 26—52, S.141f.; Bright, Jeremiah, S.250; Wanke, Untersuchungen..., S.118. Diese Lesart findet zwar ausserhalb der LXX keine Stütze, falls sie aber ursprünglich ist, sind wir das Problem zweier verschiedener Schreibungen von *jă<sup>ra</sup>zănjā/hû* im Jeremiabuch los. Gegen die Lesart von LXX spricht ihr völliges Fehlen ausserhalb der LXX sowie, dass der Text von MT als *lectio difficilior* aufgefasst werden muss. Zufolge Pohlmann, Studien... S.129, sind die Personennamen in Jer 42,1.8 sekundär eingefügt worden.

schwer, hinreichende Gründe für eine derartige Umstellung des Textes zu erkennen.[115]

## Jer 45 Trostworte an Baruch

| | |
|---|---|
| *nerîjā* | v.1. |
| *jirmᵉjahû* | v.1. |
| *joʾšîjahû* | v.1. |

Alle diese Namen sind hier auf die üblichste Weise geschrieben und bedürfen keines weiteren Kommentars. Mowinckel wies das Kapitel der deuteronomistischen C-Quelle zu.[116] Thiel zufolge bildet es den Schluss des deuteronomistisch redigierten Jeremiabuches.[117]

## Jer 46—51 Weissagungen gegen die Fremdvölker

| | | |
|---|---|---|
| *jirmᵉjahû*[118] | | 46,1.13; 47,1; 49,34; 50,1; 51,59—61.64. |
| *joʾšîjahû* | | 46,2.[119] |
| *ṣidqîjā* | | 49,34 |
| *-jahû* | | 51,59 |
| *śerajā* | Baruchs Bruder | 51,59.61. |
| *nerîjā* | Baruchs Vater | 51,59. |
| *mǎhsejā* | Baruchs Grossvater | 51,59. |

Dieser Abschnitt wird in der älteren Kommentarliteratur als deutlich sekundär betrachtet. Sein projüdischer, antiheidnischer und ”schriftstellerartiger” Charakter wurde als hinlänglicher Grund dafür angesehen, diese Kapitel zu späten Ergänzungen des Jeremiabuches zu erklären.[120] In der neueren Forschung lässt sich dagegen eine klare Tendenz erkennen, diese Kapitel als nicht weniger ”jeremianisch” zu betrachten als das sonstige Buch.[121] Auf einem anderen Blatt steht, dass der Abschnitt, wie LXX zeigt, seine eigene Geschichte hat und anfänglich eine recht lose Komposition dargestellt haben dürfte, die frei in Umlauf war. Kleinere sekundäre Abschnitte finden sich hier ebenso wie in den übrigen Teilen des Jeremiabuches.

---

[115] Umstellung nach Weiser, ATD 21, S.371; Rudolph, HAT 12, S.236; Bright, Jeremiah, S.252. Die Frage erörtert weder Wanke, Untersuchungen... noch Pohlmann, Studien..., die beide Analysen dieses Abschnittes vorgelegt haben. Thompson, The Book of Jeremiah, S.667 meint: ”the suggestion is plausible but not necessary”.

[116] Mowinckel, Zur Komposition..., S.45.

[117] Thiel, Die deuteronomistische Redaktion..., 1981, S.82.

[118] LXX hat nur diesen Namen in Kap.46,13; 51,59—61 (Kapitelnummer nach MT).

[119] Der Name fehlt hier in LXX.

[120] Duhm, Das Buch Jeremia, S.336ff. Giesebrecht, HkzAT III:2,1, S.227.

[121] Weiser, ATD 21, S.389. Rudolph, HAT 12, S.267. Bright, Jeremiah, S.307. Thompson, The Book of Jeremia, S.687.

Die uns interessierenden Namensformen stehen in den drei Datierungsaussagen des Abschnittes. In 46,2 werden zumindest Kap. 46—49,33 auf die Zeit nach dem vierten Regierungsjahr König Jojakims datiert. Die lange Form hier entspricht unserer Erwartung, dagegen erstaunt, dass der Abschnitt über Elam, 49,34ff, auf die Zeit nach König *ṣidqîjā* datiert wird, während dieselbe Person in der Einleitung zu der abschliessenden Erzählung in 51,59ff *ṣidqîjahû* heisst. Die kurze Form ist jedoch natürlich, falls die Datierung in 49,34, was wahrscheinlich ist, von der Hand des Sammlers stammt.[122] Die Sammlung wäre dann irgendwann in nachexilischer Zeit entstanden. Falls sie unabhängig von dem übrigen Buch zustandekam, ist es nicht besonders erstaunlich, wenn wir hier wie in Jes 27—29, wo auch eine selbständige Sammlung vorliegt, die Namensform *ṣidqîjā* finden.[123]

Jer 51,59ff enthalten eine Erzählung, die der Weissagung gegen Babel in Kap.50—51,58 selbständig gegenübersteht.[124] Rudolph und Bright meinen, dieser Abschnitt habe seinen ursprünglichen Platz unmittelbar nach Jer 29 gehabt, wo er datierungsmässig gut hinpasst.[125] Hier wird wie im Hauptteil des Jeremiabuches einschliesslich Jer 29,21ff die lange Form *ṣidqîjahû* benutzt. Die andere Person, *śᵉrajā bœn nerîjā bœn măḥsejā* muss allem Anschein nach ein Bruder von *barûk bœn nerîjā bœn măḥsejā* (Jer 32,12) sein. Wenn die Namen von Baruchs Vater und zudem auch seinem Grossvater in der Kurzform geschrieben werden, liegt es nahe, mit seinem Bruder ebenso zu verfahren. Ausserdem ist die Kurzform bei allen Personen mit dem Namen *śᵉrajā* immer die normale.

### Jer 52 Historische Ergänzung

| | | |
|---|---|---|
| *ṣidqîjahû*[126] | | V.1.3.5.8.10.11. |
| *jirmᵉjahû* | | V.1. |
| *śᵉrajā* | Hoherpriester | V.24.[127] |
| *śᵉpănjā* | Priester | V.24.[128] |

Den meisten Kommentatoren zufolge basiert der Text von Jer 52,1—27. 31—34 auf 2.Kön 24—25.[129] Ausserdem enthält der masoretische Text in Jer 52,28ff ein-

---

[122] Weiser, ATD 21, S.425.

[123] Vgl. auch das *bᵉre'šît mălkût ṣidqîjā* der Einleitung in 49,34 mit *bᵉre'šît mămlœkœt ṣidqîjā* in 28,1. Es ist hinzuzufügen, dass von den sonstigen drei *bᵉre'šît*-Stellen im AT sich eine in Gen 1,1 und die übrigen beiden in Jer 26,1 und 27,1 finden.

[124] Duhm, Das Buch Jeremiah, S.375. Weiser, ATD 21, S.447. Rudolph, HAT 12, S.293. Bright, Jeremiah, S.212.

[125] Rudolph, HAT 12, S.295.

[126] Der Name fehlt in LXX in V.3 und V.8.

[127] Nicht in LXX.

[128] Nicht in LXX.

[129] Siehe S.118f.

geschobene Angaben über die Anzahl der Deportierten.[130] In LXX fehlen die beiden Personennamen in Jer 52,24, aber es dürfte übereilt sein, dieselben mit Janzen als sekundäre Ergänzungen zu MT zu erklären.[131] Vielmehr dürfte der Text des Jeremiabuches in LXX auf eine andere Version der Königsbücher zurückgehen als derjenigen, die in MT vorliegt. In diesem Text fehlten die beiden Namen in V.24. Der masoretische Text des Jeremiabuches gründet sich dagegen auf denselben Text des Königsbuches, den wir in MT finden, aber der Jeremiatext hat den Namen *ṣᵉpănjahû* in 2.Kön 25,18 in die Kurzform geändert in Analogie zu den meisten anderen Stellen im Jeremiabuch, an denen der Name vorkommt.[132] Ferner fehlten in der Vorlage des Jeremiatextes 2.Kön 25,22—26. Der Name *sᵉrajā* hat dieselbe Form in Jer 52,24 wie in 2.Kön 25,18. Die beiden Namen *jirmᵉjahû* und *ṣidqîjahû* schliesslich erhalten beide die im Jeremiabuch dominierende Form.

### d) Zusammenfassung

Wir haben konstatiert, dass das Buch Jeremia drei "Hauptpersonen" hat, die — wenn man Kap. 27—29,20 ausnimmt — so gut wie immer in der langen Form geschrieben werden. Es sind dies der Prophet selbst sowie die Könige *jo'šîjahû* und *ṣidqîjahû*. Im übrigen fanden wir die folgenden Verhältnisse im Jeremiabuch vor:

### Jer 1—20

Hier stossen wir auf die oben erwähnten drei Personen sowie ferner auf zwei weitere, den Vater des Propheten, *ḥilqîjahû*, der im AT nur an dieser Stelle genannt wird, sowie König *jᵉḥizqîjahû*. Der letztere Name steht in dem Abschnitt 15,3—4, von dem wir feststellten, dass er einer späten Schicht des Buches angehört. Der Name kommt im Buch Jeremia auch in der Form *ḥizqîjahû* in 26,18f vor, aber niemals in der Kurzform.

### Jer 21—25

In Jer 21,1 begegnen uns ausser *jirmᵉjahû* und *ṣidqîjahû* auch *păšḥûr bœn mălkîjā* und *ṣᵉpănjā bœn măᶜaśejā*. Die beiden letzteren erscheinen in diesem Kontext nur als Sendboten des Königs an den Propheten, aber wir haben konstatiert, dass der erstgenannte, *păšḥûr*, 38,1 zufolge zu denjenigen gehörte, die Jeremia aus dem Wege räumen wollten. Der andere war vermutlich ein Bruder des Lügenpropheten *ṣidqîjahû bœn măᶜaśejā* in Jer 29,21. In Jer 29,25 wird *ṣᵉpănjā bœn măᶜaśejā* aufs neue erwähnt, und nichts im Text weist darauf hin, dass es sich um zwei verschiedene *măᶜaśejā* handeln sollte, auf die sich die Vatersnamen beziehen.

---

[130] Fehlt in LXX. Siehe S.119.
[131] Siehe S.119.
[132] Kurzform in Jer 21,1; 29,25.29. Langform in Jer 37,3.

Den vierten und letzten der Könige von Juda, die das Jeremiabuch nennt, *kån-jahû*, finden wir in Jer 22. In Jer 24,1, das einer späteren Schicht in der Geschichte des Jeremiabuches angehört, ist der Name zu *j<sup>e</sup>kånjahû* erweitert.

## Jer 26

Den Namen *mîkajā* in V.18 haben wir aus textkritischen Gründen in die *q<sup>e</sup>re̓* Form *mîkā* geändert. Ausser den früher genannten Personen treffen wir in diesem Kapitel *̓ûrîjahû bœn š<sup>e</sup>mă<sup>c</sup>jahû*, einen Propheten, der ebenso wie Jeremia selbst gegen Juda und Jerusalem weissagte.

## Jer 27—29,20

In diesem Abschnitt erscheinen fast alle Namen in der Kurzform, einschliesslich des eigenen des Propheten und des Königs *ṣidqîjā*, die sonst beinahe immer in der langen Form geschrieben werden. In dem Stück kommen insgesamt 23 kurze und drei lange Formen vor. König *jo̓šîjahû* in Kap.27,1 erhält hier wie überall sonst die lange Form. In Kap.27,3 lesen wir *ṣidqîjahû* in einem Abschnitt, der älter ist als das übrige Kapitel 27. Schliesslich wäre die lange Form *jirm<sup>e</sup>jahû* zu erwähnen, die eine starke textkritische Stütze in 28,12[1] hat. Vermutlich ist diese Form die ursprüngliche, die hier auf Grund des formelhaften Ausdrucks *wăjhî d<sup>e</sup>bǎr Jhwh ̓œl jirm<sup>e</sup>jahû* erhalten blieb.

## Jer 29,24—32

Dieser Abschnitt dürfte von einer anderen Hand stammen als Kap. 27—29,20, denn hier wird Nebukadrezar wieder auf die ältere Art mit einem -r- geschrieben. Hier lesen wir wieder *jirm<sup>e</sup>jahû* in V.27ff wie auch *ṣidqîjahû* in V.21f, obschon der letztere Name sich nicht auf den König bezieht, sondern auf einen Lügenpropheten.

In V.21 begegnen uns somit zwei falsche Propheten, *̓ăh̓ab bœn qôlajā* und *ṣidqîjahû bœn mă<sup>ca</sup>śejā*. Der Priester *ṣ<sup>e</sup>pănjā bœn mă<sup>ca</sup>séjā* in V.25.29 ist vermutlich ein Bruder des letzteren. Ein weiterer falscher Prophet ist *š<sup>e</sup>mă<sup>c</sup>jā* in V.31f, aber dieser letztere wird in V.24, wo er zum ersten Mal genannt wird, in der langen Form geschrieben. Der Schreiber scheint hier an die Schreibung von *š<sup>e</sup>mă<sup>c</sup>jahû* angeknüpft zu haben, die wir in Kap.26,20 vorfanden.

## Jer 30—32

In Jer 32 tritt Jeremias Schreiber *barûk bœn nerîjā bœn măḥsejā* auf.

## Jer 34—35

Die Namen der beiden Rechabiter *jă̓<sup>a</sup>zănjā* und *ḥ<sup>a</sup>băṣṣinjā* erscheinen in der kurzen Form, was auf dem nordisraelitischen Ursprung der Rechabiter beruhen könnte. Falls Duhm u.a. Recht haben, erklären sich die Kurzformen jedoch daraus, dass wir es mit einem späten Text zu tun haben. Ein in diese Richtung weisendes Indiz ist der Name *jiqdăljahû*, da Namen mit dem Präfix *j-* häufig in späten Textschichten vorkommen.

Ob *mă$^{ca}$śejahû bæn šăllum* in 35,4 mit dem Vater von *ṣ$^e$pănjā* in Kap.21; 29 und 37 indentisch ist, lässt sich nicht entscheiden.

### Jer 36

In dem Kapitel wird eine Reihe von Beamten am Hofe König Jojakims aufgezählt, und zwar alle in der langen Namensform. Keiner von diesen scheint in einem selbständigen Verhältnis zu dem Propheten und seiner Botschaft zu stehen. Sie sind sämtlich nur Werkzeuge König Jojakims. Auch der Name von Baruchs Vater wird in diesem Kapitel in der langen Form geschrieben ausser in V.4 und V.6. Die beiden letzteren Verse stehen in dem Abschnitt V.4—8, der, wie wir fanden, einer selbständigen, vielleicht stärker historischen, Paralleltradition zu dem im übrigen deuteronomistisch geprägten Kapitel angehört.

### Jer 37—38

Genau wie in Jer 22,24.28 lesen wir in Kap.37,1 *kånjahû*. Den Namen *śælæmjā /hû* finden wir in dem Abschnitt in beiden Formen. Der *śælæmjā bæn ḥ$^a$nănjā* (37,13), der Vater von *jir'îjā*, der den Propheten gefangennehmen soll, wird in der kurzen Form geschrieben. *śælæmjahû*, der Vater eines anderen Feindes des Propheten, erhält dagegen die lange Form in 38,1. Dieselbe Person wird auch in der vermutlich späteren Textstelle 37,3 erwähnt. An der letzteren Stelle fällt die textkritische Wahl zwischen der kurzen und der langen Form schwer, doch findet die lange Form im Einklang mit 38,1 eine starke Stütze in den Quellen. Die Kurzform könnte dann einen sekundären Versuch darstellen, den Text mit 37,13 zu harmonisieren. Vermutlich gab ein ursprüngliches *śælæmjahû* in 37,3 den Anstoss zu einer langen Form auch des Priesternamens *ṣ$^e$pănjahû bæn mă$^{ca}$śejā* im selben Vers. Dieser Priester, wahrscheinlich ein Bruder des falschen Propheten *sidqîjahû bæn mă$^{ca}$śejā* in Jer 29,21, erhält überall sonst (21,1; 29,25.29; 52,24) die kurze Namensform, ebenso wie *mă$^{ca}$śejā*, der Vater der Brüder.[133]

Zu den Feinden des Propheten in Kap.38,1 gehören auch *š$^e$păṭja* und *g$^e$dăljahû* sowie *păšḥûr bæn mălkîjā*. Wir haben bereits *śælæmjahû*, den Vater von *jûkăl* im selben Vers erwähnt. Warum finden wir dann hier zwei lange und zwei kurze Formen? Wir gelangten zu der Auffassung, dass die beiden Namen, die auch an anderen Stellen im Jeremiabuch in der langen Form vorkommen, für die aber nur vereinzelte Belege aus nachexilischer Zeit vorliegen, in der langen Form geschrieben werden, während es sich in bezug auf die beiden Namen in der kurzen Form gerade umgekehrt verhält.

Der Name *mălkîjahû* kommt jedoch für den Königssohn in Jer 38,6 vor.

---

[133] Vgl. jedoch Jer 35,4.

### Jer 39—41

Der Name des Statthalters $g^e d\check{a}lj\bar{a}$ /$h\hat{u}$ wird hauptsächlich genau wie der der Könige in der langen Form geschrieben, doch verwendet das Material, das Pohlmann zufolge von dem Gola-orientierten Redaktor stammt, die Kurzform. Das letztere gilt hier für Kap.40,5.6.8. Obgleich auch 40,7.9 zu dem letztgenannten Material zu zählen ist, haben wir hier doch die Form $g^e d\check{a}ljah\hat{u}$. Die Kurzform in 41,16 gehört zu einem späten Zusatz zu dem Text. Der Mörder des Statthalters war $ji\check{s}ma^c e'l\,b\alpha n\,n^e t\check{a}nj\bar{a}$. Sein Name erscheint überall in der kurzen Form, ausser bei seiner ersten Erwähnung in Kap.40,8 sowie in dem vermutlich fehlerhaften Vers 41,9. In 40,8 wird $\acute{s}^e raj\bar{a}$ in der kurzen Form geschrieben wie an den meisten anderen Stellen, während der ungewöhnliche Name $j^e z\check{a}njah\hat{u}$ die lange Form aufweist.

### Jer 42—44

Baruchs Vater, der häufig $ner\hat{i}j\bar{a}$ geschrieben wird, hat diese Form auch in Kap.43,3. Die lange Form desselben Namens in 43,6 dürfte sich nicht anders erklären lassen als durch die Annahme einer Einwirkung seitens der $g^e d\check{a}ljah\hat{u}$ und $\d{s}idq\hat{i}jah\hat{u}$ des benachbarten Kontextes, die beide in der für diese Namen üblichen Schreibung erscheinen.

### Jer 45

Auch hier wird Baruchs Vater $ner\hat{i}j\bar{a}$ geschrieben. Die Namen der beiden übrigen Personen haben hier wie erwartet die lange Form.

### Jer 46—51

Die Kurzform $\d{s}idq\hat{i}j\bar{a}$ in 49,34 dürfte daher kommen, dass diese Fremdvölkerorakel eine ausserhalb des übrigen Jeremiabuches stehende Orakelsammlung darstellen. Der Name, der zu der Datierung der Elam-Weissagung herangezogen wird, erhielt seine Form von der Hand des Sammlers.

In Kap.51,59ff, dem Schlussteil, der ursprünglich nicht mit den Weissagungen zusammengehört hat, finden wir die übliche lange Form $\d{s}idq\hat{i}jah\hat{u}$. Im selben Vers treffen wir auf $\acute{s}^e raj\bar{a}\,b\alpha n\,ner\hat{i}j\bar{a}\,b\alpha n\,m\check{a}hsej\bar{a}$. Ein Vergleich mit Kap.32,12 ergibt, dass es sich um einen Bruder von Baruch handeln muss, der hier den Auftrag erhält, die Botschaft des Propheten zu übermitteln.

### Jer 52

Dieses Kapitel ist spät an das Jeremiabuch angefügt worden. Die Namen der beiden Priester $\acute{s}^e raj\bar{a}$ und $\d{s}^e p\check{a}nj\bar{a}$ weisen die für die nachexilische Zeit übliche Kurzform auf, während für König $\d{s}idq\hat{i}jah\hat{u}$ wie gewöhnlich die lange Form verwendet wird.

## e) Synthese

Bereits einleitend wiesen wir darauf hin, dass die verhältnismässig kurze Entstehungzeit des Jeremiabuches es schwierig macht, Unterschiede in der Schreibung in verschiedenen Zeitabschnitten als Schlüssel zur Lösung des Problems der unterschiedlichen Namensformen zu verwenden. Es besteht keine Korrelation zwischen den kurzen und den langen Namensformen und der von Duhm und Mowinckel entwickelten und einstweilen vorherrschenden Redaktionshypothese. Auch die meisten späteren Vorschläge, die in dieser Hinsicht vorgelegt wurden, sind wenig hilfreich. Einige kurze Formen fehlen zwar in den LXX-Texten, aber das ist in noch grösserem Umfang bei den langen Formen der Fall. Die von Janzen vorgelegte Hypothese vom höheren Alter der LXX-Texte bringt uns also hier nicht weiter.

Abgesehen von einigen Sonderfällen, wie den Kurzformen in Jer 27,2—29,20, den Kurzformen für $g^e\bar{d}\check{a}lj\bar{a}$ sowie möglicherweise der Stelle über die Rechabiter ist es schwer, eine direkte Wechselbeziehung zwischen den Kurzformen und späten Teilen des Jeremiabuches festzustellen. Kurzformen haben wir an folgenden Stellen gefunden:

a) In dem besonderen Abschnitt 27,2—29,20, der sich auch in anderer Hinsicht von dem sonstigen Jeremiabuch unterscheidet.

b) Sehr häufig für Baruchs nahe Verwandte *nerîjā*, *măḥsejā* und *śᵉrajā*. Jedoch steht in Kap.36,14.32; 43,6 *nerîjahû,* was vermutlich auf einer starken Einwirkung des unmittelbaren Kontextes beruht. Betr. *śᵉrajā* finden wir die lange Namensform für eine andere Person dieses Namens in Jer 36,26, aber sonst erhält dieser Name im AT bei allen seinen Trägern die Kurzform.

c) Für die beiden Rechabiter *jă'ᵃzănjā* und *ḥᵃbăṣṣinjā* in Jer 35,3. Die kurzen Formen können daher kommen, dass wir es mit einem späten Text zu tun haben, aber auch daher, dass die Rechabiter angeblich nordisraelitischen Ursprungs sind.

d) Für Jeremias Feinde und ihre Angehörigen:
*jᵉzănjā bæn hôšă⁽ᶜ⁾jā* (42,1), Bruder von *⁽ᶜ⁾ăzărjā bæn hôšă⁽ᶜ⁾jā* (43,2).
*jir'îjā bæn śælœmjā bæn hᵃnănjā* (37,13f.)
*ṣᵉpănjā bæn ma⁽ᶜᵃ⁾śejā* (21,1; 29,25.29; 52,24) Bruder von
*ṣidqîjahû bæn mă⁽ᶜᵃ⁾śejā* (29,21f.)
*šᵉmă⁽ᶜ⁾jā* (29,31.32) Langform in Jer 29,24.
*šᵉpăṭjā bæn măttan* (38,1)

Ferner für folgende von Jeremias Feinden mit einem Vatersnamen auf *-jā*:
*păšḥûr bæn mălkîjā* (21,1; 38,1).
*jišma⁽ᶜ⁾'el bæn nᵉtănjā* (Kap.40—41) Langform in 40,8 und 41,9.
*'ăḥ'ab bæn qôlajā* (29,21).
*jᵉhûkăl bæn śælœmjā* (37,3) Hier müssen wir jedoch aus textkritischen Gründen *śælœmjahû* lesen wie in 38,1.

e) Für den Statthalter $g^e d\check{a}lj\bar{a}$ an den redaktionellen Stellen in Jer 40,5.6.8;41,16.

Lange Formen lesen wir für die folgenden Personen:

a) Alle Könige von Juda, das gilt für $jo'\check{s}\hat{i}jah\hat{u}$ und $(j^e)\d{h}izk\hat{i}jah\hat{u}$ ebenso wie den Königssohn $m\check{a}lk\hat{i}jah\hat{u}$ (38,6) sowie ferner $(j^e)k\mathring{a}njah\hat{u}$ und $\d{s}idq\hat{i}jah\hat{u}$ ausser in dem Abschnitt Jer 27,2—29,20.

b) Den Propheten selbst ausser in Kap.27,2—29,20 sowie für seinen Vater $\d{h}ilq\hat{i}jah\hat{u}$ (1,1).

c) Den Propheten $'\hat{u}r\hat{i}jah\hat{u}\ b\alpha n\ \check{s}^em\check{a}^cjah\hat{u}$, der als ein rechter Prophet Jhwh's beschrieben wird (Kap.26,20ff).

d) Den Statthalter $g^ed\check{a}ljah\hat{u}$ in dem Material, das nach Pohlmann der älteren Schicht in Jer 39—41 angehört. Doch hätten wir in Jer 40,7.9 Kurzformen erwartet.

e) "Neutrale" Personen, d.h. Personen, die weder als Anhänger noch als Gegner des Propheten dargestellt werden. Hierzu gehören $jigd\check{a}ljah\hat{u}$ und $m\check{a}^{ca}\check{s}ejah\hat{u}$ in Kap.35,4, sämtliche Beamten in Jer 36 sowie $j^ez\check{a}njah\hat{u}$ in Kap.40,8.

f) Die folgenden Personen unter Jeremias Feinden:

$g^ed\check{a}ljah\hat{u}\ b\alpha n\ p\check{a}\check{s}\d{h}\hat{u}r$ (38,1), vermutlich darum, weil der Name $g^ed\check{a}ljah\hat{u}$ im Buch Jeremia so häufig ist, später aber weniger üblich wird. Die einzigen Belege im chronistischen Geschichtswerk sind 1.Chr 25,3.9 (lange Form) und Esra 10,18 (kurze Form).

$n^et\check{a}njah\hat{u}$ (40,8; 41,9), der Vater des Mannes, der den Statthalter Gedalja tötete. Häufig wird für diese Person die Kurzform gebraucht, aber die lange Form in 40,8 ist stilistisch gut gewählt. Ismael ist in Jer 40,8 noch nicht als Mörder erkannt, sondern wird als einer von denen dargestellt, die in Jer 40,9 den Eid von Gedalja entgegennehmen. Auf diese Weise wird sein Verbrechen umso schwerer.

In Jer 41,9 befindet sich der Text in schlechtem Zustand.

$\d{s}idq\hat{i}jah\hat{u}\ b\alpha n\ m\check{a}^{ca}\check{s}ej\bar{a}$ (29,21f), ein falscher Prophet. Die lange Form dürfte daher kommen, dass der Name so häufig in dieser Form für den König mit demselben Namen vorkommt.

$\d{s}^ep\check{a}njah\hat{u}\ b\alpha n\ ma^{ca}\check{s}ej\bar{a}$ (37,3), Bruder des Vorhergehenden. Sein Name wird häufiger in der kurzen Form geschrieben (21,1; 29,25.29; 52,24). Falls die Manuskripte Recht haben, die weiter oben im selben Vers $\check{s}\alpha l\alpha mjah\hat{u}$ lesen, könnte die lange Form $\d{s}^ep\check{a}njah\hat{u}$ eine Analogiebildung sein.

$\check{s}\alpha l\alpha mjah\hat{u}$ (38,1 und vermutlich auch 37,3), Vater von $j\hat{u}k\check{a}l$, der Schreiber knüpfte lieber an die Schreibweise desselben Namens in Jer 36 an, als eine Verwechslung mit $\check{s}\alpha l\alpha mj\bar{a}\ b\alpha n\ \d{h}^an\check{a}nj\bar{a}$ in 37,13 zu riskieren. Auch dieser Name gehört zu denjenigen, die in nachexilischer Zeit weniger gebräuchlich wurden.

$\check{s}^em\check{a}^cjah\hat{u}$ (29,24), falscher Prophet. Kurzform in 29,31f. Der Name kommt in der langen Form in Jer 26,20 und 36,12 vor.

Die Durchsicht des Jeremiabuches hinterlässt bei uns in der Hauptsache den Eindruck, dass die kurzen und langen Formen vermischt vorkommen, oft aber mit Rücksicht darauf ausgewählt sind, wer den fraglichen Namen trägt. Mit wenigen Ausnahmen werden Kurzformen für negativ dargestellte Personen verwendet, während die übrigen lange Formen erhalten.

Wir gelangen dann zu dem abschliessenden Ergebnis, dass das Buch Jeremia seine endgültige Gestalt durch einen nachexilischen Redaktor erhalten hat zu einer Zeit, als die kurzen Namensformen die allgemein üblichen waren. Der Endredaktor hatte jedoch eine Tendenz, die theophoren Namen überall in archaisierender Weise in der langen Form zu schreiben, wo nicht klare Gründe dafür vorlagen, dies nicht zu tun. Das war zum einen der Fall in bezug auf die Rechabiter, die ausserhalb der regulären jüdischen Gesellschaft standen, und zum anderen bei den Angehörigen Baruchs, sowie ferner bei eine Reihe von Personen, bei denen der Redaktor nicht den theophoren Charakter der Namen betonen wollte. Das letztere gilt für die meisten Personen, die Widersacher des Propheten und damit auch von Jhwh selbst waren.

Dass schliesslich unter den fast dreihundert Belegstellen einige Inkonsequenzen gegenüber diesen Hauptprinzipien vorkommen, ist nicht anders zu erwarten. Ebenfalls zu erwarten ist, dass Jer 27,2—29,20 wie auch die redaktionelle Notiz in Jer 49,34 diesem Schema nicht folgen, da wir es hier mit Textabschnitten zu tun haben, die eine selbständige Existenz geführt hatten und erst in das Buch eingefügt wurden, als es im übrigen bereits in seiner Endfassung vorlag.

KAPITEL V

# Das chronistische Geschichtswerk

## a) Einleitung

Die weitaus meisten Personennamen mit dem Suffix -*jh/jhw* finden wir im chronistischen Geschichtswerk. Die Bücher der Chronik enthalten insgesamt etwa 350 Belegstellen für derartige Namen, und Esra-Nehemia etwa 200. Der Umfang des Materials motivierte hier eine etwas andere Methode als die in den Büchern der Könige und dem Buch Jeremia angewandte. Die Arbeit an dem Textmaterial hat uns gelehrt, dass die in BH vorliegenden Lesarten in allem Wesentlichen mit der überwiegenden Zahl aller uns zugänglichen Manuskripte übereinstimmen und nur in vereinzelten Fällen von den ursprünglichen Lesarten abweichen.

Daher haben wir keinen Grund, die Darstellung durch eine vollständige Aufzählung von Varianten-Lesarten für diesen Abschnitt zu belasten. Wir begnügen uns damit zu konstatieren, dass das chronistische Geschichtswerk in einigen zehn von Kennicotts Manuskripten aus der Zeit vor 1200 vertreten ist, und behandeln textkritische Abweichungen nur in dem Umfang, in welchem sie für unsere Schlussfolgerungen Bedeutung haben und in einem hinreichend gewichtigen Quellenmaterial vorliegen.[1]

Im Hinblick auf Esra und Nehemia haben wir bereits oben festgestellt, dass die Namen mit einer einzigen Ausnahme, Esra 10,41 *šœlœmjahû,* die kurze Form aufweisen. Das passt gut zu der Tatsache, dass die Kurzform in nachexilischer Zeit, als diese Bücher enstanden, die im täglichen Gebrauch übliche wurde. Zudem erheben diese Bücher keinen Anspruch darauf, etwas anderes als nachexilische Verhältnisse zu schildern; daher hatte der Autor auch keinen Grund, die Namensformen zu archaisieren.

Eine Ausnahme haben wir wie gesagt in Esra 10,41 vor uns. Das Einfachste wäre, mit Rudolph das auslautende *w* als eine fehlerhafte Anknüpfung der Kopula *w* zu betrachten, die hie und da in dieser Liste vorkommt.[1a] Schauen wir in die

---

[1] Zusammenstellung kollationierter Textstellen im Geniza-Material aus Cambridge. Namen auf -*jh/jhw* mit einer von BH abweichenden Lesart in ().

| | |
|---|---|
| 1.Chr 23,19 | T-S A 17,12.13; 42,57; Or 1080 A 17,1; NS 44,3; NS 48,36. |
| 1.Chr 25,19 | T-S A 17,13; 41,57; Or 1080 A 17,1; Wm Bibl 7,43. |
| 2.Chr 17,7 | T-S NS 16,7. |
| 2.Chr 17,8 | T-S A 17,7 *('dnjh);* NS 16,7; NS 17,15. |
| 2.Chr 23,1 | T-S A 17,7.8; NS 16,7. |
| 2.Chr 26,3 | T-S NS 17,1. |

[1a] Rudolph, HAT 20, S.100.

LXX, finden wir auch sehr richtig ein κα an der entsprechenden Stelle, aber eine nähere Betrachtung des LXX-Textes ergibt, dass die LXX auch viele andere κα aufweist, die kein Gegenstück im masoretischen Text haben. Wir fragen uns auch, warum in einem Buch, das keinen anderen Namen in der langen Form enthält, ein solcher Fehler vorkommen sollte, und wie es zugehen konnte, dass dieser Fehler in fast allen hebräischen Manuskripten wiederkehrt? Eine andere Möglichkeit wäre, dass wir es mit einem sekundär in die Liste eingefügten Namen zu tun hätten. Ein in diese Richtung weisendes Indiz ist, dass der Name in der Peschitta fehlt[2], aber eine über Vermutungen hinausgehende Lösung lässt sich nicht vorlegen.

Den Schwerpunkt dieses Kapitels bilden die Bücher der Chronik. Bei der Durchnahme des Materials stellten wir bereits fest, dass 1.Chr überall Kurzformen den Vorzug gibt ausser in der Königsliste in Kap.3 und in den Listen in Kap.15; 24—27. In 2.Chr haben die langen Formen hingegen ein starkes Übergewicht in den Schilderungen der Zeit vom 9.Jahrhundert an bis zum Exil. Schon diese Übersicht vermittelt im Wesentlichen denselben Eindruck, den das deuteronomistische Geschichtswerk erweckte. Vielleicht brauchten wir hierzu nicht mehr zu sagen.

Gewisse Umstände veranlassten uns jedoch, eine nähere Analyse auch des Materials der Chronikbücher vorzunehmen. Warum werden die Namen des deuteronomistischen Geschichtswerkes zuweilen geändert, wenn der Chronist sie zitiert? Warum verstossen einige Listen gegen das Muster? Warum schreiben die Bücher der Chronik die Namen nicht nach demselben einheitlichen Prinzip wie Esra-Nehemia? Diese Fragen wird die Darstellung unten zu beleuchten versuchen.

Genau wie in dem deuteronomistischen Geschichtswerk und dem Jeremiabuch stehen die Namensfragen auch hier in einer intimen Wechselbeziehung zu Fragen isagogischer Natur. In der Verfasserfrage herrscht jedoch in grossen Zügen Einigkeit zwischen den meisten Forschern. Das chronistische Geschichtswerk dürfte irgendwann im 4.Jahrhundert v.Chr. entstanden sein, vermutlich in dessen erster Hälfte.[3] Sein Redaktor oder Autor hat als Quellen den Pentateuch und das deuteronomistische Geschichtswerk benutzt, aber vielleicht in einer etwas anderen Version als derjenigen, die der masoretische Text vertritt. Wahr-

---

[2] ed.Lee. Das Buch Esra liegt noch nicht in der kritischen Peschittaausgabe vor.

[3] Siehe Eissfeldt, Einleitung..., S.721ff.; Japhet, EJ 5, Sp.533f.; Rudolph, HAT 21, S. x; Williamson, Israel..., S.86. Hingegen rechnet Pfeiffer, IDB 1, S.580, mit einer etwa späteren Datierung wie auch Noth, Überlieferungsgesch. Studien, S. (154) und Welten, Geschichte..., S.200. Myers, 1.Chron, S.lxxxix rechnet mit einer Enstehungszeit um 400 v.Chr. Erheblich früher datierten in jüngster Zeit Freedman (CBQ 23/1961, S.441) und Newsome (JBL 94/1975, S.216.), die mit einer Entstehung um 515 rechnen. Eine so frühe Datierung setzt allerdings voraus, dass sowohl 1.Chr 1—9 wie Esra-Nehemia nicht von Anfang an zum Geschichtswerk gehört haben, aber unter diesen Voraussetzungen dürfte sie nicht undenkbar sein.

scheinlich wurden auch andere Quellen herangezogen. Schliesslich erhielten die Bücher der Chronik wie die übrigen Bibelbücher auch eine Reihe sekundärer Ergänzungen. Den Umfang dieser Ergänzungen werden wir nach der Durchsicht unseres Textmaterials erörtern.

Eine Frage, auf welche die neuere Forschung ein Licht geworfen hat, ist das Verhältnis der Bücher der Chronik zu Esra-Nehemia. Traditionell wurden diese Bücher als eine direkte Fortsetzung der Chronikbücher betrachtet, und zwar vornehmlich wegen der Ähnlichkeit in Theologie und Stil; aber auch die Überschneidung zwischen 2.Chr und Esra 1,1—3a wurde, ebenso wie die grössere in 1.Esdras, als Argument für eine Einheit der Bücher der Chronik und Esra-Nehemia angeführt.[4] Wie vor allem Japhet und Williamson gezeigt haben, dürften diese Argumente jedoch nicht dazu ausreichen, eine einheitliche Verfasserschaft anzunehmen. Ihre Untersuchungen über sowohl rein sprachliche Verhältnisse wie Stil und Ideologie der Bücher zeigen, dass wir es mit verschiedenen Autoren zu tun haben müssen.[5] Wir haben bereits erwähnt, dass die Namensformen in den Chronikbüchern und Esra-Nehemia ein unterschiedliches Aussehen haben.[6] Nach unserer Analyse des Textmaterials werden wir darauf zurückkommen, in welcher Weise dieser Umstand das Verhältnis von 1.—2.Chr zu Esra-Nehemia beleuchtet.

Die folgende Darstellung ist so aufgebaut, dass wir zunächst Zitate aus dem deuteronomistischen Geschichtswerk behandeln — wir bezeichnen sie im weiteren als *das synoptische Material.* Der übrige Text, der aus der eigenen literarischen Produktion des Chronisten besteht sowie aus Material, das anderen Quellen entnommen ist, wird sodann für sich behandelt. Wir nennen es den *Sonderstoff.*

### b) Das synoptische Material

Synoptisches Material, das Namen des Typs -jh/jhw enthält, finden wir in 1.Chr 11; 18; 2.Chr 10—13; 18; 32—36. Wir stellen es hier in Tabellenform vor.[7]

---

[4] Siehe u.a. Bertholet, KHCAT XX, S.vii; Kittel, HkzAT I:6, S.vi; Eissfeldt, Einleitung..., S.735; Noth, Überlieferungsgesch. Studien, S.(110); Pfeiffer, IDB 2, S.219; Rudolph, HAT 21, S.iii; Coggins, 1 and 2 Chronicles, S.3;

[5] Siehe Japhet, EJ 5, Sp. 532 und VT 18/1968, S.330ff. mit ausführlicher Argumentation, die vornehmlich von sprachlichen Kriterien ausgeht. Williamson, Israel..., S.70 erörtert Unterschiede in der Ideologie zwischen Esra-Nehemia und den Chronikbüchern. Unterhiedliche Verfasserschaft behaupten auch Freedman, CBQ 23/1961, S.441; Newsome, JBL 94/1975, S.215ff; Talmon, IDB Suppl., S.318. Eine Zwischenstellung nimmt Willi, Die Chronik..., S.84.181ff, ein; er meint, es handele sich zwar um verschiedene Werke, aber denselben Verfasser. Albright, JBL 40/1921, S.104ff. vertritt die alte Auffassung, Esra habe 1.—2.Chr + das Buch Esra abgefasst und Nehemias Memoiren hinzugefügt.

[6] Auch von Japhet, VT 18/1968, S.339, betont.

[7] Bei Parallelstellen im deuteronomistischen Geschichtswerk bezeichnet L Langform (Form auf -*jhw*) und K Kurzform (Form auf -*jh*). Das Zeichen = bedeutet, dass das chronistische und das deuteronomistische Geschichtswerk identische Namensformen aufweisen.

| | | | | | | |
|---|---|---|---|---|---|---|
| 1.Chr | 11,22 | *bᵉnajā* | | 2.Sam | 23,20 | L Offizier. |
| | 24 | *bᵉnajahû* = | | | 22 | L Offizier. |
| | 31 | *bᵉnajā* | | | 30 | L Ein anderer Offizier. |
| | 39 | *ṣᵉrûjā* = | | | 37 | K Joabs Mutter. |
| | 41 | *'ûrîjā* = | | | 39 | K Offizier. |
| | 18,15 | *ṣᵉrûjā* = | | | 8,16 | K Joabs Mutter. |
| | 17 | *bᵉnajahû* = | | | 18 | L Offizier. |
| 2.Chr | 10,15 | *'ᵃḫîjahû* | | 1.Kön | 12,15 | K Prophet. |
| | 11,2 | *šᵉmă ᶜjahû* | | | 22 | K Prophet. |
| | 12,16 | *'ᵃbîjā* | | | 14,31 | *'ᵃbijam*[8] Rehabeams Sohn. |

LXX: Αβια — links; LXX: Αβιου.[9]

| | | | | | | |
|---|---|---|---|---|---|---|
| | 13,1.22.23 | *'ᵃbîjā* | | | 15,1.7.8 | *'ᵃbîjam*[10] Rehabeams Sohn. LXX:Αβιου |
| | 2 | *mîkajahû* | | | 2 | *mă ᶜᵃkā* Abias Mutter. |

LXX: Μααχα[11] — links; LXX: Μααχα — rechts

| | | | | | | |
|---|---|---|---|---|---|---|
| | 18,7.12.13.23f.27 | *mîkajhû* = | | | 22,8.13.14.24f.28 | L Jimlas Sohn. |
| | 18,8 | *mîkahû*[12] | | | 22,9 | *mîkajhû*, der Vorhergehende. |
| | 14 | *mîkā*[13] | | | 15 | *mîkajhû*, der Vorhergehende. |
| | 10 | *ṣidqîjahû* | | | 11 | K Falscher Prophet. |
| | 23 | *ṣidqîjahû* = | | | 24 | L Falscher Prophet. |
| | 22,1.2 | *'ᵃḫăzjahû* = | | 2.Kön | 8,24.25 | L König von Juda. |
| | 10 | *'ᵃḫăzjahû* = | | | 11,1 | L König von Juda. |
| | 11ᴵ | *'ᵃḫăzjahû* | | | 2 | K König von Juda. |
| | 11ᴵᴵ | *'ᵃḫăzjahû* = | | | 2 | L König von Juda. |
| | 6 | ᶜᵃ*zărjahû*[14] | | | 8,29 | *'ᵃḫăzjahû.* |
| | 2 | ᶜᵃ*tăljahû* = | | | 8,26 | L Regentin. |
| | 10 | ᶜᵃ*tăljahû* | | | 11,1 | K Regentin. |
| | 11 | ᶜᵃ*tăljahû* = | | | 2 | L Regentin. |
| | 12 | ᶜᵃ*tăljā* = | | | 3 | K Regentin. |

[8] MSS Kenn. 1.226 und mehrere spätere MSS lesen *'ᵃbîjā*.

[9] Die Septuagintamanuskripte Nbghnouvz*c₂e₂ lesen Αβια.

[10] MS Kenn. 1 *prima manus* liest *'bjh* in V.1.

[11] Die Septuagintamanuskripte me₂(mg) lesen μιχαια.

[12] MSS Kenn. 1.30.180.188.210.226: -*jhw*. D.h. von älteren MSS stützen lediglich MSS 224 und 225 die Form der BH.

[13] MSS 180.226: -*jh*.

[14] MSS 224.602 + 11 MSS lesen *'ḫzjhw*.

166

23,12.13 $^{ca}t\check{a}ljah\hat{u}$
24,1     $ṣibj\bar{a}$ =

27   $^{\prime a}m\check{a}ṣjah\hat{u}$
25,1   $^{\prime a}m\check{a}ṣjah\hat{u}$ =
17   $^{\prime a}m\check{a}ṣjah\hat{u}$
18.20f.23.25f. $^{\prime a}m\check{a}ṣjah\hat{u}$ =

26,1.4  $^{\prime a}m\check{a}ṣjah\hat{u}$ =

3    $jkjljh^{16}$

$q^e re'$ = $j^e k\mathring{a}lj\bar{a}$
1   $^c uzz\hat{\imath}jah\hat{u}$

3.23 $^c uzz\hat{\imath}jah\hat{u}$

21   $^c uzz\hat{\imath}jah\hat{u}$
22   $^c uzz\hat{\imath}jah\hat{u}$
27,2   $^c uzz\hat{\imath}jah\hat{u}$ =
28,27  $j^e ḥizq\hat{\imath}jah\hat{u}$

29,1   $j^e ḥizq\hat{\imath}jah\hat{u}$
      $^{\prime a}b\hat{\imath}j\bar{a}$

$z^e k\check{a}rjah\hat{u}$

32,9.12.20.24.32f $j^e ḥizq\hat{\imath}jah\hat{u}$

32,15   $ḥizq\hat{\imath}jah\hat{u}$ =
33,3   $j^e ḥizq\hat{\imath}jah\hat{u}$
25    $jo'š\hat{\imath}jah\hat{u}$ =
34,1   $jo'š\hat{\imath}jah\hat{u}$ =
8     $^{\prime a}ṣ\check{a}ljah\hat{u}$ =
9.15.22 $ḥilq\hat{\imath}jah\hat{u}$ =
$15^{II}.18.20$ $ḥilq\hat{\imath}jah\hat{u}$ =
20 $^{ca}śaj\bar{a}$ =

13.14 K Regentin.
12,2  K Joas Mutter, kein theophorer Name.[15]
22 K König von Juda.
14,1  L König von Juda.
8   K König von Juda.
9.11  (2×). 13.17f.L König von Juda
14,21; 15,3 L König von Juda.
15,2  $j^e k\mathring{a}ljah\hat{u}$ König Usias Mutter.

14,21 $^{ca}z\check{a}rj\bar{a}$ König von Juda.
15,1.7 $^{ca}z\check{a}rj\bar{a}$ König von Juda.
5   $h\check{a}mm\oe l\oe k$.
6   $^{ca}z\check{a}rjah\hat{u}$
34 L
16,20 $ḥizq\hat{\imath}jah\hat{u}$ König von Juda.
18,1   $ḥizq\hat{\imath}j\bar{a}$
2 $^{\prime a}b\hat{\imath}$ König Hiskias Mutter.
2 K König Hiskias Grossvater.
18,17.22; 19,15; 20,1.20f. $ḥizq\hat{\imath}jah\hat{u}$.
18,29 L
21,3 $ḥizq\hat{\imath}jah\hat{u}$.
24 L König von Juda.
22,1   L König von Juda.
3   L
4.8.14 L Hoherpriester.
$8^{II}.10.12$ K Hoherpriester.
12 K $^c \oe b\oe d\ h\check{a}mm\oe l\oe k$

---

[15] Siehe S.109.
[16] MSS 1.30.180.224 sowie das Genizamanuskript T-S NS 17,1 (undeutlich) lesen die $q^e re'$-Form. MSS 188.210.225 lesen $jkwljh$. MS 226 u.a.m. lesen die $k^e tib$-Form.

| | |
|---|---|
| 35,19.20[II].26 *jo'šîjahû* = | 23,23.28.29 L König von Juda. |
| 36,1   *jo'šîjahû* = | 30 L |
| 10.11 *ṣidqîjahû* = | 24,17.18 L König von Juda. |

Wir haben es hier mit insgesamt 83 Belegstellen zu tun. An 38 von ihnen behält der Chronist die langen Formen des deuteronomistischen Geschichtswerkes bei und ändert nur 3 lange Formen in kurze. Von den kurzen Formen in Sam-Kön werden dagegen ganze 13 in die entsprechenden langen geändert, während nur sechs unverändert stehen bleiben. An 23 Stellen hat der Chronist andere Änderungen an den Namen vorgenommen.

Die langen Formen behält der Chronist sowohl für Könige, *'aḥăzjahû, 'amăṣjahû, cuzzîjahû, ḥizqîjahû, jo'šîjahû* und *ṣidqîjahû* bei wie für andere Personen, ohne Rücksicht auf eine religiös-moralische Beurteilung. So werden auch die Namen *bcnajahû* (1.Chr 11,24) *mîkajhû, ṣidqîjahû* (falscher Prophet), *catăljahû, 'ašăljahû* und *ḥilqîjahû* beibehalten. Der Name *bcnajahû* wird jedoch an zwei Stellen (1.Chr 11,22.31) in die Kurzform abgeändert.[17] Die dritte Stelle, an welcher der Chronist in eine Kurzform geändert hat, ist 2.Chr 26,3, *jckåljā*. Wir haben es hier mit einem Frauennamen zu tun. Oben führten wir Gründe für die Annahme an, dass es in älterer Zeit keine theophoren Frauennamen mit dem Suffix *-jh/jhw* gegeben habe.[18] Verhält es sich so, dann ist die lange Form im deuteronomistischen Geschichtswerk sekundär dem theophoren Muster angepasst worden.

Dass der Chronist ein Gespür dafür hatte, dass Frauennamen auf *-h* nicht in dieses Muster hineingehören, findet eine weitere Bestätigung: vier von den sechs Stellen, an denen sich Kurzformen erhalten haben, betreffen nämlich Frauennamen. Es handelt sich um folgende: *ṣcrûjā* (2 Stellen), *catăljā* (2.Chr 22,12) und *ṣibjā*. An den beiden restlichen Stellen begegnen wir dem Hethiter *'urîjā*, dessen Name vielleicht auch kein theophorer *-jh*-Name ist, sowie schliesslich *cašajā*. Alle diese Personen mit Ausnahme von *catăljā* sind nur in der kurzen Namensform bekannt.

Welche Namen sind es nun, die der Chronist in die lange Form ändert? In erster Linie handelt es sich um Personen, die an anderen Parallelstellen in der langen Namensform vorkommen. Es sind *ṣidqîjahû* (falscher Prophet), *catăljahû, 'amăṣjahû* und *ḥilqîjahû*. Hinzu kommen dann die beiden Propheten *'aḥîjahû* und *šcmăcjahû* sowie schliesslich König Hiskias Grossvater *zckărjahû*.

Von den 23 Stellen, an denen der Chronist andere Änderungen an Namen vorgenommen hat, fügen sich 16 Stellen direkt in die Reihe der Namen auf *-jahu* ein. Es handelt sich um die neun Stellen, an denen *ḥizqîjāhû* vom Chronisten ein *jc-*

[17] Vgl. S.72f.
[18] Siehe S.108f.

Präfix erhalten hat, wie auch die fünf *ᶜuzzîjahû*-Stellen, an denen der Parallel-text der Königsbücher *ᶜᵃzărjahû* oder überhaupt keinen Namen hat.[19] Hierher verweisen wir auch *mîkajahû băt 'ûrî'el*, einen Namen, den wir in 2.Chr 13,2 anstelle von *măᶜᵃkā băt 'ᵃbîšalôm* (1.Kön 15,2) für König Abias Mutter finden.[20] In 2.Chr 22,6 liest der Chronist *ᶜᵃzărjahû* anstelle von *'ᵃḥăzjahû* (2.Kön 8,29).

An einer Stelle, 2.Chr 18,14 (= 1.Kön 22,15) ändert der Chronist die Form *mî-kajhû* in die stark verkürzte Form *mîkā*, vermutlich um die direkte Anrede hier einem alltäglicheren Sprachgebrauch anzupassen. An den restlichen sechs Stellen stehen Formen auf *-jh*, die aber etwas ganz anderes in den Königsbüchern ersetzen. Das gilt für sämtliche vier Stellen, an denen der Name von König *'ᵃbîjam* in *'ᵃbîjā* geändert ist.[21] Den Namen *'ᵃbîjā* gebraucht der Chronist ausserdem für König Hiskias Mutter, die in 2.Kön *'ᵃbî* genannt wird. Schliesslich ist zu erwähnen, dass *mîkajhû*, der Sohn Jimlas, vom Chronisten an einer Stelle eine abgekürzte Namensform erhält (2. Chr 18,8), doch ist diese Form vermutlich korrupt.[22]

Unsere Durchsicht hat uns gezeigt, dass das synoptische Material in 1.—2.Chr einen gegenüber Sam-Kön stärker durchgearbeiteten Eindruck erweckt mit einem gewissen Übergewicht der langen Formen. Kurzformen kommen mit wenigen Ausnahmen nur für Personen vor, die im Alten Testament lediglich unter der kurzen Namensform bekannt sind.

Wir können also mit zwei denkbaren Möglichkeiten rechnen. Entweder hatte der Chronist selbst eine starke Vorliebe für lange Formen, oder er benutzte als

---

[19] Siehe S.113. zur Relation der Namen *ᶜuzzîjahu* und *ᶜᵃzărjā/hû*.

[20] Während ältere Kommentatoren wie Benzinger, KHCAT 20, S.99 und Kittel, HkzAT 1:6,1, S.129 *măᶜᵃkā* für den richtigen Namen halten, meint Rudolph, HAT 21, S.232, *mîkajahû* müsse ursprünglich sein. Hier knüpft Rudolph an Noth, Überlieferungsgesch. Studien, S. (143) Anm.1, an, der auf den Widerspruch zu 1.Kön 15,10 hinweist, wo *măᶜᵃkā* als Mutter Asas genannt wird. In Könige, BKAT IX/1, S.335f. erklärt Noth jedoch, es sei in 15,2 und 15,10 dieselbe Person gemeint, d.h. die Inhaberin des offiziellen Titels der Königinmutter, den sie bis zu ihrem Tod behielt, obschon sie realiter Asas Grossmutter war.

[21] Albright, Alexander Marx Jubilee Volume, S.81 Anm.72,. verweist auf einen 1000 Jahre älteren Beleg für den Namen 'Abîyami-ᶜammu "The People is Truly my Father" in einem ägyptischen Ächtungstext. Albright meint, der eine der Namen sei ein Thronname, aber dem widerspricht, dass die beiden Namen in zwei verschiedenen Geschichtswerken vorliegen. Ebenfalls wenig wahrscheinlich ist, dass der Name, wie Gordon erklärt (Introduction to Old Testament Times, S.182), vom Namen des Gottes Jam gebildet und vom Chronisten zu *-jah* jahwesiert worden sei. Andere Beispiele zeigen, dass eher die deuteronomistische Geschichtsschreiber von Namensformen mit kanaanäischem Klang Abstand genommen hat. MacLean, IDB 1, S.8 rechnet mit einer Fehlschreibung in 1.Kön, aber die Tatsache, dass MT eine so gut wie einheitliche Tradition für die Form auf *-m* aufweist, stärkt deren Stellung. Diese Form hat auch den Vorzug einer *lectio difficilior.* Es wäre denkbar, dass der dahinter stehende Text die epigraphisch gut belegte Form *'bjw* aufwies, die auch das Αβιου des LXX-Textes zu spiegeln scheint. Das auslautende *-m* könnte dann auf einer Verwechslung von Υ *(w)* und ϒ *(m)* in der althebräischen Schrift beruhen. Eine andere Möglichkeit wäre, dass wir es hier mit einem enklitischen *-m* zu tun hätten, das aus ugaritischen Texten wohlbekannt ist.

[22] Siehe Anm.12.

Quelle eine Version der Königsbücher mit erheblich mehr langen Formen, als unser masoretischer Text sie aufweist. Auf diese Frage werden wir nach unserer Analyse des Sonderstoffes zurückkommen.

## c) Der Sonderstoff

### 1.Chr 1—9. Die einleitenden Listen

In diesen Kapiteln finden wir fast ein Drittel der Namen aus den Büchern der Chronik auf -*jhw/jh*. Die Kapitel bestehen hauptsächlich aus Geschlechtsregistern, die ihren Ausgangspunkt in Kap. 1,1 bei Adam nehmen und die Stammtafeln einiger Fremdvölker folgen lassen, von Kap.2 an jedoch ein genealogisches Bild von Israel als Gesamtheit zeichnen. Der Nachdruck liegt auf den Stämmen Juda und Levi, aber Namen auf -*jh/jhw* kommen auch im Stamm Simeon und in den Josephstämmen vor. In den galiläischen Stämmen, die sehr knapp behandelt werden, finden wir diese Namen dagegen nur bei Isaschar und Asser. Auch bei den Stämmen des Ostjordanlandes, Ruben und Gad, fehlen derartige Namen ganz und gar.

Der überwiegende Teil der Namen in diesen Kapiteln weist die Kurzform auf. Die Ausnahmen beschränken sich auf die Könige des Reiches Juda von *ᵃḥăzjahû* bis *ṣidqîjahû*, die wir in Kap.3,11—15; 4,41 finden, sowie *zᵉkărjahû* (5,7) und *bœrœkjahû* (6,24). Ferner steht in 3,24 eine merkwürdige *qᵉrē*-Form *hôdăwjahû* für die *kᵉtiv*-Form *hdjwhw*.[23]

In 1.Chr 1 begegnen uns zwei Namen auf -*jh*. Es sind *ăjjā* (V.40), der Name eines Abkömmlings von *śeᶜîr*, und *ᶜăljā* (V.51), der eines Edomiters. Diese beiden Namen finden wir auch in der entsprechenden Liste in Gen 36,24.40; das sind im übrigen die einzigen Stellen mit solchen Namen im ganzen Pentateuch. Wir bemerken, dass beide Träger dieser Namen nicht-Israeliten sind. Der erste Name, der Habicht bedeuten kann, ist vermutlich nicht theophor.[24] Auch der zweite, der in Gen 36,40 eine etwas andere Form aufweist, erscheint uns im Hinblick auf seine theophore Bedeutung zweifelhaft.[25]

Nach einer Aufzählung der Söhne Israels in Kap.2,1f. folgt das Geschlechtsregister des Stammes Juda in Kap.2,3—4.23 mit einer ausführlichen Genealogie von Davids Geschlecht in Kap.3. Dieser Stammbaum unterscheidet sich von den übrigen in Kap.1—9 insofern, als er bis weit in die nachexilische Zeit hinein fortgeführt wird. Während die Kapitel 2 und 4 nur 7 Namen auf -*jh* aufweisen, dar-

---

[23] LXX gibt diese Form in verschiedenen Handschriften etwas unterschiedlich wieder, aber immer auf -ια endend. Die Peschitta. ed.Lee, schreibt *hdwj*, aber die hebräischen Manuskripte liefern nur eine Stütze für die *qᵉre*-Form in MSS Kenn 180, 224 und 16 späteren Mss. Es ist wahrscheinlich, dass der Text hier völlig korrupt ist. Für das Letztere spricht auch, dass die Peschitta einen kürzeren Abschluss des Kapitels aufweist.

[24] Noth, Die israelitischen Personennamen..., S.230.

[25] Noth, *ibm*, erwähnt den Namen nicht.

unter zwei Frauennamen, ṣᵉrûjā, die Mutter Joabs (2,16) und 'ᵃbîjā (2,24), finden wir unter den Davidssöhnen 34 Namen auf -jh/jhw. Von diesen werden, wie wir oben erwähnten, die meisten Königsnamen in der langen Form geschrieben, d.h. alle ausser 'ᵃbîjā, ᶜᵃzărjā und jᵉkǎnjā. Die Königsnamen, die hier die lange Form erhalten, werden in 1.—2.Chr überall so geschrieben.

Wenn wir die Liste in 1.Chr 3 mit den übrigen Stellen in 1.—2.Chr vergleichen, an denen die Könige genannt werden, finden wir jedoch, dass die Namensformen nicht ganz die gleichen sind. Die Liste in 1.Chr 3 steht den Formen der Königsbücher näher, stimmt aber mit diesen nicht ganz überein, sondern vertritt anscheinend eine dritte Tradition. Rehabeams Sohn 'ᵃbîjā heisst auch an den übrigen Stellen in Chr so, wird aber, wie oben erwähnt, in Kön 'ᵃbîjam genannt. Die Namen 'ᵃḥăzjahû und 'ᵃmăṣjahû stimmen in beiden Geschichtswerken überein, doch weist 2.Kön 9—15 auch die Kurzform auf. Der nächste König der Liste heisst ᶜᵃzărjā, eine Form, die übrigens nur in 2.Kön 14—15 vorkommt. Bei der Analyse dieses Kapitels fanden wir, dass diese Kurzform vermutlich eine tendenziöse Änderung des authentischen Namens ᶜuzzîjahû darstellte, der auch im übrigen in Chr verwendet wird.[26] Wir konnten dabei ebenfalls konstatieren, dass auch 2.Kön trotz seiner Neigung zu langen Formen für diesen Namen die Kurzform ᶜᵃzărjā vorzieht, Auch in der Liste in 1.Chr 3 unterbricht er mit seiner kurzen Form die Reihe der langen Formen. Hier folgt die Liste also derselben Tradition wie 2.Kön.

Dasselbe gilt für den Namen von König ḥizqîjahû. In der Liste fehlt das präfigierte jᵉ-, das wir an den meisten Stellen in Chr finden, in Kön aber nur in 2.Kön 20,10.

Die Namen jo'šîjahû und ṣidqîjahû werden in der Liste auf dieselbe Weise geschrieben wie auch sonst immer in Kön und Chr, dagegen ist die Kurzform jᵉkǎnjā eine späte Form, die sonst nur aus Jer 27—29 und Est 2,6 bekannt ist. Die Form des Namens in 2.Kön 24—25 und 2.Chr 36 ist jᵉhôjakîn. Jeremia schreibt gern kǎnjahû oder jᵉkǎnjahû.

Unsere Analyse führt zu der Schlussfolgerung, dass diese Liste nicht von derselben Person abgefasst worden sein kann wie 2.Chr. Eher stützt sie sich auf die Königsbücher, obschon der Name 'ᵃbîjam doch in 'abîjā geändert ist. Die Form Αβιου in LXX erweckt in uns den Verdacht, dass die ursprüngliche Form hier das epigraphisch belegte 'bjw ist.

Der letzte Königsname jᵉkǎnjā hat allem Anschein nach die Form, die zur Zeit der Entstehung der Liste die übliche war. Zählt man die nachexilischen Generationen, muss man sie auf das Ende des 4.Jahrhunderts verweisen. Diese Datierung würde recht gut zu Jer 27—29 passen, wo dieselbe Namensform vorkommt.

1.Chr 4,24ff geht sodann zur Genealogie des Stammes Simeon über. In v.35—42 wird eine Anzahl simenonitischer Stammeshäuptlinge der Zeit Hiskias

---

[26] Siehe s.113f.

mit Namen auf *-jh* aufgeführt. Den Namen des Königs *j$^e$ḥizqîjahû* in V.41 haben wir früher erwähnt. Er weist die in Chr üblichste Schreibung auf.

Kap.5 beginnt mit der Genealogie Rubens, die in V.4 abrupt durch einen zuvor nicht erwähnten Joel unterbrochen wird, zu dessen Geschlecht auch *z$^e$kărjahû* (V.7) gerechnet wird; doch ist der Übergang zwischen V.6 und V.7 problematisch.[27] Am Ende desselben Kapitels stossen wir auf *jirm$^e$jā* und *hôdawjā* aus dem Stamm Manasse.

In 1.Chr 5,27—6,38 finden wir die Genealogie des Stammes Levi, die in der Linie Aarons bis zum Exil geführt wird (5,41). Diese Listen enthalten einige zwanzig Namen auf *-jh* sowie eine einzige lange Form *bœrœkjahû* (Kap.6,24); möglicherweise haben wir es hier mit einer Einwirkung seitens der überwiegend Langformen enthaltenden Liste in 1.Chr 15,16ff zu tun, wo uns dieselbe Person in V.17 begegnet.

Kapitel 7 enthält Genealogien der restlichen Stämme. Hier finden wir lediglich sechs Namen auf *-jh*, vier ihrer Träger gehören Isaschar an, einer Ephraim und einer Asser.

In Kapitel 8 wird der Stammbaum Benjamins fortgesetzt, der in 7,6—12 eingeleitet wurde. Hier wird er bis auf König Saul fortgeführt, auf den noch weitere fünfzehn Generationen folgen, womit die Zeit des Exils erreicht sein dürfte. Dieses Geschlechtsregister enthält vierzehn Namen auf *-jh*.

Kapitel 9 schliesslich legt in V.1—34 eine etwas andere Auflage der Liste über Jerusalems erste Einwohner vor, die wir auch in Neh 11 finden. Zuletzt wird die Liste von Sauls Geschlecht in V.35—44 wiederholt. Das Kapitel enthält einige zwanzig Namen auf *-jh*.

Eine umstrittene Frage ist der Zusammenhang zwischen 1.Chr 1—9 und dem Rest der Chronikbücher. Von alters her hat man damit gerechnet, dass diese Listen viele Einschübe enthalten.[28] Welch u.a. haben den Abschnitt als ganz und gar sekundär betrachtet.[29] Dagegen rechnen sowohl Noth wie Rudolph mit einem echten chronistischen Kern in Kap.1—9, den Rudolph als etwas umfangreicher ansieht als Noth, aber diese Auffassung stiess auf starke Kritik bei Williamson, der im Anschluss an M.D.Johnson behauptete, die einleitenden Kapitel bildeten in allem Wesentlichen einen integrierten Teil von 1.Chr.[30]

---

[27] Siehe Rudolph, HAT 21, S.45. V.6—8 enthalten doppelte Angaben über den Vater der Brüder und das Oberhaupt der Sippe.

[28] Siehe beispielsweise Benzinger, KHCAT 20, S.xv.

[29] Welch, Post-Exilic Judaism, S.185f. Auch neuere Forscher wie Freedman, CBQ 23/1961, S.441 und Newsome, JBL 94/1975, S.215, vertreten diese Ansicht. Diese Forscher datieren die Chronikbücher auf den Anfang der persischen Zeit. Diese Datierung ist selbstverständlich unvereinbar mit der Liste der Nachkommen Davids in 1.Chr.3.

[30] Noht, Überlieferungsgesch. Studien, S.(117)—(122). Rudolph, HAT 21, S.93. Williamson Israel..., S.71—82. Johnson, The Purpose..., S.44—55. Während ich geneigt bin, Williamson in seiner Kritik Noths, der sich allzu sehr auf die Relation zwischen 1.Chr 7,12f und Num 26,39ff. stützt, Recht zu geben, finde ich Rudolphs Schlussfolgerungen weit gründlicher unterbaut und wahrscheinlich richtig.

Wir haben bislang zwei Dinge gefunden, die für die weitere Darstellung von Belang sind. Erstens stellten wir überall in diesen Listen eine starke Neigung zu Kurzformen fest, ausser im Hinblick auf die Namen der Könige aus dem Geschlechte Davids. Diese Neigung steht im Gegensatz zu dem synoptischen Material, in dem eine markante Tendenz in Richtung auf lange Formen herrscht. Die Namen in den Listen umspannen den Zeitraum von den ältesten Tagen bis zum Exil, ja, sie reichen in Kap.3 weit in die nachexilische Zeit hinein, aber die Neigung, Kurzfomen zu verwenden, scheint unabhängig von der Vorstellung zu sein, wann die Personen gelebt hätten. Ferner haben wir gefunden, dass die Königsliste in 1.Chr 3 den Büchern der Könige näher steht als denen der Chronik.

## 1.Chr 11—12. David König über Israel

| | |
|---|---|
| ṣᵉrûjā | 11,6 Joabs Mutter, immer Kurzform. |
| ʾᵃḥîjā | 11,36 |
| hămmᵉṣobajā | 11,47 Vermutlich korrupt. |
| jišmăᶜjā | 12,4 |
| jirmᵉjā | 12,5.11 |
| -jahû | 12,14 |
| bᵉᶜăljā, | šᵉmărjahû, šᵉpăṭjahû 12,6 |
| jiššîjahû | 12,7 |
| zᵉbădjā | 12,8 |
| ᶜobădjā | 12,10 |

Zu der Liste der Helden König Davids in 1.Chr 11,10—47 gibt es einen Paralleltext in 2.Sam 23,8—39. Sie ist aber in 1.Chr etwas länger. Über den Ursprung der Ergänzung wissen wir jedoch nichts. Es ist aber klar, dass der letzte Teil der Vorlage des Chronisten sich in schlechtem Zustand befand, was mehrere Fehllesungen zur Folge hatte.[31] So wurde aus dem ʾᵃḥîtopœl hăggilonî (2.Sam 23,34) der Vorlage ein ʾᵃḥîjā hăppᵉlonî (1.Chr 11,36), welch letzteres somit eine korrupte Form sein dürfte. Der Name ʾᵃḥîjā zeigt die im Alten Testament üblichste Schreibweise. Die Liste wird in V.47 durch das ebenfalls korrupte jăᶜăśîʾel hămmᵉṣobajā abgeschlossen.[32]

In 1.Chr 12,3—13 liegt eine Liste über Personen aus den Stämmen Benjamin und Gad vor, die sich in Ziklag David anschlossen. Hier finden wir Namen auf

---

[31] 2.Sam 23,32 *bnj jšn*  1.Chr 11,34 *bnj hšm*
        33 *šmh*       *bn šgh*
        *šrr*       35 *śkr*
        *h'rrj*       *hhrrj*
        34 *'ljplṭ*       *'ljpl*
        *hmᶜktj*       36 *hmkrtj*

[32] Benzinger, KHCAT 20, S.46, "Unmöglich... wir können sie aber nicht verbessern", Kittel, HkzAT I:6,1, S.60: "dunkel und schwerlich richtig überliefert". Rudolph, HAT 21, S.103: "Kreuzung von *miṣṣobā* und *hăṣṣobatî*".

sowohl -*jh* wie -*jhw*. Dem Wechsel zwischen *jirmᵉjā* (V.5.11) und *jirmᵉjahû* (V.14) kann eine beabsichtigte Unterscheidung zugrunde liegen, aber im übrigen ist es schwierig, eine Erklärung für das Nebeneinander von Kurz- und Langformen in dieser Liste zu finden. Rudolph zufolge haben wir es in V.1—23 mit einer Ergänzung zu 1.Chr zu tun, die sich jedoch auf eine gute alte Überlieferung stützt.[33]

### 1.Chr 15—16. Eine Stätte für die Lade Gottes

| | | | |
|---|---|---|---|
| *ᶜᵃśajā* | 15,6.11 | *mᾰᶜᵃśejahû* | 15,18.20 |
| *šᵉmᾰᶜjā* | 15,8.11 | *mᾰttitjā* | 16,5 |
| *bœrœkjā* | 15,23 | -*jahû,* | 15,18.21 |
| -*jahû* | 15,17 | *miqnejahû* | 15,18.21 |
| *qûšajahû* | 15,17 | *ᶜᵃzᾰzjahû* | 15,21 |
| *zᵉkᾰrjā* | 15,20; 16,5 | *kᵉnᾰnjā* | 15,27 |
| -*jahû* | 15,18.24 | -*jahû* | 15,22 |
| *bᵉnajahû* | 15,18.20.24; 16,5.6 | *šᵉbᾰnjahû* | 15,24 |
| | | *jᵉḥîjā* | 15,24 |

1.Chr 15 enthält zwei Levitenlisten. Die erste in V.5—11 ist genealogischer Art und verzeichnet *ra'šê ha'abôt lᾰlᵉwîjim*. Wie Rudolph im Anschluss an Noth betont hat, dürften die Verse 4—10 einen sekundären Kommentar zu V.11 darstellen.[34] Die Namen *ᶜᵃśajā* und *šᵉmᾰᶜjā* finden wir sowohl in V.6 bzw V.8 wie in V.11. Wir bemerken hier auch, dass die Verse 4—10 eine sechsfach verzweigte Levitengenealogie vorlegen, in der Hebron, Usiel und Elizaphan, die alle von Kehath abstammen, zu einer vollen Gleichstellung mit den eigentlichen Söhnen Levi aufgerückt sind.[35]

Die nächste Liste, die wir in 1.Chr 15,16—24 finden, ist eine Dienstliste sekundärer Art.[36] Die Liste unterbricht den Zusammenhang zwischen V.15 und V.25. Sie enthält keine Genealogien und weist fast nur lange Namensformen auf. Drei kurze begegnen immerhin auch: *zᵉkᾰrjā* in V.20, dieselbe Person wie *zᵉkᾰrjahû* in V.18, *bœrœkjā* in V.23 und schliesslich *jᵉḥîjā* in V.24, aber diesen drei kurzen Formen stehen sechzehn lange gegenüber. Was die beiden zuerst genannten Personen betrifft, liegt die Vermutung nahe, die Kurzform sei auf Haplographie zurückzuführen, da die Namen durch die Kopula *w* verbunden sind. Der Name *jᵉḥîjā* ist im Alten Testament einmalig und findet sich auch nicht in unserem epigraphischen Material. Vielleicht müssen wir mit der Peschitta hier '*ᵃḥîjā* le-

---

[33] Rudolph, HAT 21, S.105. Auch Noth, Überlieferungsgesch. Studien, S.(116) bemerkt: Woher das Namen- und Zahlenmaterial zu allen diesen Zusätzen stammt, ist schlechterdings nicht mehr sicher auszumachen". Die Argumentation stützt sich auf den Umstand, dass der Abschnitt den Zusammenhang zwischen 11,47 und 12,24 unterbricht.

[34] Rudolph, HAT 21, S.115. Noth, Überlieferungsgesch. Studien, S.(116). Myers, 1.Chron., S.110.

[35] Siehe Rudolph, HAT 21, S.123 über die Relation zu der Liste in 1.Chr.6.

[36] Rudolph, HAT 21, S.115. Noth, Überlieferungsgesch. Studien, S.(116). Myers, 1.Chron., S.110.

sen, aber die Unzulänglichkeit des Materials mahnt zur Vorsicht bei Vermutungen.

In 1.Chr 15,27, einem Vers in der erzählenden Darstellung des Chronisten, finden wir die Kurzform $k^e n\check{a}nj\bar{a}$ für dieselbe Person, die in V.22 der Liste unter der langen Form auftritt.

Kap.16,5f enthält die Namen $z^e k\check{a}rj\bar{a}$, $m\check{a}ttitj\bar{a}$ und $b^e najah\hat{u}$. Diese Personen kennen wir bereits aus der Liste in Kap.15,16ff, wo ihre Namen aber etwas anders geschrieben werden. Wir haben oben erwähnt, dass $z^e k\check{a}rj\bar{a}$ in Kap.15,18.20 in beiden Formen vorkommt. Hingegen lesen wir $m\check{a}ttitjah\hat{u}$ sowohl in 15,18 wie in 15,21, während $b^e najah\hat{u}$ in 16,5.6 dieselbe Schreibung hat wie in Kap.15,24. Nach Noth ist Kap. 16,5—38 sekundäres Material, aber es fällt schwer, die Argumente für diese Behauptung als tragfähig anzusehen.[37] Eher lässt sich vermuten, dass der Chronist selbst die Liste in 16,5f.38 verfasst hat, aber als Quelle dasselbe Listenmaterial heranzog, das 15,16ff zugrunde liegt. Es ist auch wahrscheinlich, dass der Name $z^e k\check{a}rj\bar{a}$ in 16,5 zu der Kurzform desselben Namens in Kap.15,20 beigetragen hat. Die Langform $b^e najah\hat{u}$ hingegen könnte daher rühren, dass dieser Name an den meisten Stellen so geschrieben wird.

## 1.Chr 23—26. Der Tempeldienst

In diesen Kapiteln hat der Chronist Listen der Leviten zusammengestellt, die nach der Verordnung König Davids an Salomos Tempel Dienst tun sollten. Der Inhalt des Abschnittes lässt sich am leichtesten in Tabellenform überblicken.

Kap.23,1—5 Einleitung

6—24 Levitengenealogie nach den Söhnen Gerson, Kehath und Merari. Die Liste stimmt mit Kap.6 nur bis zu den Enkeln Levis überein. Danach folgen ganz andere Namen.

Kurzformen:    $r^e h\check{a}bj\bar{a}$ V.17

           $^{'a}m\check{a}rj\bar{a}$ V.19.

           $ji\check{s}\check{s}\hat{i}j\bar{a}$ V.20.

Lange Form:   $j^e r\hat{i}jah\hat{u}$ V.19.[38]

Kap.24,1—6 Erzählende Darstellung. Kurzform: $\check{s}^e m\check{a}^c j\bar{a}$ (V.6)

7—19 Verzeichnis der Obersten der 24 aaronitischen Priesterordnungen.

Kurzformen:    $j^e d\check{a}^c j\bar{a}$ V.7.

           $m\check{a}lk\hat{i}j\bar{a}$ V.9.

           $^{'a}b\hat{i}j\bar{a}$ V.10.

           $p^e t\check{a}hj\bar{a}$ V.16.

---

[37] Noht, Überlieferungsgesch. Studien, S.(116); Rudolph, HAT 21, S.125f. Rudolph, der eine umfassendere Argumentation vorlegt, meint jedoch dass V.5a vom Chronisten selbst stamme.

[38] Kennicott bietet nur die Variante jdjhw in MS 235 aus der Mitte des 13.Jahrhunderts. Die alten Übersetzungen zeigen indes, dass der Text hier unsicher ist. LXX[B]: Ιδουδ; LXX[AN] Ιερια; andere Handschriften Ιεδουϑ, Ιεδδι, Ιεδδιδια. Pesch.ed.Lee: jwd'; zufolge BH[3]: jwrh.

Von diesen vier ist *mălkîjā* der einzige Name, der in der langen Form im Alten Testament belegt ist (Jer 38,6).

Lange Formen:  *šᵉkănjahû* V.11.
                 *dᵉlajahû* V.18.
                 *măᶜăzjahû* V.18.

Kap.24,20—31 Levitenliste, welche die Genealogie in Kap.23.6ff um einige Namen erweitert.

Kurzform:  *jiššîjā* V.21.25 = 23,20.
Lange Formen:  *jœḥdᵉjahû* V.20.
                 *rᵉḥăbjahû* V.21 Kurzform in Kap.23,17.
                 *jᵉrîjahû* V.23 = 23,19.
                 *ʾᵃmărjahû* V.23 Kurzform in Kap.23,19.
                 *zᵉkărjahû* V.25.
                 *jᵉᶜăzjahû* V.26.27.

Von diesen sind *jœḥdᵉjahû*, *jiššîjā* und *zᵉkărjahû* anscheinend *ra'šîm* der am Tempel diensttuenden Leviten.

Kap.25,2—4 Dienstliste. Levitische Tempelmusiker nach den Ordnungen Asaph, Heman und Jeduthun. Heman und Asaph kennen wir aus Kap.6,18.24 und Kap.15,17, aber Jeduthun ersetzt hier anscheinend Ethan (Kap.6,29; 15,17).

Kurzformen:  *nᵉtănjā* V.2.
               *ḥᵃnănjā* V.4.
Langformen:  *gᵉdăljahû* V.3.
               *jᵉšăᶜjahû* V.3.
               *ḥᵃšăbjahû* V.3.
               *măttitjahû* V.3.
               *buqqîjahû* V.4.
               *măttănjahû* V.4.

Ebenso wie in der vorhergehenden Liste überwiegen auch hier die langen Formen. Die Kurzform *nᵉtănjā* könnte beeinflusst sein von der in 2.Kön 25 und Jer 40—41 vorherrschenden Schreibung einer wohlbekannten Person desselben Namens, nämlich des Vaters jenes Ismael, der den Statthalter Gedalja tötete. Dasselbe könnte man von der Kurzform *ḥᵃnănjā* sagen, da der Name in dieser Form an mehreren Stellen in Jer 28; 37 vorkommt, doch dürfte hier der entscheidende Faktor sein, dass den neun letzten Namen der Liste ein Psalmenzitat zugrunde liegt.[39]

[39] Siehe Kittel, HkzAT I:6,1, S.94; Rudolph, HAT 21, S.167. Die Namen *ḥᵃnănjā*, *ḥᵃnanî*, *ᵃᶜlî'atā*, *giddăltî*, *wᵉromămtî*, *ᶜœzœr*, *jăšbᵉqašā*, *măllôtî*, *hôtîr*, *măḥᵃzî'ôt* lassen sich durch eine ganz leichte Modifikation zu einem Gebet formen: "Sei mir gnädig Jah, sei mir gnädig! Mein Gott bist du! Ich

Kap.25,9—31 Dienstliste. Dieselben Personen wie in der vorhergehenden Liste, auf 24 Dienstabteilungen aufgeteilt. Hier erscheinen alle Namen in der langen Form ausser *ḥᵃšăbjā* (V.19), bei dem jedoch eine starke textkritische Stütze für die lange Form vorliegt.[40]

Kap.26,1—19 Die Ordnungen der Torhüter.

|             |                                                          |
|-------------|----------------------------------------------------------|
| Kurzform:   | *šᵉmăᶜjā* V.4.6.7.                                        |
| Langformen: | *mᵉšœlœmjahû* V.1.2.9.                                    |
|             | *zᵉkărjahû* V.2.14.                                       |
|             | *zᵉbădjahû* V.2.                                          |
|             | *ḥilqîjahû* V.11.                                         |
|             | *ṭᵉbăljahû* V.11.                                         |
|             | *zᵉkărjahû* V.11. Nicht dieselbe Person wie in V.2.14.   |
|             | *šœlœmjahû* V.14. Vermutlich dieselbe Person wie oben V.1.2. |

Der Abschnitt 4—8 über Obed-Edom, in dem die Kurzform *šᵉmăᶜjā* vorkommt, ist vermutlich sekundär eingefügt.[41].

Kap.26,20—32 Die levitischen Schatzmeister.

|             |                         |
|-------------|-------------------------|
| Kurzformen: | *ʾᵃḥîjā* V.20.           |
|             | *ṣᵉrûjā* V.28.           |
|             | *jᵉrîjā* V.31.           |
| Langformen: | *rᵉḥăbjahû* V.25.        |
|             | *jᵉšăᶜjahû* V.25.        |
|             | *kᵉnănjahû* V.29.        |
|             | *ḥᵃšăbjahû* V.30.        |

Die Kurzformen *ʾᵃḥîjā* und *ṣᵉrûjā* entsprechen unserer Erwartung, da sie bei diesen beiden wohlbekannten Namen ganz und gar vorherrschen. Dagegen ist die Kurzform *jᵉrîjā* erstaunlich, da dieselbe Person an den beiden übrigen Stellen, an denen sie erwähnt wird (23,9; 24,23), die lange Namensform hat. Hier in

pries und erhob (deine) Hilfe; als ich im Unglück sass, sprach ich: 'gib sichtbare Zeichen in Fülle!' ". Wie kann ein Gebet ganz unmotiviert in eine Namenliste eingefügt werden? Warum hat der Redaktor, falls er die Liste ergänzen wollte, nicht normale Namen verwendet? Diese Fragen beantwortet Rudolph durch einen Hinweis auf sumerische Verhältnisse. Dort kam es vor, dass Psalmenzitate als Personennamen gebraucht wurden. Vermutlich waren das Namen, die diese Sänger im Dienst trugen. Die Namen können der Einleitung eines wohlbekannten Psalms entnommen sein.

[40] Langform in MSS 30.180.188.210.224-226.602 sowie in dem Genizamanuskript T-S Or 1080 A 17,1:4 v:o. Kurzform in L + MSS 1. T-S A 17,3; A 41,57; Wm Bibl 7,43:1 v:o.

[41] Siehe Williamson, VT suppl.30, S.253 im Anschluss an Welch, The Work of the Chronicles, S.92 und Rothstein, KAT XVIII, S.469. Diese Verse unterbrechen den Zusammenhang zwischen V.3 und V.9. Zudem fehlt Obed Edom eine genealogische Beziehung zu den Leviten. Nach Rudolph, HAT 21, S.173, sei der ganze Abschnitt, 26, 1—19, einheitlich und nachchronistisch.

Kap.26 haben die Namen im unmittelbaren Kontext lange Formen, während der Kontext in Kap.23 für kurze spricht. Es ist
deutlich, dass die Schreibweise dieses Namens für den das Alte
Testament keine weiteren Belegstellen aufweist, Zweifeln unterworfen war.

Wir konnten feststellen, dass in all diesen Listen eine Vorliebe für die langen Formen herrscht, ausser in der ersten (23,6—24). Diese Levitengenealogie unterscheidet sich von den übrigen Listen insofern, als sie einen reinen Stammbaum
darstellt, ohne direkte Anknüpfung an den Tempeldienst. Die Listen in 1.Chr
23—27 wurden seit langem als ein Einschub betrachtet, der den Zusammenhang
zwischen 23,2 und 28,1 unterbricht. Ältere Kommentatoren rechnen damit, dass
der Chronist selbst den Hauptteil des Materials in diesen Kapiteln eingefügt
hat.[42] Noth, bestritt dagegen den chronistischen Ursprung der Kapitel und betrachtete sie als eine Ergänzung zu dem Buch.[43] Diese Auffassung erhielt eine
weitere Stütze durch die sorgfältige Analyse Rudolphs.[44]

Gegen diese Forscher wandte sich Williamson kürzlich mit der Behauptung,
die Kapitel rührten zumindest teilweise von dem Chronisten selbst her. Williamsons Analyse macht zwar einen guten Eindruck, aber es dürfte schwerfallen, in
der Hauptfrage seine Ansicht derjenigen Rudolphs vorzuziehen.[45] Bei allem
Vorbehalt gegenüber der Unsicherheit, die aller literarkritischen Arbeit anhaf-
tet, bleiben wir also bei der Ansicht, dass in Kap.23,3—Kap.27 kein ursprünglicher Teil von 1.Chr vorliegt.

Wir haben festgestellt, dass die rein genealogische Liste in 1.Chr 23,6ff Kurzformen aufweist, und dass es sich bei den meisten Genealogien in 1.Chr 1—9
ebenso verhält. Hingegen finden wir eine Neigung zu langen Formen in sämtlichen Registern, die eine Art Dienstverzeichnisse darstellen. Es handelt sich dabei
also um die gleiche Tendenz, die wir in der Dienstliste in 1.Chr 15,16—24 beob-
achteten.

## 1.Chr 27. Die weltliche Organisation

Kap.27,2—15    Verzeichnis der zwölf Anführer der Heeresabteilungen in den
                zwölf Monaten des Jahres.
                Kurzformen:    $z^e b \breve{a} dj \bar{a}$ V.7.
                                $b^e naj \bar{a}$ V.14 = 1.Chr 11,31. Langform
                                in 2.Sam 23,30.

---

[42] Siehe Benzinger, KHCAT 20, S.61 sowie Kittel, HkzAT I:6,1, S.84ff.

[43] Noth, Überlieferungsgesch. Studien, S.(114). Ihm schliesst sich Willi, Die Chronik..., S.194, an.
Galling, ATD 12, S.11.70ff. weist die Kapitel der Schicht Chr** zu.

[44] Rudolph, HAT 21, S.152—179.

[45] Williamson, VT Suppl. 30, S.261f. Williamson meint, die Kapitel bestünden aus zwei Schichten.
Dabei weist er die ältere Schicht 23,6b—13a.15—24; 25,1—6; 26,1—3.9—11.19.30—32 dem Chronisten selbst zu.

Langform:     $b^e$*najahû* V.5.6 = 2.Sam 23,20.22;
1.Chr 11,24; 18,17.
Kurzform in 1.Chr 11,22.

Kap.27,16—22    Über die Stämme Israels...
Kurzform:    $h^a$*šăbjā* V.17.
Langformen:   $š^e$*păṭjahû* V.16.
*jišmă$^c$jahû bæn $^c$obădjahû* V.19.
$^{ca}$*zăzjahû* V.20.
$p^e$*dajahû* V.20.
$z^e$*kărjahû* V.21.

Kap.27,23—24    Erzählender Abschnitt.
Kurzform:    $ṣ^e$*rûjā* Joabs Mutter (V.24).

Kap. 27,25—31    Über die Vorräte des Königs...
Langformen:   $^c$*uzzîjahû* V.25.
*jæḥd$^e$jahû* V.30.

Die meisten Forscher sind sich darüber einig, dass dieses Kapitel, welches u.a. Widersprüche zu Kap.11 enthält, nicht von dem Chronisten selbst stammt.[46] Die erste Liste, V.2—15, unterscheidet sich jedoch von den übrigen dadurch, dass sie mit älterem Quellenmaterial in Verbindung stehen dürfte. Die Liste hat einzelne Namen gemeinsam mit 1.Chr 11 und 2.Sam 23, aber die Ähnlichkeit ist zu gering, als dass sich eine direkte Abhängigkeit von diesen Texten nachweisen ließe. Während die beiden Listen über die Zivilverwaltung überall ausser für $h^a$*šăbjā* (27,17) lange Formen aufweisen, beschränkt sich die erste Liste auf die Langform für $b^e$*najahû*, den Sohn Jojadas, der unter dieser Form aus 2.Sam — 1.Kön wohlbekannt ist.

## 2.Chr 9,29—31. Schlussbemerkung über König Salomo

Die Schlussbemerkung über König Salomo hat einen Paralleltext in 1.Kön 11,41—43, aber der Hinweis des Königsbuches auf *sepær dibrê š$^e$lomō* ist in 2.Chr 9 ersetzt durch einige andere Quellenhinweise, u.a. $n^e$*bû'ăt '$^a$hîjā hăššîlônî* (v.29).[47] Dieser Prophet wird auch in 2.Chr 10,15, einer Parallelstelle zu 1.Kön

---

[46] Benzinger, KHCAT 20, S.79. Kittel, HkzAT I:6,1, S.99. Noht, Überlieferungsgesch. Studien, S.(114). Willi, Die Chronik..., S.194. Rudolph, HAT 21, S.179. Welten, Geschichte..., S.93f.

[47] Die Quellenhinweise in den Chronikbüchern sind sehr umstritten. Eine übliche Auffassung, die wir u.a. bei Kittel, HkzAT I:6,1, S.xi; Rudolph, HAT 21, S.xi; Pfeiffer, IDB 1, S.579 und, mit einer gewissen Vorsicht ausgesprochen, bei Japhet, EJ 5, Sp.528, finden ist, dass die verschiedenen erwähnten prophetischen Quellen Teile einer erweiterten Ausgabe der Königsbücher seien. Andererseits meinte Noht, Überlieferungsgeschichtliche Studien, S.(143), die Vorlage des Chronisten seien die Königsbücher in ihrer üblichen Form gewesen und er habe dazu einen inoffiziellen Auszug aus den amtlichen Annalen zu den Themen Wehrbauten und Kriegführung benutzt. Dagegen sieht Willi, Die Chronik..., S.233, in all diesen Quellenhinweisen einen Ausdruck für die traditionsge-

12,15, erwähnt, aber wie wir bemerkt haben, liest der Chronist dort die Langform im Gegensatz zu der Kurzform des Königsbuches. Für diesen Namen begegnet uns die lange Form sonst nur in 1.Kön 14,4ff.18.[48]

Wir erkennen somit einen klaren Unterschied zwischen der synoptischen Stelle 2.Chr 10,15 und der eigenen Schilderung des Chronisten in 2.Chr 9,29. Während in dem synoptischen Stoff die lange Form vorliegt, hält sich in dem Sonderstoff, der ausserhalb der sekundär eingefügten Listen liegt, die Neigung zur Kurzform auch in 2.Chr.

## 2.Chr 11—13. Die Zeit Rehabeams und Abias

| | |
|---|---|
| *š$^e$mărjā* | 11,19. |
| *'$^a$bîjā* | 11,20.22; 13 |
| | Mehrere |
| | Stellen. |
| *-jahû* | 13,20f. |
| *š$^e$mă$^c$jā* | 12,5.7.15. |

Diese Kapitel stellen teilweise einen Paralleltext zu 1.Kön 12, 21—15,8 dar, doch beschränkt sich der Bericht in 1.Kön 12,25—14,20 auf die Handlungen Jerobeams und des Propheten Ahia, während der Chronist in Kap.11,5—12,12; 13,2b—21 das Wirken der Könige von Juda ausführlicher schildert.

Wir haben früher erwähnt, dass in dem synoptischen Material von 2.Chr 11—13 die Namen *š$^e$mă$^c$jā* und *'$^a$bîjam* der Königsbücher als *š$^e$mă$^c$jahû* und *'$^a$bîjā* erscheinen. Der Name des letzteren, eines Sohnes von Rehabeam und Königs von Juda, kommt auch in dem Sonderstoff in 2.Chr 11,20.22 in derselben Form vor. Wir sehen, dass Rehabeams Frau hier *mă$^c$$^a$kā* heisst wie in 1.Kön 15,2, aber im Unterschied zu 2.Chr 13,2. Daher wird der Abschnitt 11,18—23 häufig für nicht-chronistisch gehalten.[49]

Unter Rehabeams Söhnen finden wir ausserdem *š$^e$mărjā* (Kap.11,19). Weiter unten in dem Sonderstoff, Kap.12,5.7.15, kehrt der Name des Propheten *š$^e$mă$^c$jā* aus Kap.11,2 wieder, aber während das synoptische Material die lange Form liest, finden wir hier in dem Sonderstoff wie in 1.Kön die kurze. Wahrscheinlich ist diese authentischer als die lange Form.

Der Sonderstoff, Kap.13,2b—21, schildert einen Krieg zwischen Abia und Jerobeam. Dieser erscheint hier eher als ein zufälliger Empörer denn als König

schichtliche Betrachtungsweise des Chronisten im Hinblick auf die Entstehung der Königsbücher. Nach Willi müssen wir uns all diese Quellen nicht auf den Bücherregalen des Chronisten, sondern auf denen des Deuteronomisten vorstellen.

[48] Siehe S.90.

[49] Siehe Noth, Überlieferungsgesch. Studien S.(143), Anm.1; Rudolph, HAT 21, S.233; MacLean, IDB 1, S.8.

über den Hauptteil von Israel. In diesem Abschnitt lesen wir an den meisten Stellen *'ᵃbîjā*, die übliche Form der Chronikbücher für diesen Namen. In den beiden letzten Versen, V.20—21, stossen wir dagegen auf die sonst unbekannte lange Form *'ᵃbîjahû*.[50] Dies sind die einzigen Stellen, an denen dieser Name im Alten Testament so geschrieben wird. Eine überzeugende Erklärung hierfür zu finden fällt schwer. Benzinger vermutete, dass 13,21 einer alten Überlieferung entstammen könnte.[51] Mit derselben Möglichkeit könnte man auch bei Weltens Beschränkung des eigentlichen chronistischen Kriegsberichtes auf V.3—20 rechnen.[52] Am wahrscheinlichsten dürfte jedoch sein, dass V.20f eine Glosse zum Text darstellen, die dazu dienen soll, das Ansehen König Abias noch zusätzlich zu verstärken. In den synoptischen Versen 22—23 steht dagegen *'ᵃbîjā* wie an den übrigen synoptischen Stellen.

### 2.Chr 15,1. Asarja, Sohn Odeds.

In 2.Chr 15,1 treffen wir den sonst unbekannten Propheten *ᶜazᵃrjahû bœn ᶜoded*. Obschon man hier nur vermuten kann, wollen wir uns der Annahme von Rudolph und Myers anschliessen, dass der Name irgendeiner Quelle entnommen sein muss. Die sodann folgende Rede weist dagegen deutlich den Chronisten selbst als Verfasser aus.[53]

### 2.Chr 17—20. Die Zeit Josaphats.

*ᶜobᵃdjā, zᵉkᵃrjā, mîkajahû* 17,7
*šᵉmᵃᶜjahû, nᵉtᵃnjahû, 'ᵃdonîjahû, ṭôbîjahû, ṭôb 'ᵃdônîjā* 17,8
*zᵉbᵃdjahû* 17,8; 19,11.
*ᶜamᵃsjā* 17,16
*'ᵃmᵃrjahû* 19,11
*zᵉkᵃrjahû, bᵉnajā, mᵃttᵃnjā* 20,14
*'ᵃḥᵃzjā* 20,35
 *-jahû, dodawahû* 20,37

Der Chronist widmet der Zeit Josaphats vier Kapitel. Von diesen haben die Kapitel 18; 20,31—34 einen Paralleltext in 1.Kön 22,1—35. 41—46, während der Rest chronistischer Sonderstoff ist.

In 2.Chr 17,7 begegnen uns drei von König Josaphats *śarîm*, die ausgeschickt wurden, um in den Städten Judas zu lehren. In V.8 werden noch einige weitere Personen erwähnt, Leviten, die gleichzeitig ausgesandt werden. Unter den Na-

---

[50] Vgl. S.27   hinsichtlich einer undeutlichen Belegstelle aus Arad. LXX liest in V.20f. Aβια.
[51] Benzinger, KHCAT 20, S. 100.
[52] Welten Geschichte..., S.116f.
[53] Siehe Myers, 2.Chron, S.88; Rudolph, HAT 21, S.245.

men der letzteren haben fünf die lange Form. *š<sup>e</sup>mă<sup>c</sup>jahû, n<sup>e</sup>tănjahû, z<sup>e</sup>bădjahû,* *'<sup>a</sup>donîjahû,* und *ṭôbîjahû,* worauf die Liste mit der merkwürdigen Kurzform *ṭôb* *'<sup>a</sup>dônîjā* abschliesst, vermutlich einer korrupten Dittographie der beiden unmittelbar vorangehenend Namen.[54] Rudolph zufolge liegt uns in V.8 eine chronistische Zutat vor, welche die Stellung der Leviten in der eigenen Zeit des Chronisten zum Ausdruck bringt. Dagegen dürften die Verse 7 und 9 eine ältere Nachricht spiegeln, vornehmlich aufgrund der Funktion der Laien in V.7.[55] In diesem Fall hätte der Chronist bei der Wiedergabe der älteren Tradition entweder die beiden ersten Namensformen in V.7 in die Kurzform geändert oder sie bereits in dieser Form in seiner Quelle vorgefunden. Der Name *mîkajahû* dürfte eine Umvokalisierung des Namens *mîkajhû* darstellen, in älterer Zeit eine übliche Form dieses Namens.[56] Da wir beim Studium des synoptischen Materials fanden, dass der Chronist ungern die langen Formen seiner Quellen in Kurzformen ändert, können wir mit grosser Wahrscheinlichkeit annehmen, dass die in V.7 vorliegenden Formen bereits in der Vorlage des Chronisten gestanden haben, insofern eine solche existiert hat.

In 2.Chr 17,16 finden wir dann *<sup>ca</sup>măsjā*, einen der Obersten vom Stamme Juda bei König Josaphat. Der Name ist im Alten Testament ein *hapaxlegomenon* und ist sorgfältig von dem Königsnamen *'<sup>a</sup>maṣjā/hû* zu unterscheiden. Wir schliessen uns hier Rudolph an, der damit rechnet, dass uns auch hier eine Nachricht aus einer alten Quelle vorliegt.[57] Gehen wir dann weiter zu 2.Chr 19,11, finden wir die zwei Namen *'<sup>a</sup>mărjahû* und *z<sup>e</sup>bădjahû,* beide in Material von anerkannt chronistischer Art.

In 2.Chr 20,14.35.37 finden wir Namen beider Modelle. Der Name in V.14, *jăḥ<sup>a</sup>zî'el bœn z<sup>e</sup>kărjahû bœn b<sup>e</sup>najā bœn j<sup>e</sup>'î'el bœn măttănjā*, ist vielleicht sekundär bearbeitet.[58] Nach Rudolph gehen die Verse 1—30 auf eine authentische Überlieferung zurück, dafür findet Welten jedoch keinen Anhaltspunkt.[59] Zu

---

[54] Siehe Rudolph, HAT 21, S.250 und Myers, 2.Chron, S.96. Der Name fehlt in der Peschitta (ed.Lee). Andererseits erscheint er im grössten Teil des LXX-Materials anstatt des Namens *ṭôbîjā/hû.* LXX<sup>dpqtyz</sup> lesen τωβιας/ν. LXX<sup>bme</sup>₂ haben beide Namen wie MT. Vermutlich ist die MT-Lesart dadurch entstanden, dass ein ursprüngliches *ṭôbîjā/hû* durch Dittographie in Verbindung mit einer neuen Zeile zu einem *ṭôb '<sup>a</sup>dônîjā* wurde, das hinter der üblichsten LXX-Lesart steht. Sodann könnte die richtige Form erneut als Glosse eingefügt worden sein. Dass der Name *'<sup>a</sup>dônîjā* sekundär ist zeigt sich darin, dass dieser Name an dieser einzigen Stelle im Alten Testament ein *plene* geschriebenes *o* aufweist (*Defektive* in MSS Kenn 1.210 + 22 späteren Handschriften. MS 180: *'dnjhw*). Die kollationierten Geniza-Manuskripte Cambr. T-S A 17,7 und NS 16,7 folgen dem BH-Text mit dem Unterschied, dass A 17,7 auch das erste *'<sup>a</sup>dônîjā* ohne auslautendes -*w* schreibt.

[55] Rudolph, HAT 21, S.251. Myers, 2.Chron, S.99. Dagegen betrachtet Mosis, Untersuchungen..., S.71.177, V.7—9 als rein chronistisch.

[56] Siehe S.68.

[57] Rudolph, HAT 21, S.253. Nicht so nach Noth, Überlieferungsgesch. Studien, S.(141); Welten, Geschichte..., S.85f,; Mosis, Untersuchungen..., S.177.

[58] Siehe Willi, Die Chronik..., S.198.

[59] Rudolph, HAT 21, S.259. Welten, Geschichte..., S.152f.

den letzten Versen des Kapitels liegt teilweise ein Paralleltext am Ende von 1.Kön 22 vor, aber während 1.Kön 22,49f erst das Scheiotern der Schiffe erwähnt und sodann hinzufügt, Josaphat habe nicht mit dem König des Nordreichs zusammenarbeiten wollen, berichtet 2.Chr 20,35, dass eine solche Zusammenarbeit wirklich zustande kam, dass aber nach den Worten des Propheten Elieser die Schiffe gerade deshalb scheiterten. Allem Anschein nach modifiziert 2.Chr 20,35ff die Schilderung des ersten Königsbuches in der Absicht, eine Begründung dafür zu finden, dass das Unternehmen des frommen Josaphat diesmal missglückte. Das Missverständnis, dass der Text den Begriff *tăršîš* als den Bestimmungsort der Schiffe auffasst, spricht für seinen sekundären Charakter[60] ebenso wie das lose Verhältnis, in dem die gesamte Perikope (V.35—37) zu ihrem Kontext steht. Das einleitende *weʾāḥareken* scheint an einen anderen Zusammenhang anzuknüpfen, als V.31—34.

Der Text von 1.Kön 22,50 weist für den Namen des Königs des Nordreichs die lange Form auf. Diese steht auch in der Prophetenverheissung in 2.Chr 20,37, während wir in V.35 die kurze Form vor uns haben. Der Name *dodawahû* (v.37) ist kaum zu durchschauen.[61] Falls die Verse 35—37 einen losen Zusatz zu dem Kapitel bilden, vielleicht einer Vorlage in schlechtem Zustand entstammen, ist es verständlich, dass der Name des Königs von Israel hier in zwei verschiedenen Formen erscheint. Die lange Form kann in der Prophetenverheissung benutzt worden sein, um dieser einen archaischen und echten Anstrich zu verleihen.

## 2.Chron 21—28. Thronstreitigkeiten in Juda

In diesen Kapiteln entnimmt der Chronist den grössten Teil des Materials seiner Vorlage in 2.Kön 8,17—2.Kön 16. Die Abweichungen bestehen teils darin, dass der Chronist die Schilderung der inneren Verhältnisse im Nordreich fortlässt oder starkt verkürzt — er ignoriert soweit möglich die Existenz des Nordreichs als eines selbständigen Staates[62] — und zum anderen darin, dass er die Schilderung durch eigenen Stoff erweitert.

---

[60] Siehe Strömberg Krantz, Des Schiffes..., S.51.
[61] Varianten-Lesarten: *dwdwhw* MSS 1.30.188.210.224—226; *dwdjhw* MS 180 + 3 spätere MSS. *ddwhw* L + 20 spätere MSS. Die Formen *dwdhw, ddjhw, drwhw, dwrjhw* und *dwjdwhw* kommen auch in späten MSS vor. LXX liest ωδεια, aber einige Minuskeln haben δωδια oder andere Lesarten wie σωδια. Die Peschitta (ed.Lee) hat die kurze Form *ddh*. Ich sehe keine hinreichenden Gründen, die für Rudolphs Argumentation sprächen (HAT 21, S.262), dass die Form *dodijahu* hier die ursprüngliche wäre.
[62] Ich schliesse mich hier der Sicht in bezug auf die Auffassung des Chronisten von Israel an, die Williamson in Israel..., S.130f, beschreibt. Ihrzufolge hat der Chronist keine feindliche Einstellung dem Nordreich gegenüber, betrachtet aber dessen Bevölkerung als Menschen, die sich von Jhwh abgewandt haben. Für den Chronisten ist Israel das ganze Reich — die Nord- und die Südstämme — aber die Nordstämme sind vorübergehend abgeirrt. Sie sind jedoch in der Gemeinschaft um Jerusalem willkommen.

Der Sonderstoff in 2.Kön besteht hier hauptsächlich aus den Kapiteln 9—10 über Jehu, dem 2.Chr nur drei Verse (22,7—9) widmet, sowie aus den Abschnitten in 2.Kön 13; 14,23—29; 15,8—31 über die Könige des Nordreichs.

Der wichtigste chronistische Sonderstoff schildert die Brüder König Jorams (21,2—4), Elias Brief an König Joram (21,12—15) und Jorams Niederlage gegen Philister und Araber (21,16—20), den Mord an dem Priester Sacharja (24,15—22), König Amazjas Krieg gegen Edom und seine Götzenverehrung (25,5—16), König Usias Rüstungen und Sünde (26,5—20) sowie schliesslich König Ahas' militärische Niederlage (28,6—19). Ahas' Unterwerfung unter Assur und sein Götzendienst (28,20—25) werden ausführlicher in 2.Kön 16,10—18 geschildert. Ausserdem sind einzelne Verse von Sonderstoff in die synoptischen Abschnitte eingestreut.

Der Sonderstoff enthält folgende Namen mit dem Suffix -*jh/jhw:*

| | |
|---|---|
| 2.Chr 21,2 | $^{ca}$*zărjā*, *z*$^e$*kărjahû*, $^{ca}$*zărjahû*, *š*$^e$*păṭjahû*. Söhne Josaphats. |
| 12 | *'elîjahû hănnabî*: Die üblichste Schreibung in 1.—2.Kön. |
| 22,7—9 | *'*$^a$*ḥăzjahû*. König von Juda. 5 Belegstellen. Lange Form auch im synoptischen Material. Hingegen weist 2.Kön 9 einige Kurzformen auf.[63] |
| 23,1 | $^{ca}$*zărjahû*,$^I$ [64] $^{ca}$*zărjahû*,$^{II}$ *mă*$^{ca}$*śejahû bæn* $^{ca}$*dajahû*. Hauptleute zur Zeit Athaljas. |
| 24,7 | $^{ca}$*tăljahû*. Regentin. In 2.Kön liegen vier Kurzformen und drei Langformen vor. Von diesen gibt 2.Chr alle bis auf eine als Langformen wieder. Der Sonderstoff folgt also der Haupttendenz des synoptischen Materials und verwendet lange Formen. |
| 24,20 | *z*$^e$*kărjā*.[65] Sohn des Priesters Jojada. |
| 25,5—15.27. | *'*$^a$*măṣjahû*. König von Juda. Hier 8 Belegstellen. Das gesamte synoptische Material des Chronisten verwendet die lange Form. Dagegen enthält 2.Kön auch die kurze Form sowohl in synoptischem Material (12,22; 14,8) wie in Sonderstoff (13,12; 15,1). |
| 26,5 | *z*$^e$*kărjahû*. Usias Lehrer. |
| 26,8—19 | $^c$*uzzîjahû*. König von Juda. 7 Belegstellen. Lange Form wie im synoptischen Material. |

---

[63] Siehe S.103.

[64] Kurzform: MSS Kenn. 210.224. Langform: MSS Kenn, 1.30.180.188. 225. 226. + 39 MSS sowie Cambr. T-S A 17,7; 17,8; NS 16,7.

[65] LXX$^A$ und LXX$^B$ lesen hier beide Αζαριαν. LXX$^{bfjmc}$$_2$ $^e$$_2$: Ζαχαριαν.

| | |
|---|---|
| 26,11 | *mă$^{ca}$śejahû. šôṭer.* |
| | *ḥ$^a$nănjahû.* Oberster. |
| 26,17.20 | *$^{ca}$zărjahû.* Hoherpriester. |
| 26,22 | *j$^e$šă$^c$jahû.* Der Schriftprophet, wird immer in der langen Form geschrieben. |
| 28,6 | *r$^e$măljahû.* König im Nordreich, wird immer in der langen Form geschrieben. |
| 28,7 | *mă$^{ca}$śejahû.* Königssohn. |
| 28,12 | *$^{ca}$zărjahû, bœrœkjahû, j$^e$ḥizqîjahû.* Sippenhäupter der Kinder Ephraim. |

Diese Kapitel schildern die Zeit von der Mitte des 9. bis zur zweiten Hälfte des 8.Jahrhunderts. Ganz besonders fällt hier die Vorherrschaft der langen Formen ins Auge. So führt das Verzeichnis oben nur zwei Kurzformen auf. Auch wenn wir von *'elîjahû, j$^e$šă$^c$jahû* und den fünf Regenten — alles aus anderen Texten wohlbekannte Personen — absehen, bleiben noch fünfzehn Langformen. Das Material in dem Sonderstoff dürfte von der eigenen Hand des Chronisten herrühren; es lassen sich nämlich kaum entscheidende Gründe dafür finden, dass wir es hier mit nachchronistischen Ergänzungen zu tun haben sollten. Dagegen hat Rudolph Gründe dafür angeführt, dass viel von dem Sonderstoff sich auf vorchronistische Quellen stützt, es dürfte aber sehr schwer fallen, hier eine sichere Grenze zwischen Fiktion und Geschichte zu ziehen.

Dass 2.Chr 21,2—4 mit der Liste von Josaphats Söhnen auf eine authentische Quelle zurückgehen sollte, wurde zwar von Rudolph behauptet, von Welten jedoch geleugnet.[66] Eine Entscheidung für die eine oder die andere Ansicht dürfte an reine Vermutung grenzen. Zu Rudolphs Gunsten dürfte sich anführen lassen, dass der Chronist, falls er diese Namen frei erfunden hätte, wohl kaum zwei einander so ähnliche wie *$^{ca}$zărjā* und *$^{ca}$zărjahû* gewählt haben dürfte.[67]

Rudolph zufolge hätte der Chronist auch für 21,22ff und 22,7—9 ein separates Quellenmaterial benutzt.[68] Die erstere Perikope verwendet in V.17 die Form *j$^e$hô'aḥaz* anstatt *'$^a$ḥăzjā/hû.* Die Darstellung von Ahasja und Jehu in 22,7—9 deutet einen teilweise anderen Ereignisablauf an als 2.Kön 9,27; 10,12f ihn beschreiben. Da die unterschiedliche Zeitfolge zwischen dem Tod Ahasjas und der der Prinzen sich schwerlich aus der Theologie des Chronisten herleiten lässt, ist hier die einfachste Erklärung, dass eine andere Quelle als 2.Kön herangezogen wurde.

Zu der Perikope von der Inthronisation des Joas (23,1—15) bietet zwar 2.Kön

---

[66] Rudolph, HAT 21, S.265. Welten, Geschichte..., S.194.

[67] Diese beiden Namen sind in LXX$^{Bc}_2$ ausgelassen, stehen aber beide in den meisten LXX-Manuskripten. Wir haben daher keine hinreichenden Gründe dafür, zu der zunächst am einfachsten erscheinenden Lösung zu greifen, nämlich den einen Namen als Dittographie zu betrachten.

[68] Rudolph, HAT 21, S.267.269.

11,4—16 einen Paralleltext, aber die Namenliste in V.1b findet sich nur in 2.Chr. Das Einfachste ist, diese Liste als einen Ausdruck für die Vorliebe des Chronisten für Namen zu betrachten. Irgendeine besondere Quelle für die Liste anzunehmen, liegt kein triftiger Grund vor.

Ein chronistischer Einschub in einer synoptischen Perikope ist auch 2.Chr 24,7 mit dem Namen $^c{}^a t\breve{a}lj\hat{a}h\hat{u}$. Wie schon erwähnt hält sich die Schreibung an die des synoptischen Materials.

Der dann folgende Bericht vom Mord an dem Propheten $z^e k\breve{a}rj\bar{a}$ erfüllt die Funktion zu erklären, warum auch König Joas ein schlechtes Ende nahm, obschon er doch in Jhwh's Augen wohlgetan und den Tempel nach seinem Verfall in der Zeit Ataljas restauriert hatte. Die Erzählung bildet somit einen integrierten Teil der Darstellung des Chronisten. Über ihren Ursprung wissen wir nichts.

2.Kön 14,1—22 über die Zeit von König Amazja hat eine chronistische Parallele in 2.Chr 25,1—4.11*.17—28; 26,1.2. In diesem ganzen synoptischen Abschnitt verwendet der Chronist die Form $^,{}^a m\breve{a}sjah\hat{u}$ ohne Rücksicht darauf, welche Form in 2.Kön steht. Es ist daher natürlich, dass dieselbe Namensform auch in 2.Chr 25,27 benutzt wird, wo der Chronist einen kurzen Zusatz anfügt.

Dieselbe Namensform erscheint auch an den sieben Belegstellen in dem chronistischen Einschub 25,5—16, der den Streit mit den Edomitern (2.Kön 14,17) schildert und abschliessend von Amazja und seinem Götzendienst berichtet. Dadurch motiviert der Chronist, dass auch Amazja ein schlimmes Ende fand. Der letzte Teil des Einschubs ist somit zweifellos ein rein chronistisches Produkt, während wir dagegen sehr wohl annehmen können, dass der Kriegsbericht als solcher teilweise auf ein historisch zuverlässiges Quellenmaterial zurückgeht.[69] Der Chronist schreibt den Königsnamen hier auf dieselbe Weise wie an den synoptischen Stellen.

Der Sonderstoff über König Usia in 2.Chr 26,5—20 erinnert stark an Kap.25,5—16. Auf eine Schilderung der militärischen Rüstungen des Königs folgt ein Abschnitt der zeigt, dass auch dieser König gegen Jhwh sündigte. Diese Sünde wurde zur Ursache für seine Krankheit. Die meisten Kommentatoren rechnen damit, dass sich auch dieser Sonderstoff auf historisch zuverlässiges Material stützt, auch wenn er in seinem Kontext von dem Chronisten eingefärbt wurde.[70] In diesem Abschnitt stossen wir vor allem auf den König selbst (7×) in

---

[69] Rudolph, HAT 21, S.281. Myers, 2.Chron, S.144.

[70] Benzinger, KHCAT 20,S.117f rechnet damit, dass eine historische Quelle zu V.6—15 existiert habe, dass sich V.16ff. aber auf eine Legende stützen. Kittel, HkzAT I:6,1, S.154f nimmt ebenfalls eine geschichtliche Grundlage für V.6—15 an und meint, V.16ff deuteten darauf hin, dass Ussia mit den Priesterschaft in Konflikt gelegen habe. Auch Rudolph, HAT 1:21, S.284ff und Myers, 2.Chron, S.251f., rechnen mit einer Vorlage für diesen Sonderstoff. Nach Welten, Geschichte..., S.60.90.162, begegnet uns in V.6—8.10 ein Stück alte Überlieferung, während er in V.9.11—15 den eigenen Bericht des Chronisten sieht. Weltens vornehmlich auf sprachlichen Kriterien basierende Argumentation sagt uns jedoch nicht sehr viel über etwaige dahinterstehende Traditionen.

derselben langen Namensform wie im synoptischen Material. Dazu kommen vier Personen, die nur hier erwähnt werden. Es sind der Prophet $z^e k \check{a} r j a h \hat{u}$ (V.5), die Amtleute $m \check{a}^{ca} \check{s} e j a h \hat{u}$ und $\d{h}^a n \check{a} n j a h \hat{u}$ (V.11) sowie der Priester $^{ca} z \check{a} r j a h \hat{u}$ (V.17.20). Falls, wie die meisten Kommentatoren meinen, der Sonderstoff auf eine historische Quelle irgendwelcher Art zurückgeht, ist anzunehmen, dass die Namen ihr entnommen sind.

Ein besonderes Interesse zieht der Name $^{ca} z \check{a} r j a h \hat{u}$ auf sich, der hier von einem Priester getragen wird, in den Königsbüchern jedoch der eigene Name des Königs ist. Wir können es hier mit einer Vermischung der Namen des Königs und des Priesters zu tun haben, oder noch eher mit einem bewussten Eliminieren des Priesters, indem der König seinen Namen übernommen hat. Dadurch distanziert sich der Deuteronomist von der beim Chronisten bewahrten priesterlich orientierten Auffassung, dass der Konflikt mit der Geistlichkeit den Aussatz des Königs verursacht habe.

Auf die Stelle 2.Chr 27, deren Sonderstoff, die Verse 4—6.8, keine Namen auf -jh/jhw aufweist, folgt Kap.28, das teilweise 2.Kön 16 entspricht, ausserdem aber viel Sonderstoff enthält. Der uns interessierende Abschnitt ist der Sonderstoff in V.6—15, der Judas Niederlage in dem Syro-Ephraimitischen Krieg schildert. Wir stossen hier auf fünf Namen, die ebenso wie die Namen in Kap.26 alle die lange Form haben. Die Historizität des Abschnittes wurde schon früh in Frage gestellt, aber dessen ungeachtet könnte der Chronist ein älteres Quellenmaterial benutzt haben.[71]

In 2.Chr 21—28 haben alle Namen in dem Sonderstoff lange Formen ausser $^{ca} z \check{a} r j \bar{a}$ und $z^e k \check{a} r j \bar{a}$.[72] Die langen Formen erscheinen hier unabhängig davon, ob die Namen aus anderen Texten bekannt waren oder gänzlich unbekannt und unabhängig davon, ob dem Chronisten schriftliche Quellen vorgelegen haben oder nicht.

Bei der Durchsicht des synoptischen Materials fanden wir in diesen acht Kapiteln 29 lange Formen, aber nur drei kurze, $^{ca} t \check{a} l j \bar{a}$ (22,12), $\d{s} i b j \bar{a}$ (24,1) und $j^e k \mathring{a} l j \bar{a}$ (26,3), sämtlich Frauennamen.

---

[71] Benzinger, KHCAT 20, S.119f, betrachtete V.5—16 als einen Midrasch über den Syro-Ephraimitischen Krieg. Auch Kittel, HkzAT I:6,1, S.157 weist auf das Unhistorische der Erzählung hin. Ein wichtiges Argument in der Quellenfrage ist jedoch die positive Sicht des Nordreichs, die hier zum Ausdruck kommt. Sie lässt sowohl Myers, 2.Chron, S.162, wie Rudolph, HAT 21, S.289, annehmen, dass dem Chronisten ein Quellenmaterial vorgelegen habe. Andererseits verwies Williamson, Israel..., S.115 auf die Korrelation zwischen Kap.28,6 und Kap.13,11. Zufolge 2.Chr 13,11 hatten die Nordstämme sich von Jhwh abgewandt, aber jetzt (28,6) befindet sich Juda in derselben Situation. Williamsons Argumentation bricht teilweise dem wichtigsten Argument für eine Annahme einer Quelle hinter Kap.28,5—16 die Spitze ab. Rudolph wiederum verweist auf die Worte $ha'^a n a \check{s} \hat{i} m$ $^{}a \check{s} \ae r \ niqq^e b \hat{u} \ b^e \check{s} e m \hat{o} t$ in V.15. Diese Männer, die im Kontext nicht genannt werden, müssen allem Anschein nach in der Vorlage des Chronisten vorgekommen sein.

[72] Vgl. Anm.65.

## 2.Chr 29—32. Die Zeit König Hiskias:

Des Chronisten Schilderung der Zeit König Hiskias unterscheidet sich markant von der entsprechenden Beschreibung in 2.Kön 18—20. Die Belagerung Jerusalems, die das Hauptthema der letzteren bildet, wird in 2.Chr 32 nur kurz zusammengefasst, während die Kapitel 29—31 der kultischen Reformarbeit König Hiskias gewidmet sind. Infolge dessen beschränkt sich das synoptische Material in 2.Chr 29—32 auf den einleitenden Vers 29,1 sowie die knappe Hälfte von Kap.32.

Der am häufigsten vorkommende Name ist der des Königs. So finden wir in dem Sonderstoff *hizqîjahû* in Kap.29, 18.27; 30,24 und *jᵉhizqîjahû* an den übrigen 27 Stellen.[73]

Ferner enthält der Sonderstoff folgende Namen auf *-jh/jhw:*

2.Chr 29,12—13    *ᶜazărjahû* (zwei verschiedene Personen), *zᵉkărjahû, măttănjahû.* Levitenliste.

     29,14    *šᵉmăᶜjā* Levit.

     31,10.13    *ᶜazărjahû* Hoherpriester.

     31,12.13    *kanănjahû*[74] Levit.

     31,13    *ᶜazăzjahû, jismăkjahû, bᵉnajahû* Aufseher.

     31,15    *šᵉmăᶜjahû, ᵃmărjahû, šᵉkănjahû.*

     32,20.32    *jᵉšăᶜjahû* Der Schriftprophet, immer so geschrieben.

In diesem Abschnitt kommen, mit einer Ausnahme, nur lange Formen vor. Wie erwähnt erscheint der Name des Königs hier in zwei verschiedenen Formen. Die *j*-präfigierte Form, die uns oben in 1.Chr 4,41 und 2.Chr 28,27 begegnete, herrscht vor, aber die ursprünglichere Variante ohne dieses Präfix setzt sich an drei Stellen im Sonderstoff durch wie auch in dem synoptischen Vers 32,15 (=2.Kön 18,29). Der Abschnitt macht im übrigen einen einheitlichen Eindruck. Wir haben keinen Anlass, hier nach unterschiedlichen schriftlichen Quellen zu suchen. Die wechselnden Formen für den Namen des Königs dürften auf Bedenken des Schreibers zurückgehen.

## 2.Chr 34—36. Von Josia bis Cyrus

Während 2.Chr 34 und 36,1—11 im Wesentlichen mit 2.Kön 22 bzw 24,1—20 übereinstimmen, weicht das dazwischenliegende Kapitel insofern stark von 2.Kön ab, als der Chronist in 2.Chr 35 das Interesse auf Josias Passaopfer konzentriert, wonach das Kapitel mit der Schilderung vom Tod des Königs abschliesst. Das Ende des Werkes, Kap.36,12—23, besteht, wie auch einige Verse in Kap.34, ebenfalls aus Sonderstoff.

---

[73] 2.Chr 29,20.30f(2×).36; 30,1.18.20.22; 31,2.8f(2×).11.13.20; 32,2.8.11.16f(2×).22f(2×).25ff(4×). 30(2×).

[74] *kᵉtîb: kwnnjhw*

In dem Abschnitt kommt der König *jo'šîjahû* an 16 Stellen, davon 11 im Sonderstoff, vor.[75]

Die übrigen Namen auf *-jh/jhw* im Sonderstoff sind:

| | |
|---|---|
| 2.Chr 34,8 | *mă$^{ca}$śejahû.* Offizier. |
| 12 | *$^c$obădjahû* und *z$^e$kărjā.* Aufseher, Leviten. |
| 14 | *hilqîjahû.* Priester, im synoptischen Material an sechs Stellen genannt. |
| 35,8 | *hilqîjā,*[76] *z$^e$kărjahû.* Vorsteher im Hause Gottes. |
| 9 | *kanănjahû,*[77] *š$^e$mă$^c$jahû, h$^a$šăbjahû.* Leviten. |
| 35,25; 36, 12.21.22 | *jirm$^e$jahû.* Der Schriftprophet. Immer so geschrieben ausser in Jer 27—29,1; Dan 9,2; Esra 1,1. Die letztere Stelle ist ein Paralleltext zu 2.Chr 36,22. |

Die starke Tendenz, lange Formen zu verwenden, die uns von Kap.21 an begegnete, finden wir auch in den drei letzten Kapiteln. Wir bemerken zwei Kurzformen, *z$^e$kărjā* (34,12) und *hilqîjā* (35,8), von denen die letztere aus textkritischen Gründen in die lange Form zu ändern sein dürfte.[78] Der Name *z$^e$kărjā* hat in den Quellen keine Stütze für eine solche Änderung, aber auch hier können wir es mit einer Haplographie aufgrund des folgenden *w* zu tun haben. Andernfalls dürfte dieser Name hier ein Zeichen dafür sein, dass auch der ursprüngliche Schreiber dann und wann etwas inkonsequent handeln konnte.

### d) Zusammenfassung

#### I:1—9, Sonderstoff

Genealogische Listen, welche die gesamte Geschichte Israels umfassen. Kurzformen überall ausser für die Könige von Juda von *'$^a$hăzjahû* bis *sidqîjahû.* Zudem finden wir die beiden langen Formen *z$^e$kărjahû* und *bœrœkjahû.*

#### I:11, Sonderstoff und synoptisches Material

Die Namen in Kap.11 haben alle Kurzformen ausser *b$^e$najahû* in V.24 (= 2.Sam 23,22). Die meisten Namen hier sind in irgendeiner Weise speziell. Joabs Mutter *ş$^e$rûjā* wird immer in der kurzen Form geschrieben und dasselbe gilt für *'ûrîjā,* den Hethiter. Der Name *'$^a$hîjā* begegnet beinahe immer in der Kurzform. Das merkwürdige Wort *hămm$^e$şobajā* schliesslich können wir schwerlich zu den Namen zählen.

---

[75] 2.Chr 34,33; 35,1.7.16.18.20$^1$.22—24.25(2×).

[76] Vermutlich ist hier der Hohepriester gemeint. Vgl. denselben Titel in 2.Chr 31,13, wo ihn Hiskias Hoherpriester Asarja trägt.

[77] Siehe Anm.74.

[78] *hilqîjahû* in MSS Kenn. 30.188.210 + 14 späteren MSS. Möglicherweise entstand die Kurzform durch Haplographie aufgrund der folgenden Kopula *w.*

## I:12, Sonderstoff.

Die Liste von Personen, die sich David anschlossen, zeigt Namen beider Modelle, ohne dass sich ein klarer Grund dafür aufspüren liess.

## I:15—16, Sonderstoff.

Kurzformen in dem Geschlechtsregister in Kap.15,4—10 wie auch V.11. Vorwiegend lange Formen in der sekundären Dienstliste, Kap.15, 16—24, aber auch die Kurzformen $z^e k \breve{a} r j \bar{a}$, $b \alpha r \alpha k j \bar{a}$ und $j^e h \hat{\imath} j \bar{a}$. Die Peschitta liest die übliche Kurzform $'^a h \hat{\imath} j \bar{a}$ anstatt $j^e h \hat{\imath} j \bar{a}$. In der erzählenden Darstellung finden wir die Kurzform $k^e n \breve{a} n j \bar{a}$. In Kap.16 kehren die Namen $z^e k \breve{a} r j \bar{a}$, $m \breve{a} t t i t j \bar{a}$ und $b^e n a j a h \hat{u}$ von der Liste in Kap.15,16ff wieder. Der zweite von diesen Namen stimmt somit nicht mit der Form in Kap.15 überein.

## I:18, Synoptisch

$s^e r \hat{u} j \bar{a}$ und $b^e n a j a h \hat{u}$ wie in 2.Sam 8.

## I:23—26, Sonderstoff

In der erzählenden Darstellung stossen wir auf $\breve{s}^e m \breve{a} 'j \bar{a}$ in Kap. 24,6. Ferner finden wir die folgenden Listen:

| | |
|---|---|
| 23,6—24, | Levitengenealogie. Kurzformen ausser bei dem letzten Namen, $j^e r \hat{\imath} j a h \hat{u}$, aber hier ist der Text unsicher. |
| 24,7—19, | Die Obersten der Priesterordnungen. Kurze Formen hauptsächlich bei Namen, die niemals anders geschrieben werden. Im übrigen lange Formen. |
| 24,20—31 | Verteilung der Leviten nach den Hauptfamilien. Teilweise dieselben Namen wie in 23,6—24, aber lange Formen für alle ausser $ji \breve{s} \breve{s} \hat{\imath} j \bar{a}$. |
| 25,2—4 | Dienstliste der Tempelmusiker. Lange Formen ausser für $n^e t \breve{a} n j \bar{a}$ und $h^a n \breve{a} n j \bar{a}$, zwei aus dem Jeremiabuch wohlbekannte Kurzform-Namen. |
| 25,9—31 | Dienstliste. Dieselben Personen wie in der vorhergehenden Liste. Lange Formen. |
| 26,1—19 | Die Abteilungen der Türhüter. Lange Formen ausser bei dem Namen $\breve{s}^e m \breve{a}^c j \bar{a}$ in einem sekundären Abschnitt. |
| 26,20—32 | Aufseher. Lange Formen ausser bei $'^a h \hat{\imath} j \bar{a}$ und $s^e r \hat{u} j \bar{a}$, zwei typischen Kurzform-Namen. Ausserdem erscheint $j^e r \hat{\imath} j \bar{a}$ in der kurzen Form. |

Kurzformen kommen also in der erzählenden Darstellung ebenso vor wie in dem Geschlechtsregister 23,6—24. In der Liste 24,7—19 finden wir beide Namenstypen, aber in den übrigen Listen überwiegend die langen Formen. Sie enthalten nur sieben Kurzformen, von denen sich die meisten dadurch erklären lassen, dass

190

die betreffenden Namen häufig in allen Zusammenhängen in der kurzen Form geschrieben werden. Wir neigen dazu, mit Noth und Rudolph die Listen in Kap.23—26 als sekundär in 1.Chr eingefügt zu betrachten. Eine wichtige Beobachtung ist, dass die reine Genealogie in Kap.23,6—24 Kurzformen aufweist ebenso wie die Geschlechtsregister in Kap.1—9 und Kap.15,5—11, während die Dienstlisten sowohl in Kap.15,16—24 wie Kap.25—26 lange Formen vorziehen. In Kap.24,20—31 finden wir lange Formen, obgleich diese Liste an ein Geschlechtsregister erinnert, aber hier dürfte es sich eher um eine Aufteilung von Leviten auf verschiedene Hauptfamilien handeln.

### I:27, Sonderstoff

In der erzählenden Darstellung begegnen wir ṣᵉrûjā, wie auch sonst immer in der kurzen Form. Die drei Dienstlisten verwenden dagegen überwiegend lange Formen. Hier finden wir lediglich die drei kurzen Formen zᵉbădjā, bᵉnajā und ḥᵃšăbjā. Die beiden ersteren Namen kommen in der ersten der Listen vor, die nur drei Namen enthält, von denen der dritte bᵉnajahû ist. Auch diese Listen dürften Ergänzungen zu den Chronikbüchern darstellen.

### II:9—10, Sonderstoff und synoptisches Material

Der Prophet 'ᵃhîjā aus Silo steht in V.9,29 des Sonderstoffs in der kurzen Form, während der synoptische V.10,15 die lange Form liest, obschon der Paralleltext 1.Kön 12,15 die vermutlich authentische Kurzform aufweist.

### II:11—13, Sonderstoff und synoptisches Material

Auch hier erscheint die Kurzform šᵉmăᶜjā (1.Kön 12,22) des Paralleltextes in dem synoptischen Material (2.Chr 11,2) in šᵉmăᶜjahû geändert, während dieselbe Person an drei Stellen im Sonderstoff in der Kurzform geschrieben wird. Im Sonderstoff finden wir auch den Namen šᵉmărjā in dem sekundären Abschnitt Kap.11,18—23, während Rehabeams Sohn, der in 1.Kön 'ᵃbîjam heisst, sowohl im Sonderstoff wie im synoptischen Material 'ᵃbîjā genannt wird. Der Sonderstoff enthält jedoch auch die Form 'ᵃbîjahû (Kap.13,20f.), vermutlich in einer Glosse im Text. In Kap.13,2 hat seine Mutter măᶜᵃkā (1.Kön 15,2) den Namen mîkajahû erhalten.

### II:15,1, Sonderstoff

ᶜᵃzărjahû bæn ᶜoded. Der Name entstammt vermutlich irgendeiner Quelle.

### II:17, Sonderstoff

Kap.17,7 mit den Namen ᶜobădjā, zᵉkărjā und mîkaj(a)hû geht wahrscheinlich auf eine ältere Quelle zurück. Die Leviten in V.8 sind sicher ein chronistischer Zusatz zu V.7. In einem Verzeichnis über Josaphats Oberste am Ende von Kap.17 treffen wir ᶜᵃmăsjā. Der Name dürfte einer Quelle entnommen sein.

### II:18, Synoptisches Material

Der Name *mîkajhû*, Jimlas Sohn, hat häufig diese Form in 2.Chr 18, aber auch *mîkā* kommt vor (V.14). Der falsche Prophet *ṣidqîjahû* findet sich in 1.Kön 22,11.24 in beiden Formen, aber in 2.Chr 18,10.23 steht an beiden Stellen die lange Form.

### II:19—21, Sonderstoff

In Kap.19,11 finden wir zwei lange Formen, *ʾᵃmărjahû* und *zᵉbădjahû*, aber in 20,14 kommen Namen in beiden Formen vor: *zᵉkărjahû*, *bᵉnajā* und *măttănjā*. In Kap.20,35—37 begegnet uns der König des Nordreichs *ʾᵃḥăzjā/hû* in beiden Formen. Der schwer zu deutende Name *dodawahû* (V.37) deutet darauf hin, dass die hier benutzte Vorlage sich in schlechtem Zustand befunden hat, was auch der Grund für die beiden verschiedenen Namensformen für *ʾᵃḥăzjā/hû* gewesen sein könnte. In Kap.21,2 liegt uns die Kurzform *ᶜᵃzărjā* vor, die übrigen Söhne Josaphats erhalten dagegen lange Formen. Rudolph zufolge geht der Chronist hier von einer alten Quelle aus, aber das dürfte sich schwer mit Sicherheit entscheiden lassen.

### II:22—29, Sonderstoff und synoptisches Material

In diesem Abschnitt dominieren die langen Formen stark, sowohl im synoptischen Material wie im Sonderstoff. Unter den hier vorliegenden 78 Belegstellen gibt es nur sechs Kurzformen. In dem synoptischen Material sind das die Namen der Regentin *ᶜᵃtăljā* (22,12), die jedoch häufiger in der langen Form geschrieben wird, was zudem im Sonderstoff immer der Fall ist. Hinzu kommen der nicht theophore Frauenname *ṣibjā* sowie der etwas merkwürdige Frauenname *jkjljh* und der Name von Hiskias Mutter *ʾᵃbîjā*. Die übrigen Namen im synoptischen Material sind diejenigen von Hiskias Grossvater *zᵉkărjahû* sowie der Könige von Juda *ʾᵃḥăzjahû*, *ʾᵃmăṣjahû*, *ᶜuzzîjahû* und *(jᵉ)ḥizqîjahû*, die auch im Sonderstoff in der langen Form erscheinen. Im Sonderstoff kommen ausserdem eine Menge anderer langer Formen vor sowie die beiden Kurzformen *zᵉkărjā* (24,20) und *šᵉmăᶜjā* (29,14).

### II:30—31, Sonderstoff

Nur lange Formen.

### II:32, Sonderstoff und synoptisches Material

Hier begegnen nur die Namen von König *(jᵉ)ḥizqîjahû* und dem Propheten *jᵉšăᶜjahû*.

### II:33, Synoptisches Material

Lediglich die Namen der Könige *jᵉḥizqîjahû* und *jo'šîjahû*.

### II:34—36, Sonderstoff und synoptisches Material

Wir begegnen hier dreizehn Personen mit Namen auf -*jh/jhw*. Von diesen haben zwei die kurze Form, während einer in beiden Formen vorkommt. Die beiden Namen in der Kurzform sind die der königlichen Bediensteten <sup>ca</sup>*śajā* (34,20), der auch im Paralleltext (2.Kön 22,12) die kurze Form aufweist, und *z<sup>e</sup>kărjā* (34,12), bei dem es sich vielleicht um eine Haplographie handelt. Der Name *ḥilqîjā* (35,8) muss aus textkritischen Gründen in die entsprechende lange Form geändert werden und damit zu einer Übereinstimmung mit sowohl dem Sonderstoff wie dem synoptischen Material in 2.Chr 34.

### e) Synthese

Bei unserer Durchsicht des synoptischen Materials fanden wir, dass die wenigen Zitate aus den Büchern Samuel mit zwei Ausnahmen die Namensformen der Vorlage übernehmen, das Parallelmaterial zu den Königsbüchern dagegen fast durchweg lange Formen auch an solchen Stellen benutzt, an denen im Text der Königsbücher Kurzformen stehen.

Die Ausnahmen sind *b<sup>e</sup>najā* (I:11,22.31), bei dem der Chronist sich nicht an den Paralleltext in 2.Sam 23,20.30 hält, sondern vielmehr die Schreibweise anwendet, die wir in 2.Sam 20,23 finden. Hinzu kommt die Kurzform *<sup>a</sup>bîjā* in II:11—13, der in 1.Kön 14—15 ein *<sup>a</sup>bîjam* entspricht und in LXX ein αβιου. Diese Form geht möglicherweise auf die Form *'bjw* zurück. Ferner findet sich eine Neigung, Frauennamen in der kurzen Form zu schreiben. Hier dürfte der allgemeine Gebrauch von -*h* als Femininendung der entscheidende morphogene Faktor gewesen sein. Schliesslich können wir noch die Kurzform <sup>ca</sup>*śajā* in 2.Chr 34,20 erwähnen, wo der Chronist dem Paralleltext in 2.Kön 22,12 folgt.

Der Chronist zeigt eine offenkundige Tendenz, kurze Formen der Königsbücher in lange zu ändern, aber wie verhält es sich mit dieser Tendenz bei den Formen des Sonderstoffes?

Um diese Frage klären zu können, müssen wir von Material absehen, das wahrscheinlich von einer anderen Hand als der des Chronisten herrührt, mögen es nun ältere Quellen oder Ergänzungen sein. Wir lassen daher im Augenblick die Listen in 1.Chr 1—9; 15,5—10.16—24 und in Kap.23—27 beiseite. Ferner nahmen wir an, dass der Name <sup>ca</sup>*zărjahû* in II:15,1 wie auch die Namen in II:17,7.16 älterem Quellenmaterial entstammen. Als Ergänzungen zu der Arbeit des Chronisten haben wir II:11,18—23 und II:13,20f betrachtet.

Vorbehaltlich der Unsicherheitsmomente, die einer jeden literarkritischen Beurteilung anhaften, wagen wir dann die Annahme, dass die übrigen Namensformen ihr Gepräge von der eigenen Hand des Chronisten erhalten haben.

In dem rein chronistischen Material finden wir das Verzeichnis über die Männer Davids in I:12,3—13. Unter ihren Namen gibt es sechs kurze und vier lange Formen, von denen drei nebeneinander in V.6f stehen. Hinzu kommen die Kurzformen <sup>ca</sup>*śajā* und *š<sup>e</sup>mă<sup>c</sup>jā* in I:15,11 sowie die Namen der Sänger in I:15,27; 16,5f mit den Kurzformen *kᵉnănjā*, *zᵉkărjā* und *mắttitjā*, aber auch die Langform *bᵉnajahû*. Chronistisch ist ausserdem *'ᵃḥîjā* in II:9,29.

Rehabeams Sohn *'ᵃbîjā* finden wir in 2.Chr 13, aber noch vorher begegnen wir dem Propheten *šᵉmă͑jā* in Kap.12. In 2.Chr 17—36 entdecken wir nur acht Kurzformen in dem rein chronistischen Material. Von diesen stehen zwei in dem Namen *jăḥᵃzî'el bœn zᵉkărjahû bœn bᵉnajā bœn jᵉ͑î'el bœn mắttănjā* (II:20,14). Von den übrigen sechs sind zwei die Namen *͑ăzărjā* und *zᵉkărjā* (Kap.21,2; 24,20). An den sonstigen Stellen ist der Text unsicher.

Der Sonderstoff im 1.Chronikbuch, der nicht aus eingeschobenen Listen besteht, enthält eine Mischung von kurzen und langen Formen, gibt aber den ersteren den Vorzug. Die einfachste Erklärung für diese Neigung zu Kurzformen dürfte sein, dass die Bücher der Chronik zu einer Zeit entstanden, in denen Kurzformen das Normale waren.

Im 2.Chronikbuch mit seinem Paralleltext in 1.—2.Kön konnten wir mehrfach feststellen, dass der Chronist die kurzen Formen der Königsbücher in lange ändert. Auch der Sonderstoff in 2.Chr zieht mit wenigen Ausnahmen lange Formen vor. Die Ausnahmen bilden hauptsächlich die Stellen, an denen der Chronist anscheinend ein eigenes Quellenmaterial heranzog. Das gilt für die Namen in Kap.17,7.16 ebenso wie die Namen *'ᵃḥîjā* und *šᵉmă͑jā* in Kap.9 und Kap.12. Bei den beiden letzteren Propheten verweist der Chronist ausdrücklich auf Schriften, die mit deren Namen in Beziehung stehen, ändert aber andererseits die Namen derselben Propheten an den Stellen, die einen Paralleltext in den Königsbüchern haben, in Langformen.

Da der Chronist augenscheinlich nicht die Kurzformen seines eigenen Quellenmaterials in lange Formen ändert, können wir bei ihm schwerlich eine eigene einheitliche Tendenz konstatieren, lange Formen zu verwenden. Das wäre auch zur Zeit der Entstehung der Chronikbücher kaum zu erklären. Daher ziehen wir vielmehr die Schlussfolgerung, dass der Chronist e i n e  V e r s i o n  d e r K ö n i g s b ü c h e r  b e n u t z t  h a t ,  d i e  d u r c h w e g  l a n g e F o r m e n  a u f w i e s .  Von diesem Text beeinflusst schreibt der Chronist auch lange Formen an den meisten Stellen im Sonderstoff, an denen ihm andere schriftliche Quellen nicht vorgelegen haben.

Wie Gerleman deutlich gezeigt hat, gehen die Bücher der Chronik auf eine andere Version der Königsbücher zurück als diejenige, die uns in MT vorliegt.[79] Während dieser Text somit fast durchweg lange Formen aufgewiesen hat, finden wir in dem masoretischen Text zu den Königsbüchern viele Kurzformen.

Könnte denn dem Chronisten nicht ganz einfach ein älterer Text mit langen Formen als Vorlage gedient haben, die kurzen Formen des masoretischen Textes

---

[79] Gerleman, Synoptic Studies..., S.12. Dieser Text wurde auch in LXX Reg. benutzt. Nach Lemke, HThR 58/1965, S.362, weist dieser Text auch Übereinstimmungen mit den Qumrantexten auf.

dagegen einem späteren veränderten Sprachgebrauch zu verdanken sein? Wie wir oben feststellten, ist die Übereinstimmung zwischen Namensformen und redaktionellen Schichten in den Königsbüchern allzu deutlich, als dass es sich so verhalten könnte. Wir müssen uns vielmehr denken, dass der masoretische Text, der auch sprachlich archaischer ist, auf eine ältere Textform zurückgehen dürfte, als die Vorlage der Chronikbücher.

Betrachten wir nun das Listenmaterial, so sehen wir, dass es von zweierlei Art ist. Wir haben drei Abschnitte mit genealogischen Listen. Es sind dies 1.Chr 1—9, mit Geschlechtsregistern der Stämme Israels, ferner I:15,4—10, ein Verzeichnis, das die Vorfahren der Häupter der Levitenfamilien zur Zeit König Davids aufführt. Eine Genealogie ist schliesslich auch die Levitenliste in I:23,6—24. In diesen drei Verzeichnissen, deren Hauptinteresse ein rein genealogisches ist, dominieren die kurzen Formen.

Eine andere Art Listen sind die Dienstlisten. Ein solches Verzeichnis finden wir in I:15,16—24. Es zählt die Aufgaben der Leviten unter König David auf. Dieses Register enthält keine genealogischen Angaben. Dienstlisten sind auch die Auslosungsverzeichnisse in I:24, 7—19 und I:25,9—31. Andere Dienstlisten sind die Aufzählungen der Tempelmusiker in I:25,2—4 und das Verzeichnis der sonstigen Amtleute in I:26,1—32 mit der eingeschobenen Obed-Edom-Genealogie in V.4—8. Zu den Dienstlisten zählen wir auch das Verzeichnis der Obersten in I:27,6—15. Eine eigenartige Liste ist schliesslich I:24,20—31. Sie ergänzt einerseits das Levitenverzeichnis in I:23,6—24 um eine weitere Generation, weicht zugleich aber in den Einzelheiten so stark ab, dass wir von einer anderen Tradition sprechen müssen.[80] In all diesen Listen dominieren die langen Formen, wennschon auch vereinzelte Kurzformen vorkommen.[81]

Wir haben gesehen, dass die Listen in 1.Chr 1—9; 15,4—10 und 23,6—24 voneinander verschiedene Levitengenealogien mitteilen. Da diese Listen überwiegend Kurzformen enthalten, liegt die Schlussfolgerung am nächsten, dass wir es hier mit m ü n d l i c h   t r a d i e r t e m   g e n e a l o g i s c h e m   M a t e r i a l   zu tun haben. Wie wir früher festgestellt haben, steht diese Liste teilweise unserem Text des deuteronomistischen Geschichtswerkes näher, aber sie knüpft auch an den späten Abschnitt Jer 27,29 an.

---

[80] *šᵉbûʾel* (23,16) — *šûbaʾel* (24,20).
*šᵉlomît* (23,18) — *šᵉlomô* (24,22).

[81] Das letztere gilt für drei Stellen in 15,16—24; den Anfang des Loswerfens in 24,6—19; den Namen *jiššîjā* in 24,20 ( = 23,20); zwei Namen in 25,2—4 von denen der letzte auch einen Teil eines Gebets bildet; den Namen *šᵉmăʿjā* in der eingeschobenen Genealogie in 26,4—8, der auch in der erzählenden Darstellung in 24,6 steht; hinzu kommen die Namen *ʾᵃḥîjā* und *ṣᵉrûjā* sowie *jᵉrîjā* in Kap.26. In Kap.27,14 finden wir *bᵉnaja*, wie in I:11,31 in der Kurzform im Unterschied zu *bᵉnajahû bæn jᵉhôjadaᶜ* (27,5f. = I:11,24; 18,17), *hᵃšăbjā* (27,17) und zuletzt noch einmal *ṣᵉrûjā* (27,24).

Was die einzelnen Dienstlisten betrifft, war deren Zweck vermutlich, nachexilische Verlhältnisse auf Israels älteste Zeit zurückzuführen. Daher ist wahrscheinlich, dass f a k t i s c h  e x i s t i e r e n d e  D i e n s t v e r z e i c h n i s s e  d i e  Q u e l l e n  d i e s e r  L i s t e n  b i l d e t e n. Es ist anzunehmen, dass die langen Formen bereits im Quellenmaterial vorlagen, das dann also mit Übernahme seiner Namensformen zitiert worden wäre. Dasselbe gilt für die anderen Stellen, an denen wir ein Quellenmaterial als Grundlage chronistischen Sonderstoffes vermuteten.[82] Wir haben oben feststellen können, dass 1.—2.Chr Sam und Kön mit erhaltenen Namensformen zitiert. Wir können nun hinzufügen, dass der Chronist offensichtlich eine Tendenz hat, in zitiertem Material stets dessen Namensformen unverändert beizubehalten.

Insgesamt ist dann unsere Auffassung von der Entstehung der Bücher der Chronik die folgende: in den ursprünglichen Chronikbüchern dürfte das Listenmaterial in 1.Chr 1—9; 15,5—10.16—24 ebenso wie die Listen in 1.Chr 23—27 gefehlt haben. Der Chronist hat zum einen das deuteronomistische Geschichtswerk benutzt — die Königsbücher jedoch in einer Version mit lediglich langen Formen — und zum anderen sonstiges Quellenmaterial. Wir haben es vermutlich mit Material aus den Quellen zu tun, die an etlichen Stellen in den Büchern der Chronik genannt werden, was bedeutet, dass zumindest einige dieser Quellen dem Chronisten als freistehende Arbeiten vorgelegen haben dürften.[83] Ausserdem dürfte der Chronist allerlei Sonderstoff selber verfasst haben. Wo Quellen vorlagen, hielt sich der Chronist bei den Namen an die Schreibweise derselben.

In 1.Chr, wo der Paralleltext der Samuelbücher nicht sehr viele Namen auf -*jh/jhw* enthält, hat der Chronist, dem Brauch seiner Zeit folgend, zumeist kurze Formen verwendet, in 2.Chr jedoch gab er unter dem Einfluss der vielen langen Formen des synoptischen Materials auch in seinem Sonderstoff langen Formen den Vorzug.

Dieses Werk wurde dann schliesslich durch das Listenmaterial wie auch eine Reihe anderer Einschübe ergänzt. Das Listenmaterial ist von zweierlei Art. Zum einen umfasst es die mündlich überlieferten Geschlechtsregister, in denen der überwiegende Teil der Namen in der Kurzform erscheint. Zum anderen enthält es eine Anzahl von Verzeichnissen, in denen die lange Form vorherrscht. Diese Listen regeln die Dienste vornehmlich von Priestern und Leviten, aber auch von anderen höheren Bediensteten. Die letzteren Listen dürften auf faktisch existierende Aufzeichnungen zurückgehen, die ihre Autorität innerhalb des chronistischen Kontextes dadurch erhielten, dass sie aus Israels ältester Zeit stammten.

---

[82] 2.Chr 9,29; 12,5.7.15; 15,1; 17,7.16. Siehe s.193.
[83] Siehe Myers, 1.Chron S.xlviff. zu einer Zusammenstellung dieser Quellen. Dass solche Quellen selbständig existiert haben, geben auch Eissfeldt, Einleitung..., S.724 und Myers, 1.Chron, S.xlvii, zu. Siehe auch Anm.47.

Die langen Formen erfüllten dabei die Funktion, altertümlich zu wirken und das Ansehen der Listen zu verstärken.

In bezug auf Esra und Nehemia stellten wir bereits einleitend fest, dass diese Bücher fast durchweg Kurzformen verwenden. Wir konstatierten auch, dass sie vermutlich auf einen anderen Verfasser zurückgehen als die Bücher der Chronik. Nachdem wir nun gesehen haben, dass die langen Formen in 2.Chr hauptsächlich auf der Art des Chronisten, seine Quellen anzuwenden, beruhen, wird ein wichtiges Argument, das gegen eine gemeinsame Verfasserschaft sprach, abgeschwächt. Andererseits sprechen die Unterschiede in den Namensformen zwischen Esra 1,1 und dem Paralleltext in 2.Chr 35,22 wie auch einige andere Umstände dafür, dass wir es mit verschiedenen Autoren zu tun haben. Eine eingehendere Analyse dieser Frage fällt jedoch nicht mehr in den Rahmen dieser Arbeit.

**KAPITEL VI**

# Schlusswort

## A. Sonstige Bibelbücher

In der vorliegenden Arbeit haben wir uns hauptsächlich mit den Bibelbüchern beschäftigt, in denen die meisten Personennamen mit dem Suffix *-jh/jhw* vorkommen. Abschliessend wollen wir nun kurz die Namen auf *-jh/jhw* kommentieren, die ausserhalb der in Kap.II—V behandelten Bibelbücher zu finden sind.

Wir haben bereits erwähnt, dass Gen 36,24.40 mit den merkwürdigen Namen *'ajjā* und *ʿălwā* die einzigen denkbaren Belegstellen im Pentateuch sind. Diese beiden Namen beziehen sich auf dieselben Personen wie *'ăjjā* und *ʿăljā* in 1.Chr 1,40.51. Es lässt sich schwerlich entscheiden, ob diese beiden Namen theophor sind oder nicht. Falls die Namen mit dem Gottesnamen Jhwh zu tun haben ist es interessant, dass diese beiden ersten Namen dieser Art in der Bibel mit Edom und Seir verbunden werden. In dem Deboralied, Ri 5,4, lesen wir: "Jhwh, als du von Seir auszogst und einhergingst vom Gefilde Edoms".

Im Buch Jesaja kommen Namen auf *-jh/jhw* nur in Kap.1—39 vor. Ein einziger Name erscheint in der kurzen Form, der des Priesters *'ûrîjā* in Jes 8,2. Ferner werden im Jesajabuch *zᵉkărjahû* und *jᵉbœrœkjahû* in Jes 8,2, *jᵉḥizqîjahû*, *ʿuzzîjahû* in Jes 1,1 und an mehreren anderen Stellen genannt, ferner *rᵉmăljahû* mehrfach in Jes 7—8 sowie schliesslich der Prophet selbst an etlichen Stellen in Jes 1—39.[1] Abgesehen von dem eigenen Namen des Propheten beschränken sich alle Namen auf die allgemein anerkannten echt jesajanischen Abschnitte am Anfang des Buches. All dies stimmt gut mit unserer Hypothese von der Verwendung der langen Formen vom 9.Jahrhundert bis zum Exil überein.

Das Buch Hesekiel gehört in eine Zeit, in der der Endvokal in Namen auszufallen beginnt; daher begegnet uns hier ein wechselnder Gebrauch von *-jh* und *-jhw*-Formen.

Wir finden, dass Hes 8,11 *ja'ᵃzănjahû* schreibt, während in 11,1 derselbe Name in der Kurzform steht. In Hes 11,1 lesen wir andererseits sowohl *bᵉnajahû* wie *pᵉlăṭjahû,* während 11,13 die lange Form des letzteren Namens beibehält, aber *bᵉnajā* mit *-jh* buchstabiert.[2] Das Material im Hesekielbuch ist jedoch zu dürftig, um irgendwelche Schlussfolgerungen zu gestatten.

---

[1] Siehe S.53 zu den Jesajamanuskripten aus Qumran.
[2] MSS Kenn. 30.154.224 + 7 spätere MSS lesen *bnjhw* auch in Hes 11,13. Im Codex P werden alle Namen in Hes in der langen Form geschrieben.

Im Zwölfprophetenbuch finden wir, ausser in Sach 1,7 *bœrœkjahû,*[3] nur kurze Formen. Dieser Umstand, der zunächst erstaunt, ist eigentlich nicht so verwunderlich. Die meisten Namen kommen hier in den Überschriften der Bücher vor, die vermutlich später entstanden als die Bücher im übrigen. In Hos 1,1 lesen wir sowohl *j*$^e$*ḥizqîjā* wie $^c$*uzzîjā*. Den ersteren Namen finden wir auch in Micha 1,1, den letzteren in Amos 1,1. Im Buch Joel haben wir keinen Beleg, aber bei Obadja natürlich den Namen $^c$*obădjā* in Ob 1.Jona, Nahum und Hab liefern keine Belege, doch in Zeph 1,1 finden wir ausser dem eigenen Namen des Propheten noch *g*$^e$*dăljā*, *'*$^a$*mărjā* und *ḥizqîjā* sowie *jo'šîjahû,* der immer in der langen Form geschrieben wird. Haggai ist ohne Beleg, aber in Sach 1,1, stossen wir auf *bœrœkjā* und zudem den Propheten selbst. Maleachi hat keinen Beleg in der Einleitung, aber *'elîjā* in Mal 3,23, was gut zu dem nachexilischen Ursprung des Buches passt. Dasselbe gilt von den übrigen Namen im Buch Sacharja: *z*$^e$*kărjā* (Sach 1,7; 7,1.8), *ṭôbîjā*, *jo'šîjā*, *j*$^e$*dă*$^c$*jā* und *ṣ*$^e$*pănjā* (Sach 6,10.14) sowie $^c$*uzzîjā* (Sach 14,5).

Über diese Belege hinaus finden wir im Zwölfprophetenbuch lediglich *'*$^a$*măṣ-jā*, den Priester in Bethel (Am 7,10.12.14). Warum bietet wohl dieser sicherlich echte Text eines Propheten des 8.Jahrhunderts keine langen Formen? Eine Erklärung dafür könnte sein, dass es sich hier um eine Person handelt, die mit dem Nordreich in Beziehung steht. Auch in 1.Kön 22 — 2.Kön 1 fanden wir Beispiele für Namensformen auf *-jh* bei Personen mit Anknüpfung an das Nordreich.[4] Wir nahmen dort an, dass es sich um Namensformen derselben Art handelte, wie die Formen auf *-jw,* die uns in epigraphischem Material aus dem Nordreich begegnen. Auslautendes *-h* in *'*$^a$*măṣjā* könnte dann möglicherweise ein *-o* repräsentieren, das durch eine Kontraktion des Diphtongs *-aw* entstanden war.

In den restlichen Bibelbüchern kommen nur kurze Formen vor. Wir finden hier $^{ca}$*zărjā* und *ḥ*$^a$*nănjā* in Dan 1,6f.19; 2,17, und in Dan 9,2 lesen wir *jirm*$^e$*jā*. In Esther 2,6 steht *j*$^e$*kănjā*, und schliesslich haben wir *ḥizqîjā* in Spr 25,1, das eine Überschrift zu einer der Sammlungen salomonischer Sprüche darstellt.

# B. Das Ergebnis der Untersuchung

Wir haben mehrere verschiedene Faktoren ausgemacht, die den Wechsel zwischen Namen auf *-jh* und Namen auf *-jhw* im Alten Testament regeln. Ebenso wie in dem epigraphischen Material verläuft eine deutliche Trennungslinie zwischen vorexilischem und nachexilischem Material. Vorexilische Texte ziehen Namen auf *-jhw* vor, in nachexilischer Zeit ist dagegen *-jh* die übliche Form des Suffixes.

Wir konnten häufig eine Korrelation zwischen unterschiedlichen redaktionellen Schichten in den einzelnen Bibelbüchern und Namensformen auf *-jhw* bzw

---

[3] Kurzform in Codex P.
[4] Siehe S.98.103.

*-jh* feststellen. Besonders deutlich tritt sie in den Büchern der Könige und der Chronik hervor.

Ferner fanden wir eine Anzahl von Stellen mit Namen auf *-jh* in offensichtlich vorexilischem Material, oft aus der älteren Zeit. Bei einem Teil dieser Namensformen dürfte es sich um konservierte Defektschreibungen des Suffixes *-jahu* handeln. Vorexilische Namensformen auf *-jh (-jō)* in Material, das seinen Ursprung im Nordreich hat, haben wir als Kontraktionsformen der in nordisraelitischem epigraphischem Material üblichen Endung *-jw (-jaw)* erklärt. Die letztere Endung liegt im AT unverändert nur in dem Namen *'ḫjw* vor.

Von unseren Beobachtungen lässt sich sagen, dass sie die Hypothese stützen, die wir oben formuliert haben.[5] Das bedeutet, dass ein ursprüngliches Suffix *-jahu* im Norden zu *-jaw* → *-jo* kontrahiert wurde. Im Südreich blieb das Suffix *-jahu* erhalten, wurde aber zunächst *defektive* geschrieben *(-jh)*. Vom 9. Jahrhundert an ging man im Südreich zu der *plene*-Schreibung *-jhw* über. In nachexilischer Zeit fiel der Endvokal aus und das Suffix wurde zu *-jā* (-jh).

Ausser rein sprachgeschichtlichen Gründen spielten indes auch theologische Geschichtspunkte eine Rolle bei der Schreibung der Namen einer Reihe von Personen. Schon bei den präfigierten Namen konnten wir feststellen, dass das längere Element *jhw-* sich dazu verwenden liess, eine positive Bewertung des Namensträgers zu markieren.[6] Dasselbe können wir nun im Hinblick auf die Namen mit dem Suffix *-jhw* sagen. Israels Idealkönig Josia wird somit stets mit dem langen Suffix geschrieben. Lange Formen bedeuten jedoch nicht immer eine derartige positive Beurteilung. Auch für die Regentin Atalja kann das lange Suffix vorkommen. Es ist wohl eher so, dass man das kurze Suffix. *-jh*, als etwas trivial für Personen empfand, bei denen man die theophore Bedeutung des Namens besonders betonen wollte.

Das zeigt sich besonders deutlich im Buch Jeremia. So verwendet dieses Buch, von dem wir feststellten, dass es seine endgültige Gestalt in nachexilischer Zeit erhielt, in der das Suffix *-jh* das übliche war, das Suffix *-jhw* für die meisten positiv beurteilten Personen sowie einige weitere. Die Widersacher des Propheten erhalten dagegen das Suffix *-jh*. Bei den letzteren wollte der Redaktor nicht die theophore Bedeutung des Namens betonen.

Schliesslich müssen wir auch erwähnen, dass es im Alten Testament eine Reihe von Namen auf *-jh* gibt, die nichts mit dem Gottesnamen Jhwh zu tun haben. Solche Namen können jedoch gelegentlich sekundär in das theophore Muster eingefügt worden sein.

Im Verlauf der Arbeit erhoben sich Fragen, die sich nicht im Rahmen dieses Buches beantworten liessen. Warum enthalten der gesamte Pentateuch und das Buch Josua kaum einen Namen auf *-jh/jhw*? Auch im Buch der Richter und in

---

[5] Siehe S. 70f.
[6] Siehe S. 13.

den Samuelbüchern sind diese Namen recht gering an Zahl, um dann nach der Zeit König Davids immer üblicher zu werden. Einleitend erwähnten wir, dass Vorländer in seiner Arbeit Mein Gott behauptete, Jhwh sei ursprünglich der persönliche Gott des judäischen Königshauses gewesen.[7] Diese These findet in unserer Arbeit keinerlei Bestätigung, doch lassen sich die von uns gefundenen Indizien, die in eben diese Richtung weisen, schwerlich übersehen. Aber warum drangen Namensformen auf -*jh/jhw* nicht in die verhältnismässig spät abgeschlossene Pentateuchredaktion ein? Sollte das bedeuten, dass es an der Zeit ist, nicht nur den Angaben von D, sondern auch denen von P erheblich grössere Authentizität zuzuschreiben, als es unter historisch kritisch arbeitenden Exegeten üblich ist?

Um diese Fragen beantworten zu können, wäre eine breiter angelegte Untersuchung der theophoren Personennamen im Alten Testament wertvoll. In erster Linie wäre ein Vergleich zwischen *jhw* und *'el* als Element in alttestamentlichen Personennamen und zeitgleichem epigraphischem Material erforderlich. Von anderen Gottesnamen ausgehend gebildete Personennamen müssten in einer solchen Untersuchung ebenfalls einen Platz haben. Auf diese Weise könnten wir ein Bild von der Religion Israels in verschiedenen Zeitabschnitten erhalten, das wiederum als Hilfsmittel beim Studium isagogischer Probleme dienen könnte.

[7] Siehe S.19.

# Literaturverzeichnis

## Bibelausgaben

Die Bibel ... nach der Übersetzung Martin Luthers. 1956 und 1964 ... genehmigte Fassung. Volksbibel. Stuttgart, 1968.

Biblia Hebraica. Ed. Rudolf Kittel. Editio tertia decima emendata typis editionis septimae expressa. Stuttgart, 1962.

Codex Babylonicus Petropolitanus. Prophetarum Posteriorum. Ed. Hermannus Strack. Petropoli, 1876.

El Codice de Profetas de el Cairo. Ed. F.Perez Castro (Texot y Estudios "Cardenal Cisneros" de la Biblia Poliglota Matriense).
Tomo I. Jouse-Jueces. Madrid, 1980.
Tomo II. Samuel. Madrid, 1983.
Tomo III. Reyes. Madrid, 1984.
Tomo VII. Profetas Menores. Madrid, 1979.

The Dead Sea Scrolls of St. Mark's Monastery. Vol.1. The Isaiah Manuscript and the Habakkuk Commentary. Ed. Millar Burrows. New Haven, 1950.

The Dead Sea Scrolls of the Hebrew University. Ed. E. Sukenik. Jerusalem, 1955.
Goshen-Gottstein, Moshe H.ed. The Book of Isaiah (The Hebrew University Bible, Part 1—2). Jerusalem, 1975.
Vol.II. Chapt. 22—44, Jerusalem, 1981, war mir nicht zugänglich.
Kennicott, Benajminus ed. Vetus Testamentum Hebraicum. Oxonii, 1776—1780.
*mqrwt qlwlwt ḥ* (Biblia Rabbinica... 8) New York, 1951.

The Old Testament in Greek. Ed. A.E. Brooke, M. McLean and H St.John Thackeray.
Vol.II. The Later Historical Books.
Part I. I and II Samuel. Cambridge, 1927.
Part II. I and II Kings. Cambridge, 1930.
Part III. I and II Chronicles. Cambridge, 1932.

Septuaginta, Vetus Testamentum Graecum.
Vol.XIII. Duodecim prophetae. Ed. Josapeh Ziegler. Göttingen, 1943.
Vol.XV. Jeremias, Baruch, Threni, Epistula Jeremiae. Ed. Joseph Ziegler. 2.Aufl. Göttingen, 1976.
Vetus Testamentum Syriace. Ed. S. Lee. London, 1823.

# Unpublizierte Bibeltexte

Cambridge    University Library und Westminster College Library. Handschriften nach dem Verzeichnis Davies, Hebrew Bible Manuscripts in the Cambridge Geniza Collections. Vol 1—2. Cambridge, 1978—1980.
Siehe Zusammenstellung S.78f., S.128f., S.162 Anm.1.

Leningrad    Gosudarstvennaja Publitschnaja Biblioteka. Siehe S.128 Anm.16.

London       British Museum. Handschriften Orient 2543 und Orient 2549. Siehe S.128 Anm.14.

Oxford       Bodleian Library. Siehe S.128 Anm.16.

# Literatur

Aharoni, Yohanan. 'Arad: Its Inscriptions and Temple'. BA 31/1968, 2—32.
— Beer-Sheba I. Excavations at Tel Beer-Sheba, 1969—1971 Seasons. Tel Aviv, 1973.
— 'Chronique Archéologique, Tell Arad'. RB 71/1964, 393—396.
— 'Excavations at Ramath Rahel, 1954. Preliminary Report'. IEJ 6/1956, 137—157.
— Excavations at Ramat Rahel, Seasons 1959 and 1960. Roma, 1962.
— 'Excavations at Tel Arad. Preliminary Report on the Second Season, 1963'. IEJ 17/1967, 233—249.
— 'Hebrew Ostraca from Tel Arad'. IEJ 16/1966, 1—7.
— 'Hwtmwt šl pqjdjm mmlktjjm mᶜrd'. EI 8/1967, 101—103.
— Ktwbwt ᶜrd. Jerusalem, 1975. Engl. Übersetzung: Arad Inscriptions. Jerusalem, 1981.
— 'šlwšh 'wstrqwnjm ᶜbrjjm mᶜrd'. EI 9/1969, 10—21.
— 'Three Hebrew Ostraca from Arad'. BASOR 197/1970, 16—42.
— 'Three Hewbrew Seals'. TA 1/1974, 157—158. Pl.30.
— 'Trial Excavation in the Solar Schrine at Lachish'. IEJ 18/1968, 157—169.
Aimé-Giron, Noël. 'Ostracon d'Edfou'. BIFAO 38/1939, 57—63.
— Textes araméens d'Égypte. Le Caire, 1931.
Albertz, Rainer. Persönliche Frömmigkeit und offizielle Religion. Stuttgart, 1978.
Albrektson, Bertil. 'Reflections on the Emergence of a Standard Text of the Hebrew Bible'. VT, Suppl. 29/1978, 49—65.
Albright, William Foxwell. 'The Chronology of the Divided Monarchy of Israel'. BASOR 100/1945, 16—22.
— 'The Date and Personality of the Chronicler'. JBL 40/1921, 104—124.
— 'The Discovery of an Aramaic Inscription Relating to King Uzziah'. BASOR 44/1931, 8—10.

— 'The Judicial Reform of Jehoshaphat'. Alexander Marx Jubilee Volume. New York, 1950, 61—82.

Amiran, Ruth. -- A Eitan. 'Excavations in the Courtyard of the Citadel, Jerusalem, 1968—1969'. IEJ 20/1970, 9—17.

Archi, Alfonso. 'The Epigrahpic Evidence from Ebla and the Old Testament'. Biblica 60/1979, 556—566.

—'Further Concerning Ebla and the Bible'. BA 44/1981, 145—154.

Assemanus, Stephanus Evodius. Bibliothecae Apostolicae Vaticanae Codicum Manuscriptorum Catalogus 1. Romae, 1756. Neudruck; Paris, 1926.

Avigad, Nahman, *ᶜl t'rjm wsmljm bḥwtmwt ᶜbrjjm*. EI 15/1981, 303—305.

— 'Baruch the Schribe and Jerahmeel the Kings Son'. IEJ 28/1978, 52—56.

— 'The Chief of the Corvée'. IEJ 30/1980, 170—173.

— 'Epigraphical Gleanings from Gezer. 1.A Seal Impression'. PEQ 1950, 43—46.

— 'A Hebrew Seal Depicting a Sailing Ship'. BASOR 246/1982, 59—62.

— 'A Hebrew Seal with a Family Emblem'. IEJ 16/1966, 50—53.

— '*Ḥwtmw šl śrjhw bn nrjhw*'. EI 14/1978, 86—87.

— 'Jerahmeel & Baruch'. BA 42/1979, 114—118.

— 'Jerusalem: Quartier Juif'. RB 80/1973, 576—579.

— 'A New Class of Yehud Stamps'. IEJ 7/1957, 146—153.

— 'New Light on the Naᶜar Seals'. Magnalia Dei; The Mighty Acts of God. Essays... Ernest Wright. Garden City, NY, 1976, 294—300.

— 'The Priest of Dor'. IEJ 25/1975, 101—105.

— '*Qbwṣt ḥwtmwt ᶜbrjjm*'. IE 9/1969, 1—9.

— 'Seals and Sealings'. IEJ 14/1964, 190—194.

— 'Seals of Exiles'. IEJ 15/1965, 222—232.

— '*šbᶜh ḥwtmwt ᶜbrjjm*'. BIES 18/1954, 147—153.

— '*šmwt ḥdšjm bḥwtmwt ᶜbrjjm*'. EI 12/1975, 66—71.

— 'Two Newly Found Hebrew Seals'. IEJ 13/1963, 322—324.

Bange, L.A. A Study of the Use of Vowel-Letters in Alphabetic Consonantal Writing. München, 1971.

Barnett, R.D. 'Layard's Nimrud Bronzes and their Inscriptions'. EI 8/1967, 1*—7*.

Beit-Areih, Itzhaq. 'A First Temple Period Census Document'. PEQ 15/1983, 105—108.

Ben Dor, I. 'A Hebrew Seal'. QDAP 13/1948, 90—91.

Benzinger, Immanuel. Die Bücher der Chronik (KHCAT 20). Tübingen und Leipzig, 1901.

Bermant, Chaim. -- Michael Weitzman. Ebla, An Archaeological Enigma. London, 1979.

Bertholet, Alfred. Die Bücher Esra und Nehemia (KHCAT 19). Tübingen und Leipzig, 1902.

Biggs, Robert. 'The Ebla Tablets, An Interim Perspective'. BA 43/1980, 76—86.

Bohlen, Reinhold. Der Fall Nabot (Trierer Theologische Studien 35). Trier, 1978.

Boling, Robert G. Judges (AB). Garden City, 1975.

Bordreuil, P. -- A. Lemaire. 'Nouveau groupe de sceaux hébreux araméens et ammonites'. Semitica 29/1979, 71—84.

— -- A. Lemaire. 'Nouveaux sceaux hébreaux, araméens et ammonites'. Semitica 26/1976, 45—63.

— -- A. Lemaire. 'Nouveaux sceaux hébreux et araméens'. Semitica 32/1982,
21—34.

Bresciani, E. -- M. Kamil. 'Le lettere aramaiche di Hermopoli'. AANL, Memorie.
Cl. Scienze morali, storiche e filologiche. Ser.8 Vol.12. Roma, 1966,
357—428.

— 'Nuovi documenti aramaici dall' Egitto'. ASAE, Tome 55. Le Caire, 1958,
273—283.

— 'Un papiro aramaico de El Hibeh del Museo Archeologico di Firenze'. Aegyptus 39/1959, 3—8.

Bright, John. A History of Israel. 2:nd ed. London, 1972.

— Jeremiah (AB). Garden City, 1965.

Burney, C.F. The Book of Judges, 1903. Neudruck; New York, 1970.

— Notes on the Hebrew Text of the Book of Kings, 1903. Neudruck; New York,
1970.

Carroll, Robert. From Chaos to Covenant. London, 1981.

Clermont-Ganneau, Ch. 'Archaeological and Epigraphic Notes on Palestine'.
PEFQS 34/1902, 260—282-

— Recueil d'archéologie orientale. Tome IV. Paris, 1901.

Coggins, R.J. The First and Second Book of the Chronicles (CBC). Cambridge,
1976.

Coogan, M.D. 'Patterns in Jewish Personal Names in the Babylonian Diaspora'.
JStJ 4/1973, 183—191.

— 'More Yahwistic Names in the Murashu Documents'. JStJ 7/1976, 199—200.

— 'West Semitic Personal Names in the Murašû Documents (Harvard Semitic
Monographs 7). Missoula Mt., 1976.

Coote, Stanley A. 'Inscribed Hebrew Objects from Ophel'. PEFQS 1924,
180—186.

Corpus Inscriptionum Semiticarum. Pars Secunda, Tomus 1. Parisiis, 1889.

Cowley, A.E. 'An Aramaic Ostracon from Elephantine'. PSBA 37/1915, 222—
223.

— Aramaic Papyri of the Fifth Century B.C. Oxford, 1923.

— 'Some Egyptian Aramaic Documents'. PSBA 25/1903, 202—208. 259—266.
311—314.

— 'Two Aramaic Ostraca'. JRAS 1929, 107—112.

Cross, Frank Moore. Canaanite Myth and Hebrew Epic. Cambridge, Mass., 1973.

— -- David Noel Freedman. Early Hebrew Orthography (American Oriental Series 36). New Haven, 1952.

— 'Yahweh and the God of the Patriarchs'. HThR 55/1962, 225—259.

Dahood, Mitchell. 'Ebla, Ugarit and the Old Testament'. VT Suppl. 29/1978, 81—112.

Daiches, Samuel. 'Kommt das Tetragrammaton *jhwh* in den Keilinschriften vor?' ZA 22/1909, 125—136.

Davies, M.C. Hebrew Bible Manuscripts in the Cambridge Geniza Collections. Vol 1—2. Cambridge, 1978/1980.

Debus, Jörg. Die Sünde Jerobeams. Göttingen, 1967.

Degen, Rainer. 'Ein Fragment des bisher ältesten aramäischen Papyrus'. NEph 2. Wiesbaden, 1974, 65—70.

Deutsch, Richard. Die Hiskiaerzählungen. Basel, 1969.

Dever, William G. 'Iron Age Epigraphic Material from the Area of Khirbet el-Kôm'. HUCA 40-41/1969—70, 139—204.

De Vries, Simon J. Prophet against Prophet. Grand Rapids, 1978.

Dietrich, Walter. Prophetie und Geschichte. Göttingen, 1972.

Diringer, David. Le iscrizioni antico-ebraiche palestinesi (Pubblicazioni della R. Università degli studi di Firenze. Facoltà di Lettere e Filosofia — III Serie — Vol. II). Firenze, 1934.

Discoveries in the Judaean Desert 2. Les Grottes de Murabba'at. ed. P.Benoit/ J.T. Milik/R. de Vaux. Oxford, 1961.

Donner, Herbert. 'The Separate States of Israel and Juda'. Israelite and Judaean History. ed. John H. Hayes/J. Maxwell Miller. London, 1977, 381—434.

— -- W. Röllig. Kanaanäische und aramäische Inschriften. Band 1—3. Wiesbaden, 1964—66.

Dothan, Trude. -- I. Dunayevsky. 'Qasile, Tell'. EAEHL IV. Oxford/Jerusalem, 1978, 963—968.

Drinkard, Joel Flood, Jr. Vowel Letters in Pre-exilic Palestinian Inscriptions. Diss. Southern Baptist Theological Seminary, 1980. Unviersity Microfilms International. Ann Arbor, Mi. Dissertation Abstracts International, Vol.41:3, September 1980, 1043A.

Duhm, Bernhard. Das Buch Jeremia (KHCAT 11). Tübingen und Leipzig, 1901.

Dupont-Sommer, A. 'Maison de Yahvé'. JA 235/1946—1947, 79—87.

— 'L'ostracon araméen du Sabbat (Collection Clermont-Ganneau No 152)'. Semitica 2/1949, 29—39.

— 'Un ostracon araméen inédit d'Éléphantine (Collection Clermont-Ganneau No 44)'. Hebrew and Semitic Studies presented to Godfrey Rolles Driver. Oxford, 1963, 53—58.

— 'Le syncrétisme religieux des Juifs d'Éléphantine d'après un ostracon araméen inédit'. RHR 130/1945, 17—28.

Eichrodt, Walther. Der Herr der Geschichte. Jesaja 13—23/28—39 (BAT 17:II). Stuttgart, 1967.

Eissfeldt, Otto. Einleitung in das Alte Testament, 3.Aufl. Tübingen, 1964.

— Die Quellen des Richterbuches in synoptischer Anordnung ins Deutsche übersetzt samt einer in Einleitung und Noten gegebenen Begründung. Leipzig, 1925.

Encyclopedia Biblica — 'nsjqlwpdjh mqr'jt. ed. Institutum Bialik procurationi Iudaicae pro Palaestina Addictum et Museum Antiquitatum Iudaicarum ad Universitatem Hebraicam Hierosolymitanam Pertinens. Tom. 1. Hierosolymis, 1950.

Euting, Julius. Sinaitische Inschriften. Berlin, 1891.

Fitzmyer, Joseph A. -- Daniel J. Harrington. A Manual of Palestinian Aramaic Texts (Biblia et Orientalia — N.34). Rome, 1978.

Flanagan, James W. 'Court History or Succession Document? A Study of 2 Samuel 9—20 and 1 Kings 1—2'. JBL 91/1972, 172—181.

Fohrer, Georg. Elia. Zürich, 1968.

Freedman, David Noel. 'The Chroniclers Purpose'. CBQ 23/1961, 436—442.

— 'The Real Story of the Ebla Tablets'. BA 41/1978, 143—164.

Fricke, Klaus Dietrich. Das zweite Buch von den Königen (BAT 12:II). Stuttgart, 1972.

Fritz, Volkmar. 'Ein Ostrakon aus Hirbet el-Mšāš'. ZDPV 91/1975, 131—134.

Galling, Kurt. Die Bücher der Chronik, Esra, Nehemia übersetzt und erklärt (ATD 12). Göttingen, 1954.

Gardiner, Alan. Egypt of the Pharaohs. Oxford, 1961. Reprint 1976.

Gelb, I.J. 'Throughts about Ibla: A Preliminary Evaluation, March 1977'. Syro-Mesopotamian Studies 1/1. ed. Marilyn Kelly-Buccellati. Malibu, May 1977.

Gerleman, Gillis. Synoptic Studies in the Old Testament (LUÅ N.F. Avd. 1 Bd 44 nr 5). Lund, 1948.

Gibson, John. Textbook of Syrian Semitic Inscriptions. Vol 1—3. Oxford, 1973—1982.

Giesebrecht, Friedrich D. Das Buch Jeremia (HkzAT III:2,1). Göttingen, 1894.

Ginsberg, H.L. 'Lachish Notes'. BASOR 71/1938, 24—27.

Gordon, Cyrus H. Introduction to Old Testament Times. Ventnor, N.J., 1953.

Graesser, Carl. 'The Seal of Elijah'. BASOR 220/1975, 63—66.

Gray, G Buchanan, Studies in Hebrew Proper Names. London, 1896.

Gray, John. I & II Kings (OTL). London, 1964.

Grønbaek, Jakob H. 'Benjamin und Juda'. VT 15/1965, 421—436.

Haag, Ernst. 'Die Himmelfahrt des Elias nach 2 Kg 2, 1—15*'. TrThZ 78/1969, 18—32.

Hammond, P.C. 'A Note on two Seal Impressions from Tell es-Sulṭan'. PEQ 1957, 68—69.

Harris, Zellig S. Development of the Canaanite Dialects (AOS 10). New Haven, 1939.

Harvard Excavations at Samaria. Vol 1—2. ed. Georg Andrew Reisner, Clarence Stanley Fisher, David Gordon Lyon. Cambridge, 1924.

Hazor II. The James A de Rothschild Expedition at Hazor. An account of the second season of excavations, 1956. Jerusalem, 1960.

Heltzer, M. 'Eight Century BC Inscriptions from Kalakh (Nimrud)'. PEQ 110/1978, 3—9.

— 'Some North-west Semitic Epigraphic Gleanings from the xi—vi Centuries b.C.'. ION, A, Sez.ling. 21/1971, 183—198.

— -- M Ohana. *mswrt hšmwt h<sup>c</sup>brjjm hḥwṣ-mqr'jjm*. The Extra-Biblical Tradition of Hebrew Personal Names (Studies in the History of the Jewish People and the Land of Israel, Monograph Series, Vol.II). Haifa, 1978.

Hentschel, Georg. Die Elijaerzählungen (EThSt 33). Leipzig, 1977.

Herr, Larry G. The Script of Ancient Northwest Semitic Seals. Missoula, 1978.

Hertzberg, Hans Wilhelm. Die Bücher Josua, Richter, Ruth übersetzt und erklärt (ATD 9). Göttingen, 1953.

— Die Samuelbücher übersetzt und erklärt (ATD 10). 5. unver. Aufl. Göttingen, 1973.

Hestrin, Ruth. -- Michal Dayagi. 'A Seal Impression of a Servant of King Hezekiah'. IEJ 24/1974, 27—29.

— -- Michal Dayagi-Mendels. Inscribed Seals. Jerusalem, 1979.

Hilprecht H.V. -- A.T. Clay. Business Documents of Murashû sons of Nippur. Philadelphia, 1898.

Hoerning, Reinhart. Descriptions and Collation of six Karaite Manuscripts of portions of the Hebrew Bible in Arabic Characters. Edinburgh, 1889.

Holladay, William L. 'A Fresh Look at "Source B" and "Source C" in Jeremiah'. VT 25/1979, 394—412.

Horn, Siegfried H. 'An Inscribed Seal from Jordan'. BASOR 189/1968, 41—43.

Hossfeld, Frank Lothar. -- Ivo Meyer. Prophet gegen Prophet (BB 9). Fribourg, 1973.

Hölscher, Gustav. 'Das Buch der Könige, seine Quellen und seine Redaktion'. EYXAPICTHPION, Studien zur Religion und Literatur des Alten und Neuen Testaments. Hermann Gunkel zum 60. Geburtstage... 1.Teil (FRLANT NF 19:1). Göttingen, 1923, 158—213.

Hyatt, J. Philip. 'The Deuteronomic Edition of Jeremiah'. Vanderbilt Studies in the Humanities, Vol.1. Nashville, 1951, 71—95.

Inscriptions Reveal. ed. R. Hestrin... (Israel Museum, Cat. No 100). Jerusalem, 1973.

Janzen, Gerald J. Studies in the Text of Jeremiah. Cambridge, Mass., 1973. '

Japhet, Sara. 'Chronicles, Book of'. Encyclopaedia Judaica, Vol.5. Jerusalem, 1971, 517—534.

— 'The Supposed Common Authorship of Chronicles and Ezra-Nehemia Investigated Anew'. VT 18/1968, 330—371.

Jastrow, Morris. 'Hebrew Proper Names compounded with *jh* and *jhw*'. JBL 13/1894, 101—127.

— 'Ilubi'di and the supposed Jaubi'di'. ZA 10/1895, 222—235.

Jepsen, Alfred. Nabi. München, 1934.

— Die Quellen des Königsbuches. Halle, 1953.

Johnson, Marshall D. The Purpose of the Biblical Genealogies. Cambridge, 1969.

Kahle, Paul. Masoreten des Ostens (BWAT 15). Leipzig, 1913.

Kaiser, Otto. Der Prophet Jesaja Kap 13—39 übersetzt und erklärt. (ATD 18). Göttingen, 1973.

— 'Die Verkündigung des Propheten Jesaja im Jahre 701'. ZAW 81/1969, 304—315.

Kenyon, Kathleen. 'Excavations in Jerusalem 1967'. PEQ 100/1968, 97—109.

Kittel, Rudolf. Die Bücher der Chronik (HkzAT I:6, 1.Teil). Göttingen, 1902.

— Die Bücher Esra, Nehemia und Esther (HkzAT I:6, 2.Teil). Göttingen, 1901.

— Die Bücher der Könige (HkzAT I:5). Göttingen, 1900.

Kornfeld, Walter. 'Jüdisch-Aramäische Grabinschriften aus Edfu'. ÖAW, Phil.-Hist. Klasse. Anzeiger 110/1973. Wien, 1974, 123—137.

— Onomastica Aramaica aus Ägypten (ÖAW, Phil.—Hist. Klasse, Sitz.ber. 333. Band) Wien, 1978.

Kraeling, Emil G. The Brooklyn Museum Aramaic Papyri. New Haven, 1953.

Kutscher, E.Y. The Language and Linguistic Background of the Isaiah Scroll (1QIsa[a]) (Studies on the Texts of the Desert of Judah, Vol VI). Leiden, 1974.

Lawton, Robert. 'Israelite Personal Names on Pre-Exilic Hebrew Inscriptions'. Biblica 65/1984, 330—346.

Lemaire, André. 'Les incriptions de Khirbet el Qôm et l'Ashéra de Yhwh'. RB 84/1977, 595—608.

— Inscriptions Hébraïques. Tome 1. Les Ostraca. Paris, 1977.

— 'Noveaux sceaux nord-ouest sémitique'. Semitica 33/1983, 17—31.

— 'Nouvelle inscription paléohébraique sur carafe'. Semitica 32/1982, 17—19.

— 'Nouvel ostracon araméen du ve siècle a. J.-C'. Semitica 25/1975, 87—96.

Lemke, Werner E. 'The Synoptic Problem in the Chronicler's History'. HThR 58/1965, 349—363.

— 'The Way of Obedience. 1 Kings 13 and the Structure of the Deuteronomistic History'. Magnalia Dei. The Mighty Acts of God. Essays... in memory of G.Ernest Wright. Garden City, 1976, 302—326.

Leupold, H.C. Exposition of Isaiah. Vol.1, Chapters 1—39. Grand Rapids, 1968.

Levin, Christoph. Der Sturz der Königin Atalja (Stuttgarter Bibelstudien 105). Stuttgart, 1982.

Levy, M.A. Siegel und Gemmen. Breslau, 1869.

Lidzbarski, Mark. Ephemeris für semitische Epigraphik 1—3. Giessen, 1902—1915.

— 'Notes and Queries. The Calendar Inscription from Gezer'. PEFQS 1910, 238.

Lindström, Fredrik. God and the Origin of Evil (CB OTS 21). Lund, 1983.

Lipiński, Edward. 'Étydes d'onomastique ouest-sémitique'. BO 37/1980, 3—12.

— Studies in Aramaic Inscriptions and Onomastics I. Leuven, 1975.

Lozachmeur, Hélène. 'Un ostracon araméen inédit d'Éléphantine (Coll. Clermont-Ganneau no 228)'. Semitica 21/1971, 81—93.

Luckenbill D.D. 'Azariah of Juda'. AJSLL 41/1925, 217—232.

Macalister, R.A. Stewart. The Excavation of Gezer, 1902—1905 and 1907—1909. Vol.1. London, 1912.

McCarter, P Kyle. 'Plots, True of False. The Succession Narrative as Court Apologetic'. Interpretation 35/1981, 355—367.

MacLean, H.B. 'Abijah'. IDB, Vol.1. Nashville, 1962, 8—9.

— 'Uzziah'. IDB, Vol.4. Nashville, 1962, 742—744.

Matthiae, Paolo. Ebla, An Empire Rediscovered. London, 1980.

— 'Ebla in the Late Early Syrian Period: The Royal Palace and the State Archives'. BA 39/1976, 94—113.

Mayes, A.D.H. 'King and Covenant: A Study of 2 Kings Chs 22—23'. Hermathena 125/1978, 34—47.

Mazar, A. 'Qasile, Tell'. EAEHL IV. Oxford/Jerusalem, 1978, 968—975.

Mazar, B. -- T Dothan, I Dunayevsky. En-Gedi, The First and Second Seasons of Excavation 1961—1962 (ᶜAtiqot, Eng-Series, Vol.5). Jerusalem, 1966.

Meshel, Zeev. 'kwntjlt-ᶜg'rwd — 'tr mtqwpt hmlwkh bgbwl sjnj'. Qadmoniot 9/1976, 119—124.

— 'Notes and News. Kuntilat ᶜAjrud, 1975—1976'. IEJ 27/1977, 52—53.

Mettinger, Tryggve N.D. The Dethronement of Sabaoth (CB OTS 18). Lund, 1982.

— 'Härskarornas Gud'. SEÅ 44/1979, 7—21.

— 'Yhwh Sabaoth — The Heavenly King on the Cherubim Throne'. Studies in the Period of David and Solomon and other essays. ed. Tomoo Ishida. Tokyo, 1982, 109—138.

— Solomonic State Officials (CB OTS 5). Lund, 1971.

Millard, A.R. 'yw and yhw names'. VT 30/1980, 208—212.

Mittmann, Siegfried von. 'Die Grabinschrift des Sängers Uriahu'. ZDPV 97/1981, 139—152.

Montgomery, James A. The Book of Kings (ICC). Edinburgh, 1951.

Moscati, Sabatino. L'Epigrafia Ebraica Antica 1935—1950 (Biblica et Orientalia — N.15). Roma, 1951.

Mosis, Rudolf. Untersuchungen zur Theologie des chronistischen Geschichts-werkes. Freiburg, 1973.

Mowinckel, Sigmund. Prophecy and Tradition (Avhandlingar utgitt av Det Norske Videnskaps-Akademi i Oslo. II Hist.-Filos. Klasse 1946. No 3). Oslo, 1946.

— Studien zu dem Buche Ezra-Nehemia (Skrifter utgitt av Det Norske Videnskaps-Akademi i Oslo. II Hist-.Filos. Klasse. Ny Serie No.3). Oslo, 1964.

— Zur Komposition des Buches Jeremia (Videnskapsselskapets Skrifter. II Hist.-Filos. Klasse 1913, No.5). Kristiania, 1914.

Murtonen, A. 'On the Interpretation of the *Matres Lectionis* in Biblical Hebrew'. Abr Nahrain 14/1973—74. Leiden, 1974, 66—121.

Müller, Hans Peter. 'Gab es in Ebla einen Gottesnamen Ja?'. ZA 70/1980, 70—92.

— 'Der Jahwename und seine Deutung. Ex 3,14 im Licht der Textpublikationen aus Ebla'. Biblica 62/1981, 305—327.

Myers, Jacob M. 1.Chronicles (AB 12). Garden City, 1965.

— 2.Chronicles (AB 13). Garden City, 1965.

— Ezra Nehemia (AB 14). Garden City, 1965.

Na'aman, Navad. 'Sennacherib's "Letter to God" on his Campagin to Judah'. BASOR 214/1974, 25—39.

Naveh, J. 'An Aramaic Ostracon from Ashdod'. Ashdod II—III, Text. ᶜAtiqot, Engl.Ser. Vol ix—x. Jerusalem, 1971, 200—201.

— 'A Hebrew Letter from the Seventh Century B.C'. IEJ 10/1960, 129—139.

— 'More Hebrew Inscriptions from Meṣad Ḥashavyahu'. IEJ 12/1962, 27—32.

— 'Some Notes on the Reading of the Meṣad Ḥashavyahu Letter'. IEJ 14/1964, 158—159.

Nelson, Richard D. The Double Redaction of the Deuteronomistic History (JSOT Suppl.Ser.18). Sheffield, 1981.

Neubauer, Adolf D. Catalogue of the Hebrew Manuscripts in the Bodleian Lib-rary and in the College Libraries of Oxford. Oxford, 1886.

— -- Arthur Ernest Cowley. Catalogue of the Hebrew Manuscripts in the Bodlei-an Library, Vol.II. Oxford, 1906.

Newsome, James D. 'Toward a new understanding of the Chronicler and his pur-pose'. JBL 94/1975, 201—217.

Nicholson, Ernest W. Jeremiah, Ch. 1—25 (CBC). Cambridge, 1973.

— Jeremiah, Ch.26—52 (CBC). Cambridge, 1975.

— Preaching to the Exiles. Oxford, 1970.

Nielsen, Eduard. Shechem. A Traditio-Historical Investigation. Copenhagen, 1955.

Norin, Stig. 'An Important Kennicott Reading in 2 Kings xviii 13'. VT 32/1982, 337—338.

— 'Jô-namen und Jᵉhô-namen'. VT 29/1979, 87—97.

Noth, Martin. Die israelitischen Personennamen im Rahmen der gemeinsemiti-schen Namengebung. Stuttgart, 1928.

— Könige. 1.Teilband (BKAT IX/1). Neukirchen-Vluyn, 1968.

— Überlieferungsgeschichtliche Studien I (Schriften der Königsberger Gelehr-ten Gesellschaft, 18.Jh. Geisteswissenschaftliche Kl. Heft 2). Halle, 1943.

Nowack, W. Richter, Ruth und Bücher Samuelis (HkzAT I:4). Göttingen, 1902.

Nyström, Samuel. Beduinentum und Jahwismus. Lund, 1946.

O'Connell, Kevin G. 'An Israelite Bulla from Tell el-Hesi'. IEJ 27/1977, 197—199.

Pettinato, Giovanni. 'Ebla and the Bible'. BA 43/1980, 203—216.

— Materiali epigrafici di Ebla.

 1. Catalogo dei testi cuneiformi di Tell Mardikh-Ebla. Napoli, 1979.

 2. Testi amministrativi della biblioteca L 2769. Napoli, 1980.

 3. Testi monolingui della biblioteca L 2769. Napoli, 1981.

— 'The Royal Archives of Tell Mardikh — Ebla'. BA 39/1976, 44—52.

Pfeiffer, R.H. 'Chronicles, I and II'. IDB, Vol 1. Nashville, 1962, 572—580.

— 'Ezra and Nehemiah'. IDB, Vol.2. Nashville, 1962, 215—219.

Pinches, Theo. G. 'Yâ and Yâwa (Jah and Jahweh) in Assyro-Babylonian In-scriptions'. PSBA 15/1893, 13—15.

Plein, Ina. 'Erwägungen zur Ueberlieferung von 1.Reg 11,26—14,20'. ZAW 78/1966, 8—24.

Pohlmann, Karl-Friedrich. Studien zum Jeremiabuch. Göttingen, 1978.

Pope, M.H. 'Rechab'. IDB, Vol.4.Nashville, 1962, 14—16.

Porten, Bezalel. Jews of Elephantine and Arameans of Syene (Hebr./Engl.). Je-rusalem, 1974.

Pritchard, James B. Ancient Near Eastern Texts. Princeton, 1950.

— Hebrew Inscriptions and Stamps from Gibeon. Philadelphia, 1959.

— 'More Inscribed Jar Handles from El-Jîb'. BASOR 160/1960, 2—6.

Peuch, Émile. 'Abécédaire et liste alphabétique de noms Hébreux du début du IIᵉ s. A.D'. RB 87/1980, 118—126.

Rainey, Anson F. 'Three Additional Hebrew Ostraca from Tel Arad'. TA 4/1977, 97—104.

Reifenberg, A. 'Ancient Hebrew Seals III (Plate xiv)'. PEQ 1942, 109—113.

— 'Hebrew Seals and Stamps IV'. IEJ 4/1954, 139—142.

— 'Some Ancient Hebrew Seals'. PEQ 1938, 113—116.

— 'Some Ancient Hebrew Seals'. PEQ 1939, 195—198.

Répertoire d'Épigraphie Sémitique. Tome III. Deuxième livraison (1511—1924). Paris, 1917.

Richardson, H. Neil. 'A Stamped Handle from Khirbet Yarmuk'. BASOR 192/1968, 12—16.

Rietzschel, Claus. Das Problem der Urrolle. Gütersloh, 1966.

Robinson, J. The First Book of Kings (CBC). Cambridge, 1972.

— The Second Book of Kings (CBC). Cambridge, 1976.

Rose, Martin. Der Ausschliesslichkeitsanspruch Jahwes (BWANT 106). Stuttgart, 1975.

de Rossi, J.B. Variae Lectiones Veteris Testamenti. Parmae, 1784—88.

Rost, Leonard. Die Ueberlieferung von der Thronnachfolge Davids (BWANT 3.F. Heft 6). Stuttgart, 1926.

Rohtstein, Wilhelm. -- Johannes Hänel. Kommentar zum ersten Buch der Chronik (KAT XVIII. Teil 2). Leipzig, 1927.

Rudolph, Wilhelm. Chronikbücher (HAT 21). Tübingen, 1955.

— 'Die Einheitlichkeit der Erzählung vom Sturz der Atalja (2 Kön 11)'. Festschrift Alfred Bertholet zum 80. Geburtstag gewidmet... Tübingen, 1950, 473—478.

— Esra und Nehemia samt 3.Esra (HAT 20). Tübingen, 1949.

— Jeremia (HAT 12). Tübingen, 1958.

Saggs, H.W.F. 'The Assyrians'. Peoples of Old Testament Times ed. by D.J. Wiseman, Oxford, 1973, 156—178.

Sayce, A.H. 'An Aramaic Ostracon from Elephantine'. PSBA 33/1911, 183—184.

— 'Note on the Greek Inscriptions Found at Tell Sandahannah'. PEFQS 1900, 376.

Schmitt, Hans-Christoph. Elisa. Gütersloh, 1972.

Schröder, P. 'Vier Siegelsteine mit semitischen Legenden'. ZDPV 37/1914, 172—179.

Schweizer, Harald. Elischa in den Kriegen. München, 1974.

— 'Literarkritischer Versuch zur Erzählung von Micha ben Jimla (1 Kön 22)'. BZ 23/1979, 1—19.

Seidl, Theodor. Formen und Formeln in Jeremia 27—29. St.Ottilien, 1978.

— Texte und Einheiten, in Jeremia 27—29. St.Ottilien, 1977.

Sellers O.R. -- W.F. Albright. 'The First Campaign of Excavation at Beth-Zur'. BASOR 43/1931, 2—13.

Sellin, Ernst. -- Georg Fohrer. Einleitung in das Alte Testament. 11. Aufl. Heidelberg, 1969.

Smend, Rudolph. Die Entstehung des Alten Testaments. Stuttgart, 1978.

— 'Das Gesetz und die Völker'. Probleme biblischer Theologie. Gerhard von Rad zum 70.Geburtstag. München, 1971, 494—509.

Smith, Henry Preserved. The Books of Samuel (ICC). Edinburgh, 1904.

Stade, Bernhard. 'Miscellen. Anmerkungen zu 2 Kö. 10—14'. ZAW 5/1885, 275—297.

Stamm, J.J 'Hebräische Frauennamen'. VT Suppl. 16/1967, 301—339.

Steck, Odil Hannes. 'Die Erzählung von Jahwes Einschreiten gegen die Orakelbrefragung Ahasjas (2 Kön 1,2—8.*17)'. EvTheol 27/1967, 546—556.

— Überlieferung und Zeitgeschichte in den Elia-Erzählungen. Neukirchen-Vluyn, 1968.

Stieglitz, R.R. 'The Seal of Ma$^c$aseyahu'. IEJ 23/1973, 236—237.

Stolper, Matthew, 'A Note on Yahwistic Personal Names in the Murašû Texts'. BASOR 222/1976, 25—28.

Strömberg Krantz, Eva. Des Schiffes Weg mitten im Meer (CB OTS 19). Lund, 1982.

Tallqvist, Knut L. Assyrian Personal Names (ASSF Tome xliii No 1). Helsingfors, 1914.

— Neubabylonisches Namenbuch (ASSF Tom xxxii No 2). Helsingfors, 1906.

Talmon, S. 'Ezra and Nehemiah'. IDB Suppl.Vol. Nashville, 1976, 317—328.

Taylor, W.R. 'Recent Epigraphic Discoveries in Palestina'. JPOS 10/1930, 16—22.

Thiel, Winfried. Die deuteronomistische Redaktion von Jeremia 1—25. Neukirchen, 1973.

— Die deuteronomistische Redaktion von Jeremia 26—45. Neukirchen, 1981.

Thiel, Edwin R. 'The Chronology of the Kings of Juda nad Israel'. JNES 3/1944, 137—186.

Thompson, Jôhn A. The Book of Jeremiah (NICOT). Grand Rapids, 1980.

Torczyner, Harry. Lachish I. The Lachish Letters (The Wellcome Archaeological Research Expedition to the Near East, Publ. Vol. 1). Oxford, 1938.

Tufnell, Olga. Lachish III. The Iron Age (The Wellcome-Marston Archaeological Research Expedition to the Near East, Publ. Vol 3). London/New York /Toronto, 1953.

Ussishkin, David. 'Excavations at Tel Lachish 1973—77'. TA 5/1978, 1—98.

Vattioni, F. 'I Sigilli ebraici'. Biblica 50/1969, 357—388.

— 'I sigilli ebraici II'. Augustinianum 11/1971, 447—453.

Veijola, Timo. Die Ewige Dynastie (Annales Academiae Scientiarum Fennicae, Ser.B, Tom 193). Helsinki, 1975.

Vorländer, Hermann. Mein Gott (AOAT 23). Neukirchen-Vluyn, 1975.

Wanke, Gunther. Untersuchungen zur sogenannten Baruchschrift (BZAW 122). Berlin, 1971.

Weippert, Helga, 'Die Ätiologie des Nordreichs und seines Königshauses'. ZAW 95/1983, 344—375.

— 'Die "deuteronomistischen" Beurteilungen der Könige von Israel und Juda und das Problem der Redaktionen der Königsbücher'. Biblica 53/1972, 301—339.

— Die Prosareden des Jeremiabuches (BZAW 132). Berlin, 1973.

Weiser, Arthur. Der Prophet Jeremia übersetzt und erklärt (ATD 20—21). Göttingen, 1952. 1955.

Welch, Adam C. Post-Exilic Judaism. Edinburgh and London, 1935.

— The Work of the Chronicler. Its Purpose and its Date (The Schweich Lectures of the British Academy 1938). London, 1939.

Welten, Peter. Geschichte und Geschichtsdarstellung in den Chronikbüchern. Neukirchen-Vluyn, 1973.

— 'Naboths Weinberg'. Ev Theol 33/1973, 18—32.

Wildberger, Hans. Jahwewort und prophetische Rede bei Jeremia. Zürich, 1942.

— 'Die Rede des Rabsake vor Jerusalem'. ThZ 35/1979,35—47.

Willi, Thomas. Die Chronik als Auslegung. Göttingen, 1972.

Williamson, H.G.M. Israel in the Book of Chronicles. Cambridge, 1977. — 'The Origins of the Twenty-four Priestly Courses. A Study of 1.Chronicles xxiii-xxvii'. VT Suppl. 30/1979, 251—268.

Wutz, Franz. Die Transkriptionen von der Septuaginta bis zu Hieronymus (Beiträge zur Wissenschaft vom Alten Testament, N.F. Heft 9). Lieferung 1—2. Berlin/Stuttgart/Leipzig, 1925—1933.

Würthwein, Ernst. 'Zur Komposition von 1 Reg. 22,1—38'. Das Ferne und Nahe Wort. Festschrift Leonard Rost (BZAW 105). Berlin, 1967, 245—254.

— 'Naboth-Novelle und Elia-Wort'. ZTK 75/1978, 375—397.

— Der Text des Alten Testaments. 2.Aufl. Stuttgart, 1963.

Zevit, Ziony. 'A Chapter in the History of Israelite Personal Names'. BASOR 250/1983, 1—16.

— Matres Lectionis in Ancient Hebrew Epigraphs (Monograph series — American Schools of Oriental Research; no 2). Cambridge, Mass, 1980.

# Abkürzungen

| | |
|---|---|
| AANL | Atti della Accademia Nazionale dei Lincei. |
| AB | The Anchor Bible. |
| AJSLL | The American Journal of Semitic Languages and Literatures. |
| ANET | Pritchard, James B. Ancient Near Eastern Texts. |
| AOAT | Alter Orient und Altes Testament. |
| AOS | American Oriental Series. |
| APN | Tallqvist, Knut L. Assyrian Personal Names. |
| ASAE | Annales du Service des Antiquites de l'Egypt. |
| ASSF | Acta Societatis Scientiarum Fennicae. |
| ATD | Das alte Testament Deutsch. |
| BA | Biblical Archeologist. |
| BASOR | Bulletin of the American Schools of Oriental Research. |
| BAT | Die Botschaft des Alten Testaments. |
| BB | Biblische Beiträge. |
| BH | Biblia Hebraica |
| BIES | Bulletin of the Israel Exploration Society. |
| BIFAO | Bulletin de l'Institut français d'archéologie orientale du Caire. |
| BKAT | Biblischer Kommentar Altes Testament. |
| BO | Bibliotheca Orientalis. |
| BWANT | Beiträge zur Wissenschaft vom Alten und Neuen Testament. |
| BWAT | Beiträge zur Wissenschaft vom Alten Testament. |
| BZ | Biblische Zeitschrift |
| BZAW | Beihefte zur Zeitschrift für die alttestamentliche Wissenschaft. |
| Cambr T-S, Cambr Wm Bibl. | Handschriften nach Davies, Hebrew Bible Manuscripts in the Cambridge Geniza Collection. |
| CBC | Cambridge Bible Commentaries. |
| CB OTS | Coniectanea Biblica. Old Testament Series. |
| CBQ | The Catholic Biblical Quarterly. |
| CIS | Corpus Inscriptionum Semiticarum. |
| DJD | Discoveries in the Judaean Desert. |
| EAEHL | Encyclopedia of Archaeological Excavations in the Holy Land. |
| EI | Eretz Israel. |
| EJ | Encyclopedia Judaica. |
| Eph 1—3 | Lidzbarski, Mark. Ephemeris für semitische Epigraphik 1—3. |
| EThSt | Erfurter Theologische Studien. |

| | |
|---|---|
| EvTheol | Evangelische Theologie. |
| FRLANT | Forschungen zur Religion und Literatur des Alten und Neuen Testaments. |
| HAT | Handbuch zum Alten Testament, 1.Reihe. |
| HD | Hestrin/Dayagi-Mendels. Inscribed Seals. |
| HkzAT | Handkommentar zum Alten Testament, Göttingen. |
| HThR | Harvard Theological Revue. |
| HUCA | Hebrew Union College Annual. |
| ICC | The International Critical Commentary. |
| IDB | The Interpreters Dictionary of the Bible. Ed. G.A. Buttrick. Nashville, 1962. |
| IEJ | Israel Exploration Journal. |
| ION,A | Istituto Orientale di Napoli, Annali. |
| IR | Inscriptions Reveal, Jerusalem, 1973. |
| JA | Journal Asiatique. |
| JBL | Journal of Biblical Literature. |
| JNES | Journal of Near Eastern Studies. |
| JPOS | Journal of the Palestine Oriental Society. |
| JRAS | Journal of the Royal Asiatic Society. |
| JSOT | Journal for the Study of the Old Testament. |
| JStJ | Journal for the Study of Judaism. |
| KAT | Kommentar zum Alten Testament. |
| KAI | Donner/Röllig. Kanaanäische und aramäische Inschriften. |
| Kenn | Handschriften nach Kennicott, Vetus Testamentum Hebraicum. |
| KHCAT | Kurzer Hand-Commentar zum Alten Testament. |
| L | Codex Leningradensis. |
| LUÅ | Lunds Universitets Årsbok. |
| NEph 2 | Neue Ephemeris für semitische Epigraphik 2. Ed. R Degen, W.Müller, W. Röllig. Wiesbaden, 1974. |
| NICOT | The New International Commentary on the Old Testament. |
| NNB | Tallqvist, Knut L. Neubabylonisches Namenbuch. |
| OTL | Old Testament Library. |
| ÖAW | Österreichische Akademie der Wissenschaften. |
| P | Codex Babylonicus Petropolitanus (Petersburger Prophetencodex). |
| PEFQS | Palestine Exploration Fund Quarterly Statements. |
| PEQ | Palestine Exploration Quarterly. |
| PSBA | Proceedings of the Society of Biblical Archaeology. |
| QDAP | Quarterly of the Department of Antiquities in Palestine. |
| RAO | Recueil d'archéologie orientale. |
| RB | Revue Biblique. |

| | |
|---|---|
| RES | Repetoire d'épigraphie sémitique. |
| RHR | Revue de l'historie des religions. |
| SEÅ | Svensk Exegetisk Årsbok. |
| SPDS | Studies in the Period of David and Solomon. |
| TA | Tel Aviv. |
| ThZ | Theologische Zeitschrift. |
| TrThZ | Trierer Theologische Zeitschrift. |
| VSH | Vanderbilt Studies in the Humanities. |
| VT | Vetus Testamentum. |
| VT Suppl | Supplements to Vetus Testamentum. |
| ZA | Zeitschrift für Assyriologie. |
| ZAW | Zeitschrift für die alttestamentliche Wissenschaft. |
| ZDPV | Zeiterschrift des deutschen Palästina Vereins. |
| ZTK | Zeitschrift für Theologie und Kirche. |

# Addendum

Nach der Fertigstellung dieser Arbeit wurden noch eine Anzahl von epigraphischen Belegstellen in EI 18/1985 publiziert. Die Belegstellen finden sich in den folgenden Beiträgen:

Beit-Arieh, I.  *' 'wsṭrqwn 'ḥqm mḥrbt ᶜwzh '* EI 18/1985, 94—96. Ein Ostrakon, gefunden in Ḥorvat 'Uza. 7.—6.Jh.

Lemaire, André.  'Sept sceaux nord-ouest sémitiques inscrits'. EI 18/1985, 29*—41*.. Auf dem Antiquitätenmarkt gekaufte Siegel.

Shilo, Y.  *' qbwst bwlwt 'brjwt mᶜjr dwd '* EI 18/1985, 73—87. Bei den Ausgrabungen in der Stadt Davids, Jerusalem, gefundene Siegelabdrücke. Sie stammen sämtlich aus dem 7.—6. Jh.

In dem neuen Material finden wir die folgenden Namen mit den für uns interessanten Suffixen:

| | | |
|---|---|---|
| *'ḥjhw* (Vgl. S.27) | +KLW | Shiloh, S.80, Nr.9. |
| *bnjhw* (Vgl. S.28) | +KL | Shiloh, S.80, Nr.31. |
| *brkjhw* (Vgl. S.29) | +KL | Shiloh, S.80, Nr.33. |
| *gdjhw* (Vgl. S.29) | | Shiloh, S.80, Nr.13. |
| *gmrjh* (Vgl. S.24) | +KL | Shiloh, S.80, Nr.19. |
| *gmrjhw* (Vgl. S.29) | +KL | Shiloh, S.80, Nr.2. |
| *dljh(w)* (Vgl. *dljw* S.40) | | Shiloh, S.80, Nr.1 (Schluss-*w* undeutlich.) |
| *dmljhw* (Vgl. S.30) | | Shiloh, S.80, Nr.36. |
| *hwšᶜjhw* (Vgl. S.30) | +K | Ostrakon. Beit-Arieh, S.94. |
| | | Siegelabdruck. Shiloh, S.80, Nr.31. |
| *hṣljhw* (Vgl. S.30) | | Beit-Arieh, S.94. |
| *ḥlṣjhw* (Vgl. S.30) | | Lemaire, S.31*. Juda, 7.Jh. |
| *ḥlqjhw* (Vgl. S.30) | +KL | Shiloh, S.80, Nr.27. |
| *ḥnnjh* (Vgl. S.24) | +KL | Shiloh, S.80, Nr.45. |
| *-jh(w)* (Vgl. S.31) | +KL | Shiloh, S.80, Nr.34 (Schluss-*w* undeutlich). |
| *j'znjh(w)* (Vgl. S.24.31) | +KL | Shiloh, S.80, Nr.48 (Schluss-*w* undeutlich). |
| *jdᶜjhw* (Vgl. S.32) | +K | Shiloh, S.80, Nr.12. |
| *jwᶜljhw* (Neuer) | | Lemaire, S.29*. Juda, 7.Jh. |
| *mkjhw* (Vgl. S.33) | | Shiloh, S.80, Nr.32. |
| *mᶜśjhw* (Vgl. S.33) | +KL | Shiloh, S.80, Nr.48. |
| *nrjhw* (Vgl. S.34) | +KL | Siegel. Lemaire, S.30*. Juda, 7.Jh. |
| | | Siegelabdruck. Shiloh, S.80, Nr.36. |

Diese Belegstellen schliessen sich gut an das zuvor herangezogene Muster an. Der Grossteil der Belege weist das Suffix *-jhw* auf, doch finden wir an der Schwelle der Exilzeit auch einige Beispiele mit *-jh*.

# Register

## Alphabetisches Namenregister

א

| | | | |
|---|---|---|---|
| אבי | S.64,166,168 | אחזיהו | S.27,59,79,82 |
| אביה | S.23,26,54,64 | | S.93,100,103f. |
| | S.72,87,91,108 | | S.106-111,114 |
| | S.113,120 | | S.121,165 |
| | S.165f. | | S.165 Anm.14 |
| | S.165 Anm.8 Anm.10 | | S.167-170,180 |
| | S.168,170,174 | | S.183f.,188 |
| | S.179f. | | S.191 |
| | S.190-193 | אחיה | S.65,72,82 |
| אביהו | S.27,44,64 | | S.86-89,91,93 |
| | S.179f.,190 | | S.95,103,106 |
| אביהוא | S.64,66 | | S.120f.,172f. |
| אביו | S.39,64f. | | S.176,178 |
| | S.168 Anm.21 | | S.188-190,193 |
| | S.170,192 | | S.194 Anm.81 |
| אבים | S.64,165,168 | אחיהו | S.27,65,87 |
| | S.170,179,190 | | S.90f.,165,167 |
| | S.192 | | S.218 |
| אבישלום | S.168 | אחיו | S.39,44,46,65 |
| אבריהו | S.27 | | S.69,72,199 |
| אדוניה | S.181 Anm.181 | אחיקם | S.148 |
| אדניה | S.23,59,72,78 | אחתפל הגלני | S.172 |
| | S.81,84f.,120 | איה | S.54,69,169 |
| | S.162 Anm.1 | | S.197 |
| | S.181 Anm.54 | אלישא | S.94 Anm.73 |
| אדניהו | S.59,78,81 | אלישה | S.65f.,93 |
| | S.84f.,120 | | S.94 Anm.73 |
| | S.180f. | | S.97f.,100,120 |
| | S.181 Anm.54 | | S.198 |
| אדניו | S.40 | אלישיהו | S.27,65f.,82 |
| אוריאל | S.168 | | S.93-100,103 |
| אוריה | S.23,57,59 | | S.106f.,121 |
| | S.73f.,87,91 | | S.183f. |
| | S.104,114 | אלישוא | S.66 |
| | S.120f.,137 | אלישיו | S.82,94 |
| | S.165,188,197 | אמציה | S.59,79,82,103 |
| אוריהו | S.27,57,136f. | | S.109,110f. |
| אוריהו בן שמעיהו | S.156,160 | | S.111 Anm.159 |
| אוריו | S.39,46 | | S.181,198 |
| אזניה | S.54 | אמציהו | S.59,79,82,104 |
| אחאב בן קוליה | S.140,156,159 | | S.110 Anm.155 |
| אחזיה | S.59,82 | | S.111 |
| | S.90 Anm.61 | | S.111 Anm.160 |
| | S.93f.,97,100 | | S.121,166f. |
| | S.103,105-107 | | S.170,181,183 |
| | S.106 Anm.139 | | S.185,191 |
| | S.114,120,180 | אמריה | S.60,174,198 |
| | S.184,191 | אמריהו | S.28,60,175 |

220

| | | | |
|---|---|---|---|
| | S.180f.,187 | | S.119,122,132 |
| | S.191 | | S.146,148-151 |
| אגיהו | S.28 | | S.151 Anm.109 |
| אציה | S.23 | | S.152,157f. |
| אצליהו | S.28,56,117f. | | S.160,175 |
| | S.122,166f. | גדליהו בן אחיקם | S.127 Anm.12 |
| אריה | S.23 | גדליהו בן פשחור | S.147f.,160 |
| אריהו | S.28 | גמליהו | S.29 |
| אשיה | S.23,26 | גמריה | S.24,57,137 |
| אשיהו | S.28,39 | | S.218 |
| | | גמריהו | S.29,57,143 |
| ב | | | S.145,218 |
| | | גריהו | S.29 |
| בדיו | S.40 | | |
| בידיה | S.23 | ד | |
| בניה | S.60,67 Anm.50 | | |
| | S.69,72f.,165 | דדוהו | S.180,182,191 |
| | S.177,180 | דדיהו | S.30 |
| | S.190-192 | | S.182 Anm.61 |
| | S.194 Anm.81 | דודהו | S.182 Anm.61 |
| | S.197 | דודוהו | S.182 Anm.61 |
| בניה בן יעיאל | S.181,193 | דודיהו | S.182 Anm.61 |
| בניהו | S.28,60 | דוידדוהו | S.182 Anm.61 |
| | S.67 Anm.50,69 | דוריהו | S.182 Anm.61 |
| | S.72f.,84,86 | דליה | S.57,67 Anm.50 |
| | S.120,165,167 | | S.218 |
| | S.173f.,178 | דליהו | S.57,143,145 |
| | S.187-190,193 | | S.175,218 |
| | S.197 | דליו | S.40 |
| | S.197 Anm.2 | דלתיהו | S.30 |
| | S.218 | דמליהו | S.30,218 |
| בניהו בן יהוידע | S.194 Anm.81 | דרוהו | S.182 Anm.61 |
| בסודיה | S.54 | דרשיהו | S.30 |
| בעדיה | S.23 | | |
| בעליה | S.54,172 | ה | |
| בעשיה | S.54 | | |
| בקבקיה | S.54 | הגלניה | S.24 |
| בקיהו | S.56,175 | הדייוהו | S.169 |
| בראיה | S.94 | הודויה | S.57,171 |
| ברוך | S.141 | הודויהו | S.30,57,169 |
| ברוך בן נריה | S.154,156 | הודיה | S.24,27,54 |
| ברכיה | S.60,173,189 | הודיהו | S.30 |
| ברכיהו | S.29,60,169 | הושיה | S.24 |
| | S.171,173,184 | הושעיה | S.24,54,56,152 |
| | S.188,198,218 | | S.159 |
| בתיה | S.54 | הושעיהו | S.30,218 |
| | | המצבריה | S.172,188 |
| ג | | הצליהו | S.30,218 |
| | | | |
| גאיה | S.23,27 | ו | |
| גאליהו | S.29 | | |
| גדיהו | S.29,218 | וניה | S.54 |
| גדיו | S.40 | | |
| גדלה | S.129 | ז | |
| גדליה | S.23,26,60,119 | | |
| | S.132,148,151 | זבדיה | S.24,57,172 |
| | S.158-160,198 | | S.177,190 |
| גדליהו | S.29,60,117 | זבדיהו | S.57,176,180f. |

222

# Bibelstellen

CONIECTANEA BIBLICA

OLD TESTAMENT SERIES

Editors: Tryggve Mettinger, Lund and Helmer Ringgren, Uppsala.

1. *Albrektson, B.:* History and the Gods. 1967.
2. *Johnson, B.:* Die armenische Bibelübersetzung als hexaplarischer Zeuge im 1.Samuelbuch. 1968.
3. *Ottosson, M.:* Gilead. Tradition and History, 1969
4. *Erlandsson, S.:* The Burden of Babylon. A Study of Isaiah 13:2—14:23. 1970.
5. *Mettinger, T.:* Solomonic State Officials. A Study of Civil Government Officials of the Israelite Monarchy. 1971.
6. *Hidal, S.:* Interpretatio syriaca. Die Kommentare des heiligen Ephräm des Syrers zu Genesis und Exodus mit besonderer Berücksichtigung ihrer auslegungsgeschichtlichen Stellung. 1974.
7. *Tengström, S.:* Die Hexateucherzählung. Eine literaturgeschichtliche Studie. 1976.
8. *Mettinger, T.:* King and Messiah. The Civil and Sacral Legitimation of the Israelite Kings, 1976.
9. *Norin, S.:* Er spaltete das Meer. Die Auszugsüberlieferung in Psalmen und Kult des Alten Israel. 1977.
10. *Hyvärinen, K.:* Die Übersetzung von Aquila. 1977.
11. *Kronholm, T.:* Motifs from Genesis 1—11 in the Genuine Hymns of Ephrem the Syrian. 1978.
12. *Ljung, I.:* Tradition and Interpretation. A Study of the Use and Application of Formulaic Language in the so-called Ebed YHWH-psalms. 1978.
13. *Johnson, B.:* Hebräisches Perfekt und Imperfekt mit vorangehendem *w.* 1979.
14. *Steingrimsson, S.:* Vom Zeichen zur Geschichte. Eine literar- und formkritische Untersuchung von Ex 6,28—11,10. 1979.
15. *Kalugila, L.:* The Wise King. Studies in Royal Wisdom as Divine Revelation in the Old Testament and its Environment. 1980.
16. *André, G.:* Determining the Destiny. PQD in the Old Testament. 1980.
17. *Tengström, S.:* Die Toledotformel und die literarische Struktur der priesterlichen Erweiterungsschicht im Pentateuch. 1982.
18. *Mettinger, T.:* The Dethronement of Sabaoth. Studies in the Shem and Kabod Theologies. 1982.
19. *Strömberg Krantz, E.:* Des Schiffes Weg mitten im Meer. Beiträge zur Erforschung der nautischen Terminologie des Alten Testaments. 1982.
20. *Porter, P.A.:* Metaphors and Monsters. A literary-critical study of Daniel 7 and 8. 1983.
21. *Lindström, F.:* God and the Origin of Evil. A Contextual Analysis of Alleged Monistic Evidence in the Old Testament, 1983.
22. *Wiklander, B.:* Prophecy as Literature. A Text-Linguistic and Rhetorical Approach to Isaiah 2—4. 1984.
23. *Haglund, E.:* Historical motifs in the Psalms. 1984.
24. *Norin, S.:* Sein Name allein ist hoch. Das Jhw-haltige Suffix althebräischer Personennamen untersucht mit besonderer Berücksichtigung der alttestamentlichen Redaktionsgeschichte. 1986.